LA PLANÈTE EN COLÈRE

LA PLANÈTE EN COLÈRE

ATLAS DES CATASTROPHES NATURELLES

LESLEY NEWSON

Sélection
du Reader's Digest

PARIS • BRUXELLES • MONTRÉAL • ZURICH

Un livre Dorling Kindersley

La Planète en colère. Atlas des catastrophes naturelles
est l'adaptation française de
The Atlas of the World's Worst Natural Disasters,
conçu, réalisé et publié par Dorling Kindersley
www.dk.com

ÉDITION ORIGINALE
Responsable de l'ouvrage : Peter Adams
Édition : Philip J. Ormerod, Teresa Pritlove, Martyn Page
Direction artistique : Jason Little & Bryn Walls
Cartographie : David Roberts, Jane Voss, Philip Rowles
Iconographie : Angela Anderson

ÉDITION FRANÇAISE
réalisée par ML ÉDITIONS, Paris,
sous la direction de Michel Langrognet,
assisté de Marie Ducand & Christiane Keukens-Poirier
Traduction : Sylvie Deraime & Catherine Zerdoun
Consultant : Christine Dorville

MISE À JOUR
Libris, Grenoble

Sous la direction de l'équipe éditoriale de
SÉLECTION DU READER'S DIGEST
Direction éditoriale : Gérard Chenuet
Responsables de l'ouvrage : Philippe Leclerc, Christine de Colombel
Suivi éditorial : Bénédicte Robbe
Lecture-correction : Catherine Decayeux
Couverture : Patrick Perrin
Suivi technique : Olpan

ÉDITION ORIGINALE
© 1998, Dorling Kindersley Limited,
80 Strand, London, WC2R 0RL

MISE À JOUR 2005
© 2005, 1998 Dorling Kindersley Limited, London
Texte © 2005, 1998 Lesley Newson
Cartes © 2005, 1998 Dorling Kindersley Limited

ÉDITION FRANÇAISE
© 2005, 1999, Sélection du Reader's Digest, SA
1 à 7, avenue Louis-Pasteur, 92220 Bagneux
www.selectionclic.com
© 2005, 1999, N.V. Reader's Digest, SA
20, boulevard Paepsem, 1070 Bruxelles
© 2005, 1999, Sélection du Reader's Digest (Canada), Limitée
1100, boulevard René-Lévesque Ouest, Montréal, Québec H3B5H5
© 2005, 1999, Sélection du Reader's Digest, SA
Räffelstrasse 11, « Gallushof », 8021 Zurich

Pour nous communiquer vos suggestions ou remarques sur ce livre,
utilisez notre adresse e-mail : editolivre@readersdigest.tm.fr

ISBN : 2-7098-1692-X

DEUXIÈME ÉDITION
Achevé d'imprimer : septembre 2005
Dépôt légal en France : octobre 2005
Dépôt légal en Belgique : D-2005-0621-92

Imprimé chez AGT, Espagne
Printed in Spain

SOMMAIRE

INTRODUCTION

LA NATURE EST SANS PITIÉ. Imprévisible, elle peut frapper n'importe où. La surface de la Terre peut se soulever comme celle d'un océan, les montagnes cracher des rochers incandescents et des gaz, et les mers déchirer les continents. Face aux brusques changements qui affectent le niveau des eaux, la composition de l'atmosphère, les températures et le rythme des saisons, seules les espèces les plus résistantes – ou les plus chanceuses – parviennent à survivre.

Les sociétés humaines – tout comme l'environnement dans lequel elles évoluent – ont été modelées par les catastrophes naturelles. Si les historiens tentent d'expliquer le passé en invoquant le rôle des grands hommes d'État et les stratégies des généraux, il faut garder à l'esprit que la nature a exercé une influence tout aussi profonde et que ses caprices ont décidé du sort de plus d'une bataille. En 1588, la modeste flotte anglaise n'aurait jamais vaincu l'Invincible Armada espagnole sans l'aide des tempêtes de l'Atlantique. Il y a 4 200 ans, c'est parce qu'il avait réussi à maîtriser les terribles inondations du fleuve Jaune, dont il fit draguer le lit, que le roi Yu, fondateur de la dynastie chinoise des Xia, devint le premier souverain de la Chine. Les fléaux imprévisibles marquent profondément l'esprit des hommes et pèsent lourd dans les

LA TERRE S'OUVRE
Sur la minuscule île islandaise de Heimaey, des fissures s'ouvrent sans crier gare, recouvrant tout un village de lave en fusion et de cendre noire.

bouleversements des sociétés. L'émergence de la Réforme, par exemple, est souvent associée à la peste noire, qui, sans discrimination, décima un tiers de la population de l'Europe entre 1346 et 1352. En faisant table rase du passé, les catastrophes naturelles ouvrent la voie à de nouvelles manières de vivre.

L'IMPACT DE LA NATURE

En évoquant avec précision de nombreux cataclysmes, cet ouvrage tente de faire mesurer l'ampleur de leurs conséquences. Malheureusement, il est loin d'être exhaustif. Certains gouvernements refusent encore de publier les bilans des catastrophes naturelles qui ont frappé leur pays ; de manière générale, on dispose de bien plus d'éléments sur les nations riches que sur les régions défavorisées. Si les récits des désastres survenus dans les temps anciens relèvent souvent de la légende, les traces des dommages

LES EFFETS DU VENT ET DE L'EAU
De nombreux ports de plaisance et des milliers de foyers ont été dévastés par les terribles vagues et les vents cinglants qui ont balayé la Floride lors du passage de l'ouragan Andrew, en 1992.

SECOUSSES SOUTERRAINES
En 1985, près de 800 immeubles du centre de Mexico se sont effondrés, ébranlés par les secousses d'un tremblement de terre dont l'épicentre se situait à 400 km de la ville. On a dénombré environ 9 000 morts et 30 000 blessés.

qu'ils ont causés fournissent aujourd'hui encore une multitude d'informations.

Les scientifiques reconstituent progressivement le puzzle des événements préhistoriques. Les roches portant les restes fossilisés d'anciennes formes de vie témoignent de manière irréfutable des bouleversements climatiques et géologiques qui ont ébranlé la vie sur la Terre. Notre connaissance du passé est cependant loin d'être parfaite. On en sait davantage sur l'extinction des dinosaures, il y a 65 millions d'années, que sur la disparition des primates dont nous descendons. L'examen des heures sombres de l'humanité nous aide à

LA MENACE DU FEU
Dans le sud de la France, lors des longues périodes de sécheresse, une étincelle suffit à embraser des hectares de forêt.

mieux comprendre la nature humaine. Les communautés touchées par des catastrophes naturelles réagissent toujours de la même manière : après le choc, un sentiment de soulagement et une immense gratitude pour l'aide et pour le soutien reçus succèdent à un premier mouvement de colère, d'incrédulité, de peur et de résignation. Puis surgissent, inévitables, les mêmes interrogations : Pourquoi est-ce arrivé ? Qui est responsable ? Pouvons-nous empêcher que cela ne se reproduise ? Dans leur tentative de comprendre la nature, les Anciens ont créé des mythes qui font désormais partie de notre culture. Les Babyloniens et les Chinois redoutaient

SAUVÉE DES EAUX
En Californie, les tempêtes provoquent souvent des inondations : la terre, trop sèche, ne peut absorber les pluies diluviennes. Cette petite fille emportée par un torrent d'eau a eu la chance d'être secourue.

le passage des comètes, considérées comme un mauvais présage.

L'origine de cette peur serait liée à la série d'explosions aériennes qui se produisit voici 4 200 ans. Les astronomes savent aujourd'hui qu'à cette époque une comète importante traversa le système solaire, laissant dans son sillage des débris qui auraient explosé en pénétrant dans notre atmosphère, ce qui expliquerait les incendies et autres calamités auxquels font référence les légendes de plusieurs civilisations.

Le terme même de « désastre » nous vient de la peur des Anciens : formé à partir d'*aster*, c'est-à-dire étoile en grec, il signifie « mauvaise étoile ».

La plupart des civilisations ont ressenti l'immense pouvoir de la nature, dont la force exprimait la volonté des dieux sans rien devoir au hasard. Le dieu grec Zeus et le dieu nordique Thor brandissaient des éclairs. Le dieu des Juifs punissait ceux qui lui désobéissaient en leur infligeant force inondations, tremblements de terre et autres cataclysmes naturels. Shiva, la divinité hindoue, symbole de destruction mais aussi de restauration, représente ce double aspect de la nature.

LES PERSPECTIVES ACTUELLES

Au cours du XXe siècle, les progrès scientifiques et technologiques nous ont permis de mieux comprendre la manière dont les forces naturelles nourrissent et détruisent en même temps l'environnement terrestre. Nous savons aujourd'hui pourquoi certaines zones de la planète sont plus exposées que d'autres à certaines catastrophes. Nous sommes également capables, dans une certaine mesure, de prévoir quand ces catastrophes auront lieu, tout comme nous avons appris à atténuer quelque peu leurs conséquences. Les spécialistes des pays développés sont désormais prêts à partager

L'ÉTREINTE GLACIALE DE L'HIVER
En 1996, le blizzard qui a frappé le nord-est des États-Unis a enfoui les villes sous d'immenses congères. Dans les années 1990, l'Amérique du Nord a connu des tempêtes hivernales aussi rudes qu'inhabituelles.

TOUJOURS PAS DE SIGNE DE PLUIE
Durant les années 1980, la faiblesse des précipitations saisonnières a plongé une grande partie de l'Afrique dans une situation de famine. Cette photo de fermiers massaï, prise en 1993 en Tanzanie, montre que la menace de sécheresse se fait toujours sentir.

ces connaissances avec les nations moins favorisées. Nous ne sommes cependant pas à l'abri d'une erreur. La principale serait de croire que notre compréhension et notre maîtrise de la nature sont meilleures qu'elles ne sont en réalité.

Les recherches scientifiques montrent que, dans un lointain passé, la Terre a subi des dommages naturels bien plus destructeurs que tout ce que l'humanité a connu depuis. Nous avons certes bouleversé et nous bouleversons encore notre environnement naturel, mais il est impossible que nous détruisions la nature elle-même : c'est elle qui, le moment venu, aura raison de nous.

Lesley Newson

LESLEY NEWSON

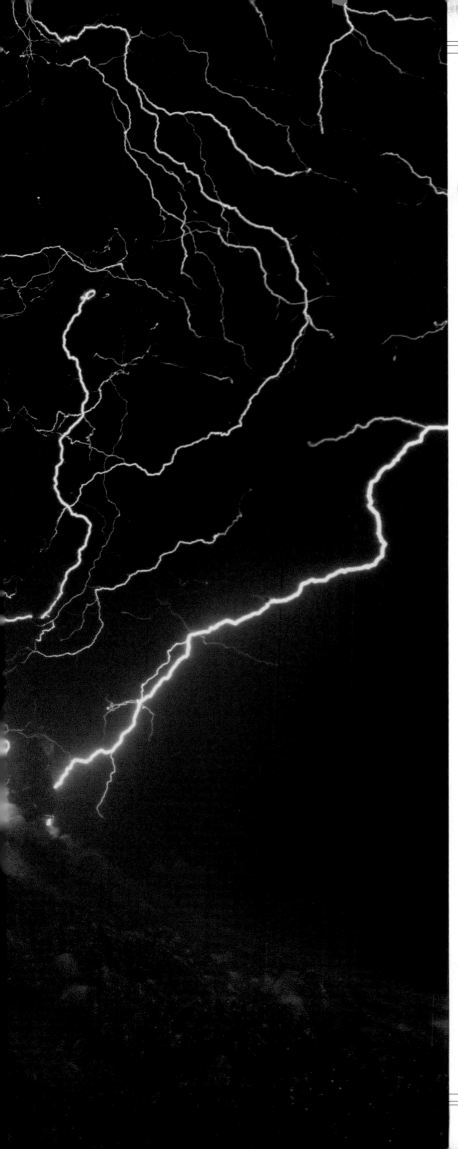

PREMIÈRE PARTIE

CATASTROPHES NATURELLES

*« Calme bloc ici-bas
chu d'un désastre obscur…»*

STÉPHANE MALLARMÉ, *POÉSIES*

LA TERRE est une sphère rocheuse de près
de 13 000 km de diamètre qu'entoure
une enveloppe gazeuse s'étirant sur plus
de 100 km. Entre la surface
et la haute atmosphère, une couche fragile,
épaisse de moins de 18 km, est prise
comme en sandwich. L'air y est suffisamment
dense pour permettre aux êtres humains
de vivre, mais la vie y est périodiquement
menacée par des cataclysmes.
Cette partie de l'ouvrage est consacrée
aux différents types de catastrophes naturelles,
groupées selon les causes qui les provoquent.
La description des événements passés
permet de mesurer les conséquences
d'une catastrophe naturelle pour les hommes
comme pour l'environnement. Le texte principal
présente les forces en action au cœur
de la Terre et à sa périphérie. Mieux connaître
ces forces, c'est apprendre davantage
sur nous-mêmes et sur le rôle
que nous pouvons jouer afin de minimiser
les effets destructeurs des colères de la nature.

MONT SAKURA-JIMA, JAPON
*En 1995, lors de l'éruption du Sakura-jima,
la friction dans l'atmosphère des cendres éjectées
par le volcan généra de violents éclairs.*

UNE TERRE AGITÉE

Séismes et éruptions volcaniques
véhiculent la destruction et la
mort de bien des façons. Un
tremblement de terre détruit
non seulement des édifices, mais
dévaste toutes les infrastructures.
Dans son sillage peuvent survenir
incendies, glissements de terrain,
avalanches et tsunamis –
d'énormes vagues qui submergent
les côtes. Certains volcans vomissent
des fleuves de lave qui
brûlent la terre alentour,
mais les éruptions explosives
sont bien plus meurtrières.
Elles libèrent des colonnes de gaz
et de roche fondue qui, en s'élevant,
perturbent le climat de la planète, ou, en
retombant au sol, incinèrent tout sur leur
passage. Les cendres volcaniques, en se mêlant à
l'eau, peuvent donner naissance à des flots de boue
mortels.

② **Mont Saint Helens**
*L'explosion du mont Saint Helens,
le 18 mai 1980, pulvérisa la face
nord du volcan et emporta des
millions d'arbres.*

Heimaey ⑧
*En 1973, gaz et lave
jaillirent après l'ouverture
d'une faille dans l'île
islandaise d'Heimaey.*

① **San Francisco**
*Le 18 avril 1906, un
puissant séisme ébranla
San Francisco, provoquant
des incendies dévastateurs.*

Lisbonne ⑨
*En 1755, un séisme au large du
Portugal détruisit en partie
Lisbonne et engendra
d'impressionnants tsunamis.*

③ **Mexico**
*Des centaines de bâtiments
s'effondrèrent lors du séisme
de septembre 1985.*

⑦ **Montagne Pelée**
*Le 8 mai 1902, une nuée ardente,
produite par l'éruption de la
montagne Pelée, en Martinique,
détruisit Saint-Pierre, où périrent
près de 30 000 personnes.*

La déesse du feu
La légende veut que
Pelé, la déesse
hawaïenne du feu,
habite le mont Kilauea.

Chimbote ④
*En 1970, un séisme localisé près de
Chimbote affecta tout le Pérou et
entraîna un dramatique glissement de
terrain sur le Huascarán, point
culminant des Andes péruviennes.*

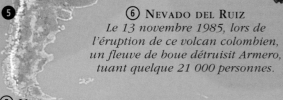

⑥ **Nevado del Ruiz**
*Le 13 novembre 1985, lors de
l'éruption de ce volcan colombien,
un fleuve de boue détruisit Armero,
tuant quelque 21 000 personnes.*

⑤ **Valdivia**
*En 1960, une série de séismes sous-
marins causa d'importants dégâts dans
tout le Chili et engendra des tsunamis
qui traversèrent le Pacifique.*

Séisme en Californie
L'épicentre du séisme qui fit s'effondrer ces
maisons de San Francisco en 1989 était situé
à 95 km au sud-est de la ville, mais l'énergie
véhiculée par les ondes sismiques était telle
que les dégâts s'étendirent très largement.

⑩ Vésuve
En 79 apr. J.-C.,
des nuages de gaz chauds
recouvrirent Herculanum et
Pompéi, qui furent ensevelies
sous les cendres projetées
par l'éruption du volcan.

⑮ Kobe
En 1995, un puissant séisme
dans la baie d'Osaka,
au Japon, coûta la vie à
6 000 personnes et provoqua
d'importants dommages
à Kobe et dans d'autres villes
de la région.

Tangshan ⑬
Quelque 250 000 personnes
périrent, en juillet 1976, lors
d'un séisme qui avait pour
épicentre la cité industrielle
de Tangshan, en Chine.

⑪ Spitak
À l'aube du 7 décembre 1988,
une secousse de 15 secondes
ravagea Spitak, en Arménie,
tuant 100 000 personnes.

⑫ Krakatoa
En mai 1883, près de 36 000 personnes
furent emportées par les vagues
engendrées par l'explosion du volcan
de la petite île de Krakatoa, en Indonésie.

Le sismographe
Conçu pour enregistrer les ondes
sismiques, ce sismographe fut
mis au point en 1885. Les
sismographes modernes peuvent
détecter les ondes sismiques
sur l'ensemble de la planète.

⑭ Pinatubo
Lors de l'éruption du Pinatubo, en mai 1991, le ciel
fut obscurci par des gaz volcaniques et les Philippines
se couvrirent de cendres. L'évacuation de la zone
permit de limiter le bilan à un millier de morts.

VOLCANS ET SÉISMES

TREMBLEMENTS DE TERRE ET VOLCANS nous rappellent avec violence que seule une fine croûte de roches solides nous sépare de l'intérieur de la Terre, soumis constamment à des forces et à des températures élevées. Cette fragile écorce est morcelée en plaques, qui se heurtent constamment au cours de leurs lents déplacements. En bordure de ces plaques, les cataclysmes géologiques sont fréquents.

LA TECTONIQUE DES PLAQUES

À l'intérieur de la Terre, il fait extrêmement chaud. La température – de l'ordre de 3 700 °C – augmenterait constamment, du fait de la désintégration des éléments radioactifs, si les déplacements des roches dans le manteau ne permettaient d'évacuer la chaleur vers la surface, maintenant ainsi stable la température du noyau. Le couvercle de ce chaudron est constitué par la croûte terrestre, formée de plaques de roches solides et plus froides, appelées plaques tectoniques. On en a dénombré sept principales, auxquelles s'ajoutent un certain nombre de microplaques. Au-dessous, la roche, plus chaude et plus visqueuse à proximité du noyau, remonte lentement. Sa progression est bloquée par l'écorce rigide, mais, entre deux plaques divergentes, elle peut se frayer un chemin au niveau des points faibles.

L'INTÉRIEUR DE LA TERRE
Sous une fine croûte se trouve le manteau – 2 900 km de roche très chaude et visqueuse. Au centre de la Terre, la pression est telle que le noyau interne, de la taille de la Lune, demeure à l'état solide, malgré la température.

Croûte

Manteau supérieur

Manteau inférieur

Noyau externe liquide

Noyau interne solide, chaud

La croûte océanique est plus fine et plus dense que la croûte continentale

La croûte continentale est plus épaisse que la croûte océanique.

Libérée de l'énorme pression, la roche fond lorsqu'elle s'élève, s'échappe des rifts sous forme de lave et de gaz brûlants. À la surface, la lave refroidit et se solidifie pour former une nouvelle croûte. C'est ainsi que sont nées les grandes dorsales qui tapissent les fonds océaniques.

À mesure qu'une nouvelle croûte se constitue, la croûte ancienne est repoussée de telle manière que, sur leurs autres marges, les plaques se heurtent. Ce qui se produit lorsque deux plaques convergent dépend de la nature des roches en bordure de celles-ci. Il y a subduction lorsqu'elles sont de densité inégale. La plaque la plus dense plonge alors sous sa voisine. Tandis qu'elle coule inexorablement vers le cœur incandescent de la planète, la roche entre en fusion. Elle est pour la plus grande part absorbée dans le manteau, mais une partie peut resurgir pour donner naissance à des volcans de subduction. Des volcans de ce type forment une ceinture de feu autour du Pacifique.

Lorsque deux plaques de même densité entrent en contact, les masses rocheuses des bordures sont comprimées et plissées, jusqu'à la rupture. Les chaînes montagneuses sont formées par l'accumulation des roches issues de la collision de deux continents. L'Himalaya résulte ainsi de la collision des plaques indienne et eurasienne. Dans certaines zones d'affrontement, les plaques coulissent l'une par rapport à l'autre, créant des failles transformantes, telle celle de San Andreas, aux États-Unis.

LES PLAQUES TECTONIQUES
Les plaques forment un puzzle mouvant dont les déplacements sont à l'origine de la plupart des volcans et des séismes qui secouent la planète.

UN CHAUDRON DE LAVE
Le volcan éthiopien Erta Ale est l'un des nombreux cratères de la Rift Valley africaine, grande fracture de l'écorce terrestre d'où s'échappe le magma.

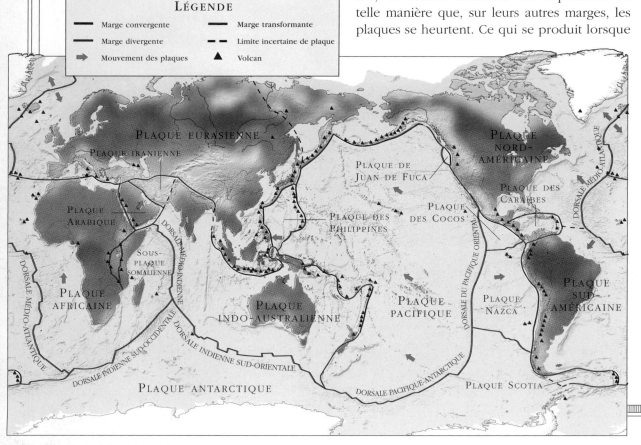

LÉGENDE

Marge convergente
Marge divergente
Mouvement des plaques

Marge transformante
Limite incertaine de plaque
Volcan

PLAQUE EURASIENNE
PLAQUE IRANIENNE
PLAQUE DE JUAN DE FUCA
PLAQUE NORD-AMÉRICAINE
PLAQUE DES CARAÏBES
PLAQUE DES PHILIPPINES
PLAQUE DES COCOS
PLAQUE ARABIQUE
SOUS-PLAQUE SOMALIENNE
PLAQUE AFRICAINE
DORSALE MÉDIO-INDIENNE
DORSALE MÉDIO-ATLANTIQUE
DORSALE MÉDIO-ATLANTIQUE
PLAQUE INDO-AUSTRALIENNE
PLAQUE PACIFIQUE
DORSALE DU PACIFIQUE ORIENTAL
PLAQUE NAZCA
PLAQUE SUD-AMÉRICAINE
DORSALE INDIENNE SUD-OCCIDENTALE
DORSALE INDIENNE SUD-ORIENTALE
PLAQUE ANTARCTIQUE
DORSALE PACIFIQUE-ANTARCTIQUE
PLAQUE SCOTIA

LA FAILLE DE SAN ANDREAS
Nettement visible à la surface, la faille californienne de San Andreas résulte du glissement des plaques nord-américaine et pacifique l'une contre l'autre.

VOLCANS

Un volcan est une ouverture dans la croûte terrestre, par laquelle le magma peut remonter du manteau vers la surface. Les volcans naissent de trois manières, qui déterminent chacune un type d'éruption.

Les volcans de point chaud se forment à l'endroit où une remontée de magma pénètre la croûte. Les îles Hawaii sont autant de gigantesques montagnes sous-marines, édifiées sur des millions d'années à mesure que la plaque pacifique se déplace au-dessus d'un point chaud.

Les volcans de rift naissent à la frontière de deux plaques tectoniques divergentes, où le magma s'épanche régulièrement à la surface. La plupart des rifts se situant sur les fonds océaniques, ces éruptions passent largement inaperçues. Il en va différemment pour les volcans africains de la Rift Valley et pour ceux d'Islande, île formée par la lave émergée de la dorsale médio-atlantique.

Les plus destructeurs sont les volcans à éruption explosive, tels le mont Saint Helens, au nordouest des États-Unis *(voir p. 18-19)*, et le Pina-

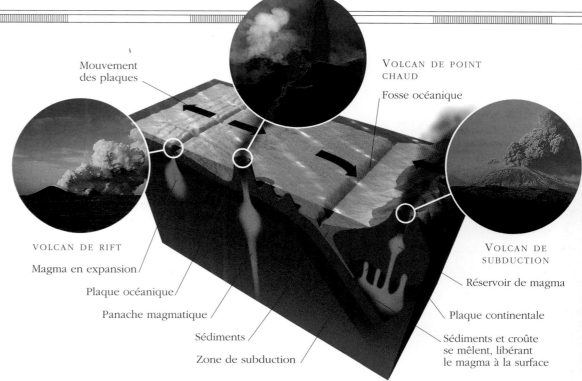

Mouvement des plaques

VOLCAN DE POINT CHAUD

Fosse océanique

VOLCAN DE RIFT

Magma en expansion

Plaque océanique

Panache magmatique

Sédiments

Zone de subduction

VOLCAN DE SUBDUCTION

Réservoir de magma

Plaque continentale

Sédiments et croûte se mêlent, libérant le magma à la surface

TYPES DE VOLCANS

Les volcans de rift se forment à la frontière de deux plaques s'écartant l'une de l'autre. Les volcans de point chaud sont créés par des panaches de magma remontant du manteau. La collision de deux plaques génère des volcans de subduction.

ÉRUPTIONS À HAWAII

Des fontaines de lave jaillissent du Kilauea, le plus grand volcan hawaiien (ci-dessous). Les volcans de point chaud d'Hawaii libèrent d'impressionnantes coulées de lave (ci-contre).

tubo, aux Philippines *(voir p. 28-31)*. Ces volcans de subduction apparaissent à l'endroit où la croûte océanique glisse sous une plaque voisine, entraînant avec elle l'eau, les sédiments et les restes d'organismes vivants. Tandis qu'augmentent la température et la pression, ces éléments se transforment chimiquement en une espèce de magma auquel se mêlent des gaz dissous. Ce magma s'élève, puis est piégé dans la croûte jusqu'à ce qu'il explose et perce la surface.

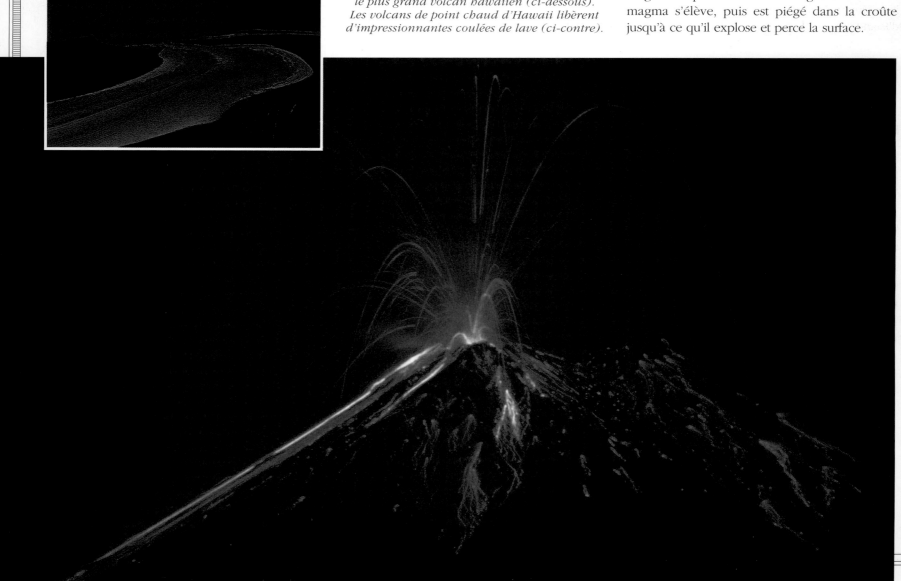

HEIMAEY

ÉRUPTION VOLCANIQUE, ISLANDE, 1973

RÉPERTOIRE P. 134 – SITE N°108

LE 23 JANVIER 1973, le sol de l'île islandaise d'Heimaey s'ouvrit, à proximité de la ville de Vestmannaeyjar. La lave jaillit sur une hauteur de 150 m. Bombardés de scories, les 5 000 insulaires fuirent vers le port, d'où ils furent rapidement évacués. Quelques-uns revinrent pour tenter de sauver leurs maisons. Lorsque l'éruption cessa enfin, cinq mois plus tard, une coulée de lave de 2 km avait englouti une grande partie du port de Vestmannaeyjar ; 1 200 habitations avaient été détruites, mais seule une vie était perdue.

UNE ÎLE VOLCANIQUE FISSURÉE
Heimaey s'étend sur 6 km de long et 3 km de large, au sud de l'Islande. De la fissure apparue dans le jardin d'une église à la sortie de Vestmannaeyjar naquit un nouveau cône volcanique haut de 200 m.

L'île d'Heimaey est située sur un rift volcanique qui court sur 20 000 km au fond de l'océan Atlantique. Cette île émergea il y a cinq mille ans lorsque la lave expulsée du rift atteignit la surface. Le danger de voir le rift s'ouvrir à nouveau et la lave inonder l'île était toujours présent, mais les habitants d'Heimaey étaient attachés à leur existence à Vestmannaeyjar, un excellent port naturel devenu, grâce à leurs efforts, le port de pêche le plus actif d'Islande.

La plupart des habitants de Vestmannaeyjar dormaient lorsqu'une fissure béante apparut à la périphérie de la ville. Deux ouvriers, rentrant chez eux au milieu de la nuit, virent ce qui leur sembla être des flammes lécher le sol avant de se dresser en un mur de feu impénétrable. Dès qu'ils eurent donné l'alarme, l'évacuation de l'île fut décidée. Tandis que les insulaires gagnaient les bateaux, les avions et les hélicoptères chargés de les évacuer, la fissure ne cessait de s'élargir, coupant presque l'île en deux, déversant dans un grondement son flot incandescent.

Quelques jours plus tard, la monstrueuse fracture était obstruée par de la lave refroidie. Trois ouvertures continuaient d'éjecter des scories et de vomir des flots de lave. Des volontaires revinrent alors. Des jours et des nuits durant, ils déblayèrent la roche noire amassée sur leurs maisons pour éviter qu'elles ne s'effondrent ; ils déversèrent sur la lave 6 millions de tonnes d'eau de mer dans l'espoir de solidifier les coulées avant qu'elles ne bloquent l'entrée du port.

Lorsque la fracture se referma enfin, le 26 juin 1973, un tiers de la ville était détruit. La majorité des habitants regagna l'île, et beaucoup purent reprendre leur existence, le port ayant été sauvé.

L'AVANCÉE DE LA LAVE
Les maisons s'enflammaient à mesure qu'elles étaient avalées par la lave en fusion. Plus d'un tiers des habitations de Vestmannaeyjar furent détruites dans les cinq mois que dura l'éruption.

DES MURS DE FLAMMES
La nuit de l'éruption, un mur de lave s'éleva à la périphérie de Vestmannaeyjar, creusant un fossé de près de 2 km de long.

MONT SAINT HELENS

ÉRUPTION VOLCANIQUE, ÉTATS-UNIS, 1980

RÉPERTOIRE P.129 – SITE N°89

LES AMÉRICAINS prirent conscience de la menace représentée par les volcans en mai 1980, lorsque 57 personnes périrent dans l'éruption du mont Saint Helens. Une explosion pulvérisa le côté nord de la montagne et libéra un nuage mortel qui balaya toute vie dans un rayon de 12 km. Des tonnes de roches s'abattirent sur la campagne alentour, provoquant la crue des rivières. Les cendres recouvrirent de vastes pans du nord-ouest de l'Amérique sous une boue grise.

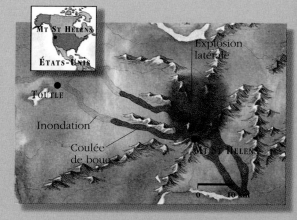

CHAOS DANS LES CASCADES
En huit heures, l'éruption du mont Saint Helens transforma 52 000 ha de la chaîne des Cascades (dans le nord-ouest des États-Unis) en terres de désolation.

Après plusieurs éruptions mineures entre 1831 et 1875, le mont Saint Helens connut une accalmie de plus d'un siècle. Jusqu'en 1980, cette montagne coiffée de neige était la destination privilégiée de milliers de campeurs et d'amateurs d'escalade. En mars de cette année-là, des tremblements vinrent rompre la quiétude du lieu, ébranlant la montagne.

Peu après, le mont Saint Helens commença de cracher des cendres et des roches. Sa face nord enfla comme si quelque chose, à l'intérieur de la montagne, cherchait à se frayer un chemin.

Devant l'imminence d'une éruption majeure, scientifiques et journalistes accoururent, impatients d'enregistrer l'événement. Les touristes furent dissuadés de s'approcher du volcan. Mais les jours se succédaient sans que la sereine beauté de la montagne semblât ébranlée.

Le 18 mai, lorsque David Johnson, un géologue de trente ans, établit la liaison radio avec ses collègues de Vancouver, toute proche, il n'avait rien de particulier à signaler. Puis, à 8 h 32, il annonça, excité : « Vancouver ! Vancouver ! Nous y voilà ! » Ce furent ses derniers mots. Le grondement d'un séisme de force modérée avait couru sous le volcan. Quelques secondes plus tard, la face nord s'effondrait, offrant la voie au magma.

L'EXPLOSION DU MONT SAINT HELENS

Une assourdissante détonation, dont le son se répercuta du nord du Canada au sud de la Californie, accompagna l'explosion du flanc du Saint Helens, qui dévasta instantanément la zone comprise dans un rayon de 30 km au nord du cratère. Sur une colline située à 10 km au nord, le baraquement qui abritait David Johnson et les appareils d'enregistrement fut balayé. Le corps de Johnson ne fut jamais retrouvé. Au sud, une équipe de forestiers travaillant à moins de 5 km du cratère rentra indemne.

Des géologues qui survolaient le mont Saint Helens au même moment relatèrent avoir vu le flanc nord du volcan onduler et bouillonner avant de s'effondrer en une énorme avalanche de roche et de glace qui dévala les pentes à 290 km/h, submergeant Spirit Lake et Toutle River. Les débris entraînés par le glissement de terrain provoquèrent des coulées de boue et des inondations, qui dévastèrent une étendue plus vaste encore.

Le mont Saint Helens a retrouvé la tranquillité depuis 1980, mais une nouvelle menace pèse sur la chaîne des Cascades : le mont Rainier fait entendre d'inquiétants grondements.

PARADIS PERDU
Une blessure béante dans le flanc nord témoigne de l'éruption qui emporta le glacier sommital du mont Saint Helens (ci-dessus). Le paysage, autrefois toujours vert, a viré au gris depuis que l'éruption a abattu et brûlé d'innombrables arbres, ainsi que les êtres vivants qu'ils abritaient (ci-contre).

TOURBILLONS DE CENDRES
Les panaches incandescents libérés par l'explosion du flanc nord dispersèrent des cendres à travers tout le nord-ouest de l'Amérique.

BOMBE DE LAVE
L'explosion des gaz d'un volcan projette des fragments de magma. Ces bombes de lave, grosses comme une maison ou comme une balle de tennis, se tordent de façon caractéristique lorsqu'elles sont projetées en l'air.

ÉRUPTIONS VOLCANIQUES

On a recueilli la preuve que, à plusieurs dizaines de milliers d'années d'intervalle, de formidables panaches de magma ont pénétré la croûte terrestre, déversant des quantités considérables de lave et de gaz (*voir p. 98-101*). Mais aucune catastrophe due à l'éruption d'un volcan de point chaud n'a été enregistrée à l'époque historique.

Les points chauds, de même que la plupart des volcans de rift, ne sont pas très meurtriers.

Le plus souvent, la lave qu'ils produisent s'écoule lentement, laissant aux habitants le temps de s'enfuir. En revanche, les nuages de gaz denses qu'ils libèrent sont dangereux. Les gaz toxiques qui accompagnèrent l'éruption d'un volcan islandais en 1783 firent périr sur pied les récoltes et décimèrent le gros du bétail sur toute l'île. Dix mille Islandais moururent de faim.

Les plus grands désastres sont causés par l'éruption des volcans de subduction. Inactifs durant des siècles, ces volcans explosent soudainement lorsque la pression du magma fait

NEVADO DEL RUIZ

ÉRUPTION VOLCANIQUE, COLOMBIE, 1985

RÉPERTOIRE P.132 – SITE N°25

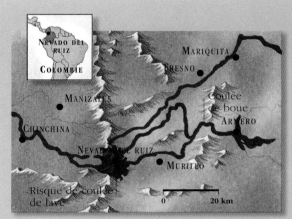

ENSEVELIE SOUS DES TORRENTS DE BOUE
Les coulées de boue déclenchées par l'éruption du Nevado del Ruiz parcoururent à grande vitesse plus de 60 km à partir du cratère, détruisant de nombreuses localités sur leur passage, dont la ville d'Armero.

L'ÉRUPTION DU NEVADO DEL RUIZ, le 13 novembre 1985, fut l'une des deux plus meurtrières du XXᵉ siècle. Les cendres et les gaz volcaniques furent portés à une telle température que de vastes pans du glacier se mirent à fondre. L'eau dévala la montagne, charriant des tonnes de cendres. En quelques minutes se formèrent des torrents de boue visqueuse, des lahars. L'un d'eux s'engouffra dans un canyon dont il rejaillit juste au-dessus d'Armero, déversant sur la ville une vague boueuse haute de 40 m. Près de 21 000 personnes furent tuées à Armero et plus d'un millier dans les villages voisins.

RÉACTION EN CHAÎNE
L'éruption du Nevado del Ruiz, à 5 400 m, fut à peine un éternuement. Mais la chaleur dégagée par l'explosion suffit à faire fondre une partie du glacier.

UN PIÈGE DE BOUE
Deux heures après l'éruption, des vagues de boue déferlaient sur Armero, submergée en quelques minutes.

Le Nevado del Ruiz est l'un des nombreux volcans des Andes. Les cendres déposées par ses précédentes éruptions ont fertilisé les terres du centre de la Colombie. Armero, une ville de 23 000 habitants située à 50 km du volcan, fut construite autour des entrepôts où l'on stockait le riz, le coton et le café cultivés aux alentours. Par sa situation en contrebas, sur les rives de la Lagunilla,

elle était vulnérable aux lahars. En 1845, 1 000 personnes moururent sous les coulées de boue, après une éruption du volcan.

LE RÉVEIL DU NEVADO DEL RUIZ

En janvier 1985, des jets de gaz et de vapeur d'eau indiquèrent que le volcan entrait dans une nouvelle phase éruptive. Le 11 septembre, une petite éruption fit fondre une partie de la glace couvrant le sommet, déclenchant une série d'avalanches. Un grand lac se forma, retenu de façon précaire par des blocs de roches et de glace arrachés à la montagne. Après avoir dressé la carte des risques pour la zone alentour, l'Institut colombien de recherche géologique et minière conclut que la probabilité était forte, en cas de nouvelle éruption, de voir des coulées de boue atteindre Armero.

Le 13 novembre, les scientifiques alertèrent le gouvernement. Rien, pourtant, ne fut entrepris. La radio locale diffusa des messages incitant les habitants à ne pas quitter leurs maisons.

céder la croûte. À mesure que le magma monte, les gaz qu'il contient se dilatent, font pression sur les roches, jusqu'à les briser. La force avec laquelle le magma est éjecté est telle que de gros morceaux de roche peuvent être expulsés à des kilomètres de distance ; des gouttelettes de magma s'élèvent très haut dans l'atmosphère avant de se solidifier. Les cendres ainsi formées obscurcissent le ciel avant de retomber sur la terre en une poussière fine comme le sable mais pesante comme la pierre.

En 1815, l'éruption du Tambora, un volcan de l'île indonésienne de Sumbawa, ensevelit les habitations et les récoltes des îles voisines sous 1 m de cendres. Les cendres tombèrent également dans la mer, et toute vie marine fut détruite. La famine qui s'ensuivit entraîna la mort d'environ 80 000 personnes.

COULÉES PYROCLASTIQUES

Certaines éruptions éjectent des gaz et des fragments de magma en un panache si dense que celui-ci, au lieu d'exploser verticalement, culbute littéralement hors du cratère. Ces coulées pyroclastiques épousent les aspérités de la Terre, se répandant comme le ferait un liquide à plus de 160 km/h, et incinèrent tout sur leur passage. Elles se déplacent souvent sur de longues distances, enveloppant de vastes zones d'un souffle brûlant de gaz et de cendres.

RESCAPÉS
Cet homme, porté vers un endroit sûr après le déluge de boue, est l'un des 2 000 habitants qui purent s'échapper d'Armero.

Dans la nuit, un épais nuage dissimula le Nevado del Ruiz aux regards des scientifiques qui surveillaient l'activité du volcan. Ils ne purent déceler les coulées pyroclastiques expulsées à partir de 21 heures. Lorsque les cendres brûlantes atteignirent le sommet de glace, elles se transformèrent en torrents de boue qui dévalèrent les flancs de la montagne. Un lahar avait pratiquement atteint Armero quand les scientifiques prirent conscience de ce qui se passait.

Une alerte de dernière minute fut lancée sur la chaîne dédiée à la défense civile, mais demeura largement ignorée. La plupart des gens écoutaient alors la station locale, qui diffusait toujours de la musique au moment où la boue

SAUVETAGE
Ceux qui furent évacués d'Armero n'étaient pas encore hors de danger : trois hélicoptères de secours s'écrasèrent.

engloutit Armero, peu après 23 heures. Beaucoup étaient déjà couchés et furent ensevelis dans leur lit. Parmi les rares habitants qui purent réagir, seuls les plus rapides parvinrent à se réfugier sur les hauteurs, et survécurent. Armero ne fut pas reconstruite après le drame. Ses vestiges prisonniers de la boue se dressent toujours dans la plaine de la Lugunilla.

VALLÉE DE LA MORT
Corps et débris furent emportés à travers la vallée. Le flot, pareil à une coulée de ciment, déposa quelques miraculés à l'abri de ses vagues mortelles.

La température de ces nuées ardentes dépasse 900 °C : tout ce qu'elles touchent est instantanément brûlé, bouilli ou fondu.

Les coulées pyroclastiques furent à l'origine de l'éruption la plus désastreuse du XXᵉ siècle, celle de la montagne Pelée en 1902.

LE MONT UNZEN EN ÉBULLITION
Une coulée pyroclastique déferle du mont Unzen, au Japon, en juin 1991. Cette fois, les habitants avaient été évacués. En 1792, une semblable éruption avait fait 15 000 morts.

INONDATIONS ET LAHARS

La plupart des volcans terrestres s'élevant au-dessus de la limite des neiges, les inondations sont l'un des dangers liés aux éruptions. La chaleur dégagée fait fondre la glace et la neige accumulées sur les pentes. En s'écoulant, l'eau entraîne les cendres volcaniques, formant des coulées de boue meurtrières, appelées lahars. Rien ne résiste à ces torrents de boue visqueuse, extrêmement rapides.

Les lahars générés par l'éruption du Nevado del Ruiz, en 1985, firent plus de 22 000 victimes *(voir p. 20-21)*.

Les lahars peuvent aussi naître des pluies torrentielles qui accompagnent fréquemment les éruptions. En s'élevant, les colonnes de gaz et de cendres déclenchent des orages. Aux Philippines, pendant et après l'éruption du Pinatubo en 1991, les fortes pluies conjuguées aux retombées de cendres générèrent d'immenses coulées de boue *(voir p. 28-31)*.

MONTAGNE PELÉE
ÉRUPTION VOLCANIQUE, MARTINIQUE, 1902
— RÉPERTOIRE P.131 – SITE N°42 —

EN 1902, SAINT-PIERRE était la ville la plus importante de la Martinique. Les quelque 30 000 habitants de ce port prospère des Caraïbes étaient accoutumés aux grondements de la montagne Pelée. Dressant ses 1 379 m à moins de 8 km au nord de la ville, le volcan laissait s'échapper des gaz depuis 1899. Mais, en avril 1902, il entra pour de bon en éruption. En mai, des jets de vapeur et de cendres obscurcirent le ciel et recouvrirent les rues d'un tapis cendreux.

LE TEMPS SUSPENDU
Cette montre extraite des ruines de Saint-Pierre s'est arrêtée au moment où elle a fondu sous le souffle torride de la nuée ardente qui engloutit la ville.

ÉRUPTION MORTELLE
Le 5 mai, des dizaines d'habitants quittèrent Saint-Pierre après qu'une éruption eut vidé le lac du cratère. Les vingt-trois ouvriers d'une distillerie voisine furent emportés par la boue. Loin d'encourager l'exode, le rédacteur en chef du journal local, *les Colonies*, pressa les habitants de revenir, alors même que la ville, désormais, empestait le soufre et que le bouchon de lave du volcan rougeoyait. Les éruptions se succédaient, toujours plus importantes.

Deux jours plus tard, alors qu'on apprenait qu'une éruption dans l'île voisine de Saint-Vincent avait tué 1 700 personnes, la troupe fut envoyée à Saint-Pierre pour empêcher les habitants de partir. Malgré les déclarations rassurantes des experts, la peur grandissait à mesure que des nuées de gaz et de cendres se déversaient dans la rivière Blanche, juste au nord de la ville. Pour prévenir un mouvement de panique générale, le gouverneur Mouttet emménagea à Saint-Pierre avec sa femme, dans la soirée du 7 mai 1902. Peu avant 8 heures le lendemain

matin, le magma chargé de gaz explosa sous le bouchon de lave, et se déversa latéralement. Masqué par un nuage de fumée noire, un mélange mortel de gaz surchauffé et de cendres dévala le flanc sud de la montagne Pelée pour s'engouffrer, avec une terrifiante célérité, dans la ville de Saint-Pierre. Personne n'eut le temps de se mettre à l'abri. La température de la nuée ardente était suffisamment élevée pour faire fondre du verre.

En quelques secondes, tous les habitants de Saint-Pierre, sauf deux, étaient morts. Seuls Auguste Coparis, un prisonnier incarcéré dans la geôle souterraine de la ville, et Léon Comprère-Leander, un cordonnier habitant la périphérie, réchappèrent de cet enfer. Le cordonnier raconta plus tard qu'il avait perdu connaissance, asphyxié par un terrible vent brûlant. Revenu à lui, il avait découvert que toute sa

DE SINISTRES VESTIGES
Les habitants de Saint-Pierre tombèrent là où la nuée ardente les atteignit (à droite). Dans la ville dominée par la silhouette menaçante de la montagne Pelée, les ruines de 1902 portent témoignage de la tragédie (ci-dessous).

ZONE DE DESTRUCTION
L'éruption de la montagne Pelée, le 8 mai 1902, dévasta une zone de 58 km² et détruisit Saint-Pierre. De nouvelles éruptions, le 20 mai et le 30 août 1902, ravagèrent davantage la région.

famille était morte et que la ville entière était en flammes. Dans le port, dix-huit navires furent coulés par la conflagration. Un seul bateau, le *Roddam*, parvint à s'échapper. Un homme d'équipage décrivit les gens « courant dans un sens et dans l'autre au milieu des flammes puis tombant comme des mouches lorsque survint un terrible nuage de fumée ».

TSUNAMIS

Ces raz de marée destructeurs sont le plus souvent déclenchés par des séismes sous-marins *(voir p. 40)*. Mais ils surviennent aussi lorsque les fonds marins sont soumis à de violents glissements de terrain. Des études ont montré que, durant la préhistoire, des tsunamis inondèrent la côte australienne à la suite d'un énorme glissement de terrain sous l'île d'Hawaii, volcan de point chaud du Pacifique.

Durant l'éruption du Krakatoa, en 1883, des tonnes de pierres ponces et de cendres furent déversées dans la mer, générant des vagues qui dévastèrent les côtes et parcoururent les océans.

VARIATIONS CLIMATIQUES

Les éruptions volcaniques les plus explosives refroidissent toute la planète en propulsant cendres et gaz très haut dans la stratosphère. Si les fragments volcaniques suspendus dans la basse atmosphère s'attachent à des gouttes d'eau et retombent bientôt sous forme de pluies, les cendres et les gaz projetés au-delà des nuages peuvent flotter plusieurs mois. Les vents de haute altitude transportent autour du globe ce cocktail volcanique, qui fait écran aux rayons solaires pénétrant l'atmosphère. C'est le dioxyde de soufre qui exerce sur le climat les effets à long terme les plus importants, car, dans la haute atmosphère, ce gaz volcanique se transforme en gouttelettes d'acide sulfurique qui réémettent les radiations solaires vers l'espace. La formidable éruption du Tambora en 1815 projeta 80 km^3 de matériaux volcaniques dans l'atmosphère, un volume huit fois supérieur à celui éjecté par le Pinatubo en 1991. Le temps fut gravement perturbé dans le monde entier. 1816 fut l'« année sans été ». Le froid et l'humidité prolongés empêchèrent les récoltes de mûrir. Pénuries alimentaires et famines sévirent sur toute la planète.

MONSTRE VOLCANIQUE
Durant l'été 1816, Mary Shelley (ci-contre), son mari et lord Byron séjournaient en Suisse. Le mauvais temps provoqué par l'éruption de 1815 les maintenait enfermés. Le groupe se divertit en écrivant des récits d'horreur. Celui de Mary Shelley était intitulé Frankenstein.

Les couches de cendres volcaniques mises au jour dans les glaciers et les sédiments marins fournissent des témoignages sur les éruptions volcaniques qui bouleversèrent l'atmosphère au cours des âges.

La plus catastrophique des éruptions récentes survint il y a 75 000 ans, dans l'île indonésienne de Sumatra. Elle envoya dans l'atmosphère deux cents fois plus de fragments volcaniques que ne fit le Pinatubo, et créa un cratère de 40 km de diamètre. Rempli d'eau, il est aujourd'hui connu sous le nom de lac Toba. Certains scientifiques pensent que le refroidissement global qui suivit cette éruption fut à l'origine de l'une des phases les plus froides de la dernière période glaciaire *(voir p. 96)*.

VOLCANS INDONÉSIENS
Le cratère du Tambora, occupé par un lac, domine l'île de Sumbawa (ci-contre). Ci-dessous, quelques-uns des 130 volcans qui s'étirent le long de tout l'archipel indonésien.

KRAKATOA

ÉRUPTION VOLCANIQUE, INDONÉSIE, 1883

RÉPERTOIRE P.139 – SITE N°11

LE 27 AOÛT 1883, l'éruption du Perbuatan, l'un des volcans de l'île de Krakatoa, en Indonésie, fut si violente que cette minuscule île fut presque totalement détruite. L'explosion creusa dans le fond océanique un cratère profond de 290 m. L'onde de choc et les abondantes chutes de cendres générèrent des tsunamis. Certaines de ces vagues sismiques de plus de 40 m s'abattirent sur les côtes de Java et de Sumatra, provoquant la mort de 36 000 personnes.

VAGUES MORTELLES

L'explosion du Krakatoa, le 27 août 1883, déclencha des tsunamis qui dévastèrent les côtes de Java et de Sumatra, ravageant les villes de Telukbetung, Kalimbang et Merak, ainsi que de nombreux villages.

UNE MENACE PERSISTANTE

Depuis 1927, de petites éruptions fréquentes ont donné naissance au volcan Anak Krakatoa (Fils du Krakatoa), émergé d'une caldeira formée lors de l'explosion de l'île en 1883.

NAUFRAGÉ

Emporté par le tsunami qui submergea la ville de Telukbetung à Sumatra, le steamer Berouw fut rejeté dans les profondeurs de la jungle.

En 1883, la jungle couvrant l'île de Krakatoa était inhabitée, mais des pêcheurs venaient y cueillir des fruits et y ramasser du bois.

L'île était formée de trois volcans alignés autour d'un cratère de 7 km de diamètre, vestige d'une éruption majeure datée par les scientifiques de 416 apr. J.-C.

Depuis 1680, Krakatoa avait été épargnée par les éruptions. Le 20 mai 1883, une série de bruyantes explosions signala que l'île se réveillait. Durant les trois mois suivants, les éruptions devinrent plus violentes, l'un des volcans crachant de la vapeur, des cendres et des fragments de pierres ponces. Les habitants des îles voisines de Java et de Sumatra ne s'en préoccupaient guère, jusqu'à ce que, le 26 août à 13 heures, des explosions et des secousses ébranlent leurs maisons.

À partir de 5 h 30, le lendemain, cinq explosions épouvantables se succédèrent, qui détruisirent presque entièrement Krakatoa.

Des nuages de cendres traversèrent le détroit de la Sonde, brûlant de nombreux villageois sur la côte de Sumatra. La plupart des 36 000 victimes, toutefois, furent emportées par les tsunamis. D'énormes vagues balayèrent les bateaux et les villages, pénétrant loin à l'intérieur des terres, avant de se retirer, charriant vers la mer les corps des noyés.

VÉSUVE

ÉRUPTION VOLCANIQUE, ITALIE, 79 APR. J.-C.

RÉPERTOIRE P.135 – SITE N°11

EN 79 DE NOTRE ÈRE, trois villes romaines, Stabies, Herculanum et Pompéi, furent détruites par l'éruption du Vésuve. Situées dans la baie de Naples, elles furent ensevelies sous des tonnes de cendres. Les fouilles de ces cités ainsi préservées ont donné aux archéologues un extraordinaire aperçu de la vie quotidienne sous les Romains. La science a également pu retracer le déroulement d'une éruption qui aurait tué 16 000 personnes.

FIGUES CARBONISÉES DÉCOUVERTES À POMPÉI

LA PLUS CÉLÈBRE ÉRUPTION DU VÉSUVE
Stabies, pourtant relativement éloignée du Vésuve, fut ensevelie sous la cendre et les fragments de pierres ponces. La plupart des victimes périrent lorsque Herculanum et Pompéi furent englouties par des coulées pyroclastiques.

Pompéi était un marché et un port prospères où s'échangeaient les produits des nombreuses fermes des environs. Les terres devaient leur fertilité aux cendres riches en minéraux déposées par les précédentes éruptions du Vésuve, lequel dormait depuis des centaines d'années. En 63, un séisme important affecta Pompéi, qui n'était pas totalement reconstruite lorsque, seize ans plus tard, elle fut victime d'un nouveau désastre.

UN AVENIR INCERTAIN
Le Vésuve a connu 50 éruptions depuis l'an 79. La plus meurtrière, en 1691, provoqua la mort de 18 000 personnes. Malgré le risque de nouvelles éruptions, la zone est encore densément peuplée.

TÉMOIGNAGES OCULAIRES

L'essentiel de ce que nous savons de l'éruption du Vésuve, en 79 apr. J.-C., nous le devons à Pline le Jeune, un écrivain latin. Il avait alors dix-huit ans et vivait à Misène, à 30 km de là. Le 24 août, Pline le Jeune vit un grand nuage en forme de pomme de pin s'élever du Vésuve. Son oncle et père adoptif, Pline l'Ancien, amiral de la flotte de Misène, fit rapidement voile

PÉTRIFIÉ
Ce chien fut piégé par la cendre. Lorsque son corps se décomposa, la cavité forma un moule recréant les tortures de l'agonie.

pour secourir des amis habitant Pompéi. Alors qu'il traversait la baie de Naples, des cendres tombèrent sur le navire, toujours plus chaudes et plus denses à mesure que le rivage approchait. L'équipage décrivit la chute «de pierres noircies, brûlées et brisées par le feu» ainsi que «de grandes feuilles de flammes et des langues de feu» qui s'échappaient du Vésuve. Ne pouvant atteindre Pompéi, Pline l'Ancien et son équipage débarquèrent à Stabies. Ils constatèrent que le vent et la houle rendaient toute fuite impossible.

BRÛLÉS ET ENTERRÉS
De nombreux habitants d'Herculanum furent brûlés vifs par les coulées pyroclastiques. Celles-ci furent suivies de retombées de cendres et de pierres qui ensevelirent les victimes.

LA DESTRUCTION FINALE

À Stabies, les habitants avaient abandonné leurs demeures. Beaucoup, parmi ceux qui couraient dans les rues, avaient attaché des coussins sur leurs têtes pour se protéger de la pluie de pierres et de cendres. Pline l'Ancien, âgé d'une cinquantaine d'années, ne survécut pas à ce bombardement, mais quelques-uns de ses compagnons en réchappèrent.

Il n'existe pas de récit de la destruction de Pompéi et d'Herculanum. Les fouilles archéologiques ont établi que toutes deux furent rapidement submergées par des langues de feu semblables à celles que l'équipage de Pline l'Ancien avait vues. La plupart des victimes d'Herculanum seraient mortes lorsqu'une nuée ardente atteignit la ville le 24 août vers 11 h 30. Les squelettes mis au jour dans les ruines se tenaient blottis les uns contre les autres, sous 20 m de cendres, dans des positions suggérant que la mort avait frappé soudainement. La majorité des victimes de Pompéi seraient mortes vers 6 h 30 le lendemain, lorsque la ville fut recouverte par une nouvelle nuée ardente. Puis ces cités tombèrent dans l'oubli jusqu'à ce que leurs ruines soient redécouvertes en 1709.

PRÉDIRE LES ÉRUPTIONS

Plus de cinq cents volcans terrestres, pour lesquels des éruptions ont été recensées sur les trois mille dernières années, sont répertoriés comme actifs. Près d'un demi-milliard de personnes vivent ainsi sous la menace de volcans qui peuvent se réveiller à tout moment, du moins en théorie.

Les éruptions les plus dévastatrices sont généralement annoncées dans les jours, les semaines, voire les mois précédents, par des éruptions mineures. Mais les indices peuvent être trompeurs. En 1976, les autorités françaises, prudentes, firent évacuer l'île de la Guadeloupe, dans les Caraïbes, après que la terre eut tremblé, pensant que la Soufrière, dont l'éruption avait causé la mort de 1 600 personnes en 1908, allait se réveiller. Aucune éruption n'étant intervenue, les critiques furent vives. Aujourd'hui, les scientifiques enregistrent les éruptions partout dans le monde dès les premières phases et étudient les zones touchées dans le passé par des éruptions. Si leurs travaux indiquent qu'un volcan est susceptible de connaître une éruption explosive ou de projeter soudainement une nuée ardente, l'évacuation est recommandée. Mais l'évacuation précoce, par souci de sécurité, est souvent impossible, en raison des difficultés pour approvisionner une population importante et lui fournir des abris. En outre, les pertes financières entraînées par une telle évacuation incitent souvent les gens à rentrer chez eux avant même la phase d'éruption majeure.

VIVRE AVEC LES VOLCANS

Plusieurs volcans actifs du Japon sont placés sous une surveillance permanente. Ainsi fut prédite une éruption du mont Unzen en 1991 ; des milliers d'habitants furent évacués. Les seules victimes furent des scientifiques et des reporters de la télévision qui avaient choisi de rester dans la zone d'évacuation. D'immenses digues ont été bâties à proximité de certains volcans pour détourner les coulées de lave et de boue loin des villes. La dernière éruption majeure du Sakura-jima, au sud du Japon, remonte à 1914, mais

NUAGE SUR LES ANTILLES
Plus de 30 personnes sont mortes depuis que le volcan de la Soufrière, à Montserrat, est entré en éruption en 1995, couvrant l'île de cendres.

environ cent cinquante éruptions mineures sont enregistrées chaque année. La population établie à proximité, ou habitant la ville voisine de Kagoshima, est régulièrement entraînée aux procédures d'évacuation.

Les deux tiers de la population de Montserrat, une petite île des Caraïbes, ont été évacués depuis le réveil, en 1995, du volcan de la Soufrière, manifesté par de fréquentes éruptions.

ENFANTS JAPONAIS SOUS LA MENACE
Les enfants qui vivent au pied du Sakura-jima portent des casques de sécurité sur le chemin de l'école, afin de se protéger des cendres et des scories éjectées par ce volcan très actif.

PINATUBO

ÉRUPTION VOLCANIQUE, PHILIPPINES, 1991

RÉPERTOIRE P.137 – SITE N°92

L'ÉRUPTION DU PINATUBO, en juin 1991, fut la plus violente du XXᵉ siècle. La montagne expulsa dans l'atmosphère plus de 10 km³ de cendres et de gaz ; partout dans le monde, les températures chutèrent. Les cendres détruisirent 42 000 habitations sur l'île de Luçon et étouffèrent 80 000 hectares de terre. Malgré une surveillance attentive et l'évacuation en temps voulu de 200 000 personnes avant la phase principale d'éruption, un millier de personnes périrent à la suite des explosions dévastatrices du Pinatubo.

LA COLÈRE DU PINATUBO
Les éruptions de juin 1991 libérèrent des coulées pyroclastiques qui brûlèrent la terre dans un rayon de 17 km à partir du sommet du Pinatubo. Des coulées de boue détruisirent les maisons jusqu'à 60 km de distance.

Le Pinatubo est l'un des vingt-deux volcans des Philippines. Cette montagne de 1 700 m était en sommeil depuis plus de quatre siècles lorsqu'elle se réveilla en 1991. Le 2 avril, des grondements précédèrent l'apparition de nuages de vapeur et de cendres s'échappant des fissures du volcan. Une religieuse, qui voyait le Pinatubo de son village, se rendit à Manille, à l'Institut philippin de volcanologie, pour alerter les scientifiques.

En trois jours, ceux-ci avaient établi un poste d'observation, installé les instruments nécessaires à la détection des ondes sismiques, indice de l'imminence d'une éruption majeure. Des volcanologues du monde entier débarquèrent

L'EXPLOSION DE LA MONTAGNE
Gaz et cendres flottent sur le Pinatubo en juin 1991 après qu'une série d'explosions majeures a emporté le sommet de la montagne sur 200 m.

NUAGES DESTRUCTEURS
Le Pinatubo expulsa d'énormes nuages de gaz. Les cendres surchauffées, alourdies par des gouttelettes de lave, retombèrent sur terre, où elles s'écoulèrent à plus de 70 km/h.

RIVIÈRES DE BOUE
*Les cendres, couvrant sur plus de 100 m
d'épaisseur les hauteurs du Pinatubo, formèrent
avec la pluie un fleuve de boue qui continua
de se déverser dans les vallées bien après la fin
des éruptions, détruisant routes, ponts et villages.*

à Luçon chargés d'instruments pour déceler un déplacement des flancs du Pinatubo et mesurer les variations du niveau des émissions gazeuses. Ils dessinèrent également une carte des risques après avoir étudié les sédiments volcaniques existants, lesquels révélèrent que le Pinatubo avait connu de très violentes éruptions par le passé. Craignant que l'événement ne se reproduise, ils firent évacuer la population vivant immédiatement à l'est du volcan.

COMPTE À REBOURS

À la fin de mai, la quantité de dioxyde de soufre contenu dans les gaz volcaniques avait décuplé, indiquant que le magma s'élevait rapidement à l'intérieur du volcan. En juin, la situation empirant, de nouvelles évacuations furent décidées. Dans la matinée du 12 juin, une série d'explosions se produisit dans le volcan. Des bombes de lave furent éjectées, en même temps que des cendres et des gaz : une colonne éruptive s'étira sur 20 km de haut. Des nuages de cendres incandescentes brûlèrent les flancs du Pinatubo et les vallées. De nouvelles éruptions, durant les deux jours suivants, déversèrent davantage de cendres.

À l'aube du 15 juin, la phase la plus dévastatrice commença, pour se prolonger durant deux jours. Deux énormes explosions emportèrent un côté du Pinatubo. Des nuages de cendres incandescentes se répandirent sur plus de 17 km à partir du sommet du volcan. Dix-neuf éruptions,

au total, libérèrent une colonne de fragments volcaniques s'élevant à 40 km au-dessus de ce qui restait du Pinatubo.

Les choses furent aggravées par l'arrivée du typhon Yuna, coïncidant avec la phase principale de l'éruption. Des pluies torrentielles transformèrent les cendres tombées sur les toits de Luçon en une substance épaisse comme du ciment. Le poids fit s'effondrer des milliers de bâtiments, sous lesquels périrent quelque 300 personnes.

La plus grande partie du nord des Philippines était dévastée ; 200 000 personnes durent être déplacées. Plus de 500 d'entre elles moururent de maladie et de froid dans les cités de tentes, où elles avaient trouvé un refuge temporaire. Des centaines d'autres furent emportées par les glissements de terrain. Les dommages causés aux fermes, aux commerces et aux usines de la région laissaient 650 000 personnes sans revenus. Les infrastructures devaient en grande partie être reconstruites. Les coûts de reconstruction dépassèrent 10 milliards de dollars.

UNE VIE SOUS LES CENDRES
*Des milliers d'habitants évacués
découvrirent à leur retour que
leurs maisons s'étaient effondrées
sous le poids des cendres mouillées.*

UN ÉCRAN DE FUMÉE
Les satellites purent suivre le déplacement dans l'atmosphère des nuages volcaniques expulsés par le Pinatubo. Un mois après l'éruption, ils avaient fait le tour de la Terre, faisant écran à la lumière du soleil et entraînant partout une chute des températures.

LA NUIT EN PLEIN JOUR
Après l'explosion du Pinatubo, le 15 juin 1991, le ciel demeura noir durant plusieurs semaines : une colonne de cendres haute de 49 km s'était établie au-dessus de Luçon. À l'aide d'ombrelles, les gens se protégeaient des pluies de cendres.

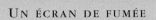

RÉCOLTES PERDUES
Le coût de la destruction des récoltes s'élève à plusieurs millions de dollars ; plus d'un million de personnes furent ainsi gravement affectées par l'éruption. En même temps, les cendres déposées autour de Luçon enrichirent les sols.

SÉISMES

Plus de 10 000 tremblements de terre sont enregistrés chaque année dans le monde. Certains sont liés à l'activité magmatique des volcans. Mais les séismes les plus violents et les plus destructeurs sont ceux qu'engendre l'incessant mouvement des plaques tectoniques.

Lorsque ces plaques entrent en contact, l'onde de choc se propage sur leurs marges le long de failles. Si les roches sont fragiles, les deux plaques glissent aisément. Si, au contraire, les roches sont denses, au lieu de s'effriter sous la pression, elles vont se déformer jusqu'à la rupture éventuelle qui permettra aux plaques de se déplacer. Au moment de la rupture, les roches tendent à retrouver leur forme initiale ; ce faisant, elles libèrent toute l'énergie accumulée sous la contrainte en une série d'ondes de choc, appelées ondes sismiques.

Deux types d'ondes se propagent à partir du point de rupture, appelé foyer :

– des ondes de compression (longitudinales), analogues au son, appelées P (premières) : elles sont à l'origine des grondements et des bruits de tempête que l'on perçoit fréquemment avant que la terre ne se mette à trembler ;

– des ondes de cisaillement (transversales), appelées S (secondes), qui se manifestent après les premières, car elles sont moins rapides.

En atteignant la surface, les ondes P et S produisent des ondes de surface qui transmettent la plus grande partie de l'énergie.

Plus un séisme libère d'énergie, plus il est potentiellement destructeur. L'enregistrement de ces ondes sismiques permet aux scientifiques de déterminer la magnitude des séismes.

Elle est couramment mesurée à l'aide de l'échelle de Richter, conçue en 1936 par le sismologue américain Charles Richter.

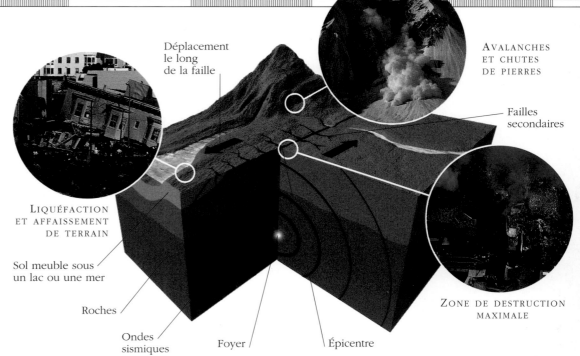

Déplacement le long de la faille

AVALANCHES ET CHUTES DE PIERRES

Failles secondaires

LIQUÉFACTION ET AFFAISSEMENT DE TERRAIN

Sol meuble sous un lac ou une mer

Roches

Ondes sismiques

Foyer

Épicentre

ZONE DE DESTRUCTION MAXIMALE

LES RAVAGES D'UN SÉISME
Les villes proches de l'épicentre subissent les plus forts dommages. La liquéfaction des sols meubles, en bordure de lac ou de mer, provoque des affaissements de terrain. En montagne, les ondes sismiques déclenchent des avalanches.

UNE TERRE CRAQUELÉE
D'importantes fissures déchirèrent le sol d'Anchorage, en Alaska, en 1964, lors d'un séisme de magnitude 9,2. Le bilan fut heureusement léger, l'épicentre étant très éloigné.

MEXICO

SÉISME, MEXIQUE, 1985

RÉPERTOIRE P.130 – SITE N°76

LE 19 SEPTEMBRE 1985, un violent séisme de magnitude 8,1 se manifesta au large de la côte ouest du Mexique. Les secousses furent ressenties du Texas au Guatemala. En raison de la nature des sols, le bilan fut beaucoup moins lourd dans les villes côtières, proches de l'épicentre, qu'à Mexico, située à 400 km, où 9 000 personnes furent tuées. Quelque 30 000 autres furent blessées, 1 million se retrouvèrent sans abri.

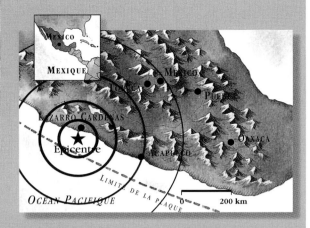

En 1985, les scientifiques surveillaient les mouvements des plaques tectoniques au large du Mexique, car la plaque des Cocos, au lieu de glisser sous la plaque nord-américaine, tentait de la repousser. La contrainte croissante observée en bordure des plaques indiquait l'imminence d'un puissant séisme. Personne, toutefois, ne soupçonnait que ce séisme aurait des conséquences dramatiques à Mexico. La capitale, qui avait connu une expansion rapide, comptait alors 19 millions d'habitants. Et les bâtisseurs, inconscients des risques sismiques, avaient coulé les fondations de bâtiments toujours plus élevés dans l'argile et le sable d'un lac asséché situé sous le cœur de la cité.

DES MAISONS QUI TANGUENT

Le séisme survint à 7 h 18, heure à laquelle les rues du centre de Mexico étaient encombrées de personnes se rendant au travail. En passant sous la ville, les ondes sismiques résonnaient, comme vibre un verre de cristal heurté par la lame d'un couteau. Le sol, par sa nature, amplifiait les ondes sismiques. Ces ondes secouèrent Mexico durant trois longues minutes. Des immeubles se mirent à osciller fortement ; certains se courbèrent jusqu'à s'écraser sur les bâtiments voisins ; d'autres s'abattirent sur la chaussée ou, leur base ayant cédé, s'effondrèrent dans

UN HÔPITAL SOUS LES DÉCOMBRES
L'hôpital Benito Juarez s'écroula comme un château de cartes. Il y eut pourtant des rescapés, parmi lesquels deux bébés, retrouvés en vie dix jours après le drame.

un chaos de gravats et d'acier. Alors que les bâtiments en périphérie de la ville résistaient, près de 800 immeubles, parmi les plus récents, s'effondraient dans le centre, 6 500 autres étaient endommagés. Les plus touchés comptaient entre sept et seize étages. Des études ultérieures établirent que ces structures s'étaient mises à bouger parce que leur résonance concordait

DES DÉGÂTS INÉGAUX
Le séisme affecta surtout les bâtiments les plus élevés, tandis que des structures plus basses étaient épargnées.

UN SÉISME INHABITUEL
Des centaines de personnes furent tuées dans la région proche de l'épicentre, et de nombreux bateaux furent détruits par les tsunamis, mais les dégâts se limitèrent pour l'essentiel au centre de Mexico et au district de Morelos.

avec celle des ondes sismiques. Les mouvements de terrain furent d'autant plus violents que le sol de l'ancien lac, à la manière d'un tambour, augmentait l'intensité des vibrations.

FAIRE FACE À D'AUTRES SÉISMES

Le séisme de 1985 a montré que les ondes sismiques peuvent faire sentir leurs effets sur de longues distances. Les ingénieurs mexicains en ont tiré les conclusions, et des règles de construction plus strictes ont été imposées. L'avenir dira si Mexico est désormais capable de résister à de nouveaux séismes, que l'apparition de nouvelles contraintes le long de la plaque des Cocos rend inéluctables.

SPITAK

SÉISME, ARMÉNIE, 1988

— RÉPERTOIRE P.135 – SITE N°113 —

EN DÉCEMBRE 1988, l'Arménie et le nord-est de la Turquie furent secoués par un séisme de magnitude 6,9. Les glissements de terrain affectèrent une zone de 400 km². La ville arménienne de Spitak, la plus proche de l'épicentre, fut pratiquement détruite, ses 25 000 habitants pour la plupart tués. À Leninakan, la deuxième ville d'Arménie, 80 % des bâtiments furent détruits. Plus de 100 000 morts furent dénombrés, et le séisme bouleversa la vie de 700 000 personnes.

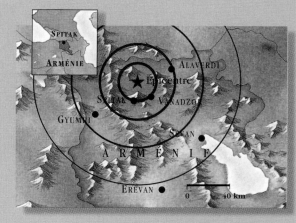

PETIT MAIS MEURTRIER
Le fait que l'épicentre fût superficiel (à peine 15 km de profondeur) et que le séisme suivît une faille passant sous Spitak accrut la puissance destructrice du tremblement de terre d'Arménie.

L'Arménie, en 1988, était l'une des quinze républiques de l'Union des républiques socialistes soviétiques. Usines et logements avaient été bâtis selon les normes en vigueur en URSS. Quelques modifications avaient toutefois été apportées pour tenir compte des risques sismiques propres à l'Arménie. Elles ne permirent pas aux bâtiments de résister au violent séisme qui ébranla le pays le 7 décembre 1988, à 11 h 41.

Certains bâtiments, bien qu'endommagés, demeurèrent debout assez longtemps pour que les gens puissent s'en échapper. En revanche, les structures en béton précoulé, courantes en Arménie, s'écroulèrent instantanément sur leurs occupants. La secousse de trente secondes fissura également les routes et emporta les ponts. Des glissements de terrain, dans les montagnes environnantes, ajoutèrent au désastre, roches et terre dégringolant dans les vallées.

UN ÉLAN INTERNATIONAL
Longtemps, l'Union soviétique avait imposé la censure sur les mauvaises nouvelles. Mais, en 1988, la nouvelle politique d'ouverture menée par Mikhaïl Gorbatchev permit aux médias de rendre compte du désastre.

Les anciens ennemis de la guerre froide surent faire taire leurs vieilles rivalités pour porter assistance aux Arméniens. Les pays de l'Ouest envoyèrent des appareils de recherche par détection de la chaleur, afin de localiser les victimes piégées sous les décombres, ainsi que des vivres, des couvertures et des vêtements destinés aux milliers de sans-abri qui devaient affronter le froid.

Depuis l'indépendance de l'Arménie, en 1990, conflits et troubles politiques ont encore retardé la reconstruction des villes.

ENTERRER LES MORTS
Des milliers de cercueils furent acheminés jusqu'à Leninakan après le séisme. Les nombreuses victimes de cette ville purent ainsi recevoir une digne sépulture.

SAUVER LES SURVIVANTS
Des semaines durant, les équipes de secours, aidées de chiens et d'appareils détectant la chaleur, fouillèrent les ruines. Malgré le froid intense, des survivants furent retrouvés jusqu'à dix-neuf jours après le séisme.

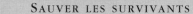

DES BÂTIMENTS À L'ÉPREUVE

La plupart des décès enregistrés lors d'un séisme surviennent lorsque les immeubles s'effondrent. Dans de nombreuses régions sujettes aux tremblements de terre, le bois, la paille et l'argile étaient traditionnellement utilisés, en raison de leur légèreté, pour construire les maisons. En cas de séisme, celles-ci pouvaient s'écrouler sans écraser leurs occupants. Mais ces matériaux de construction sont aujourd'hui remplacés par la brique et le béton, et le bilan humain des séismes ne cesse de s'alourdir.

Car les immeubles de brique ou de béton sont extrêmement vulnérables aux séismes. Si ces matériaux supportent des poids importants, ils cassent facilement lorsque les structures plient sous l'effet des secousses. De nombreuses victimes, à Spitak, sont mortes écrasées sous le béton ou asphyxiées par la poussière produite par l'effondrement des tours dans lesquelles elles vivaient. L'utilisation de béton armé permet de sauver des vies, car ce matériau donne une plus grande flexibilité aux constructions, ce qui évite l'écroulement total et peut permettre aux occupants d'évacuer un bâtiment même très endommagé.

La force des secousses auxquelles un immeuble est exposé dépend de la nature du sol. Lorsque les fondations sont établies dans le soubassement rocheux, les dommages sont généralement peu importants. Au contraire, les bâtiments construits sur un terrain sédimentaire ou asséché sont plus vulnérables : un sol meuble contient de nombreuses poches d'air qui amplifient les ondes sismiques. En outre, les eaux souterraines s'infiltrent et emplissent ces poches, entraînant la liquéfaction du sol, qui ne peut plus alors supporter le poids des bâtiments.

Construire un immeuble sur de l'argile saturée d'eau accroît aussi la violence des secousses. Dans ce cas, c'est la rigidité du sol qui pose problème. Sous l'impact des ondes sismiques, il peut résonner au point que la secousse dure plusieurs minutes au lieu de quelques secondes. Ainsi, les ondes qui atteignirent Mexico en 1985 résonnèrent durant trois minutes sous le centre

UN LIVRE POUR TÉMOIN
Ce livre fut extrait des décombres d'un bâtiment effondré lors du séisme qui toucha la ville de Skopje (Macédoine), en 1963.

de la ville, provoquant l'effondrement de nombreux bâtiments (*voir p. 33*).

Pour déterminer l'intensité d'un séisme, c'est-à-dire l'ampleur des dommages causés, on utilisait jadis l'échelle de Mercalli, remplacée aujourd'hui par l'échelle macrosismique EMS. Une valeur de I est affectée aux zones dans lesquelles un séisme est détecté par les instruments mais ne provoque aucun dégât. Lorsque l'intensité maximale de XII est atteinte, la plupart des bâtiments de la zone sont entièrement détruits.

DES VOITURES ÉCRASÉES
Bien des maisons avec parking au rez-de-chaussée s'écroulèrent lors du séisme de Los Angeles, en 1994. On chiffra les dégâts à 15 milliards de dollars, mais le bilan humain fut limité à 60 morts.

DES MAISONS BÂTIES SUR LE SABLE
Lors du séisme de Loma Prieta, qui atteignit San Francisco en 1989, le quartier de Marina District fut plus endommagé que d'autres, pourtant plus proches de l'épicentre, car il était bâti sur un terrain sablonneux qui se liquéfia.

SAN FRANCISCO

SÉISME, ÉTATS-UNIS, 1906

RÉPERTOIRE P.129 – SITE N°38

LE PLUS MEURTRIER DES SÉISMES ayant ébranlé les États-Unis plongea San Francisco dans le chaos, le 18 avril 1906 à 5 h 13. Le tremblement de terre lui-même détruisit de nombreux bâtiments, mais les incendies qui se prolongèrent durant trois jours causèrent encore plus de dommages. Les deux tiers de la ville furent réduits en cendres. Des dizaines de milliers de personnes durent fuir la cité, 500 au moins périrent sous les bâtiments effondrés ou dans les flammes. L'économie fut gravement perturbée, et plusieurs compagnies d'assurances, ne pouvant faire face aux demandes d'indemnisation, firent faillite.

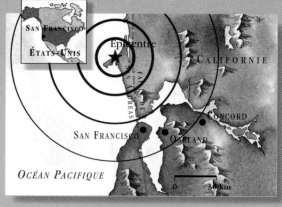

RUPTURES DE LA FAILLE DE SAN ANDREAS
D'une magnitude estimée à 8,3, le séisme se déclencha au nord de San Francisco. Deux secousses se propagèrent le long de la faille de San Andreas, qui traverse la ville.

TANGAGE DANS LE MARINA DISTRICT
Édifiées sur des terres prises à la baie de San Francisco, ces maisons oscillèrent lorsque, sous l'effet du séisme, le sol où s'enfonçaient leurs fondations trembla et se liquéfia.

Dans la seconde moitié du XIXe siècle, la ruée vers l'or avait transformé le village de San Francisco en une ville prospère. Peuplée en 1906 de plus de 300 000 habitants, la cité avait grandi de manière incontrôlée. C'était un patchwork de bâtiments publics ostentatoires, d'entrepôts construits à la hâte, de demeures opulentes et de bidonvilles sordides où s'entassaient les immigrants. Une telle juxtaposition de bâtiments aux charpentes de bois offrait au feu un idéal terrain de propagation, et le chef des sapeurs-pompiers, Sullivan, avait demandé aux édiles de consacrer plus d'argent à la lutte contre les incendies.

UNE VILLE PEU PRÉPARÉE

Le 18 avril, Sullivan, qui avait mis au point un plan pour contenir un incendie à l'échelle de la ville, ne disposait encore que de moyens limités. Il perdit la vie dans le séisme, qui frappa en deux secousses successives, à 5 h 13. La première et la plus forte des secousses dura quarante

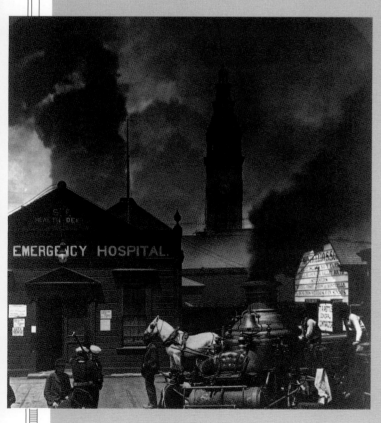

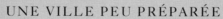

MESURES D'URGENCE
Les services d'urgence reçurent le renfort de la troupe. Le général de brigade Funston décréta la loi martiale sans même l'accord du président.

secondes. Puis, après dix secondes d'un calme inhabituel, la terre trembla à nouveau durant vingt-cinq secondes.

Le sergent de police Cook, en patrouille ce matin-là, rapporta que la route ondulait devant lui. John Barrett, rédacteur en chef du *San Francisco Examiner,* relata que les secousses faisaient «danser et trembloter comme de la gelée» les immeubles qui oscillaient et se bombaient. Les chevaux, en route pour leurs livraisons matinales, hennissaient nerveusement, avant de s'abandonner à la panique lorsque les bâtiments cédèrent et que des blocs de maçonnerie se mirent à voler.

LA RENAISSANCE DE SAN FRANCISCO

Alors que les survivants émergeaient des bâtiments ébranlés, des incendies éclataient tout autour. Beaucoup ramassèrent en hâte quelques effets et s'enfuirent. D'autres restèrent pour dégager les morts et les blessés des décombres. Quelques-uns profitèrent du chaos pour piller les maisons abandonnées.

Malgré la faiblesse du vent ce 18 avril, les pompiers ne purent contenir les incendies. L'eau manquait, les canalisations ayant été percées. Quinze mille soldats furent dépêchés en renfort ; ils reçurent l'ordre de tirer sur les pillards. Ingénieurs de l'armée et pompiers décidèrent de créer des coupe-feu en faisant exploser des bâtiments, mais le remède fut souvent pire que le mal. Douze heures après le séisme, le quartier de Chinatown s'enflamma lorsqu'une explosion projeta des matelas

en feu dans un enchevêtrement de maisons en bois. Chinatown brûla rapidement, et nul ne peut dire combien de personnes périrent dans ce dédale de ruelles obscures, où ne pouvaient pénétrer que les résidents chinois.

San Francisco fut reconstruite en quatre ans et la ville poursuivit son expansion. On y a édicté des normes de construction parmi les plus sévères au monde, ce qui a permis de sauver des milliers de vies lorsqu'un nouveau séisme majeur a frappé la ville en 1989.

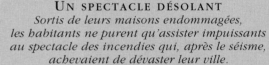

UN SPECTACLE DÉSOLANT
Sortis de leurs maisons endommagées, les habitants ne purent qu'assister impuissants au spectacle des incendies qui, après le séisme, achevaient de dévaster leur ville.

DES COMMERCES EN RUINE
Dans Market Street, où les hommes d'affaires tentèrent au péril de leur vie de sauver leurs biens, se dressent les vestiges calcinés des immeubles.

LE FEU

Lors de certains séismes, l'effondrement des bâtiments n'est que le facteur déclenchant du désastre. En 1923, dans le séisme qui frappa la région du Kanto, au Japon, des incendies éclatèrent quelques minutes après que les ondes sismiques eurent jeté bas les maisons, renversant les braseros que l'on venait à peine d'allumer pour le déjeuner. Poussés par des vents violents, les incendies se propagèrent à travers Tokyo et le port voisin de Yokohama, brûlant un demi-million de maisons. La plupart des 143 000 morts dénombrés après le séisme avaient été tués par le feu.

Le séisme de Kobe, en 1995 (*voir p. 46-49*), a montré que les villes modernes sont tout aussi vulnérables au feu. Les secousses peuvent provoquer la rupture des canalisations de gaz courant sous les rues, et, même si l'alimentation est coupée rapidement, il y a toujours du gaz qui se répand et qui peut s'enflammer. Les canalisations d'eau se rompent elles aussi fréquemment, ce qui complique la lutte contre les incendies.

GLISSEMENTS DE TERRAIN, AVALANCHES, INONDATIONS

Les bouleversements de l'environnement physique peuvent avoir des conséquences dramatiques pour les humains. En déplaçant les roches, le sol et la neige, les vibrations sismiques sont susceptibles, en zone montagneuse, de déclencher glissements de terrain et avalanches. La moitié des victimes du séisme de 1970, au Pérou, ont péri à cause d'une avalanche sous laquelle furent ensevelis deux villes et leurs 25 000 habitants (*voir Chimbote, ci-contre*).

De tous les séismes recensés, le plus meurtrier survint en Chine, dans la province du Shaanxi (ou Chen-si), en 1556. Un grand nombre des 830 000 victimes vivaient dans des grottes et périrent enterrées sous des tonnes de pierres, lorsque celles-ci s'effondrèrent.

Les inondations surviennent lorsqu'un séisme ou un glissement de terrain modifie le cours d'une rivière. En 1950, un séisme majeur près d'Assam, en Inde, provoqua d'importants glissements de terrain dans l'Himalaya. L'écoulement de la rivière Subabsiri fut temporairement interrompu. Dans le même temps, les secousses entraînaient la rupture d'un barrage sur le Brahmapoutre. Plus de 110 000 km² furent inondés.

DANGERS EN SOUS-SOL
Le séisme californien de Northridge, en 1994, endommagea gravement les rues de San Francisco. Le gaz, en s'échappant des canalisations percées, déclencha de nombreux incendies.

CHIMBOTE
SÉISME, PÉROU, 1970
— RÉPERTOIRE P.132 – SITE N°22 —

LES PÉRUVIENS DES ANDES utilisent traditionnellement, pour bâtir leurs maisons, de la *quincha*, un mélange d'argile et de branchages. Quoique fragile, la quincha, parce qu'elle est légère, constitue un matériau idéal dans un pays où les séismes sont monnaie courante. Si la maison s'effondre, ses occupants ont toutes les chances de s'en sortir avec des blessures superficielles. En 1970 pourtant, nombreuses étaient les maisons péruviennes construites en brique ou en béton. Elles se révélèrent beaucoup plus dangereuses lorsque, le 31 mai, eut lieu un violent séisme.

Le foyer de ce séisme de magnitude 7,7 se trouvait à 25 km à l'ouest du port de Chimbote, où la moitié des bâtiments furent détruits. Près de 3 000 des 200 000 habitants furent tués, et beaucoup d'autres furent blessés. Le séisme et les glissements de terrain qu'il provoqua avaient également détruit les réseaux de communication. Il fallut donc plusieurs jours pour mesurer l'ampleur des dégâts.

L'AMPLEUR DU DÉSASTRE
À mesure que les secours atteignaient les villes et les villages touchés, à partir de la côte, ils découvraient toujours plus de morts, de blessés et de sans-abri. La zone la plus affectée se situait à 65 km vers l'intérieur des terres, au pied du mont Huascarán. Une énorme masse rocheuse s'était détachée du sommet, pour tomber beaucoup plus bas sur les pentes enneigées, provoquant une avalanche mortelle. Cinquante millions de mètres cubes de roche

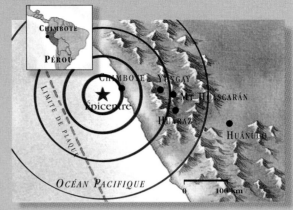

UN SÉISME SOUS-MARIN DÉVASTATEUR
Le séisme toucha plus de 1 000 km de côtes et provoqua un glissement de terrain sur le mont Huascarán, déclenchant l'avalanche la plus mortelle du XXᵉ siècle.

et de glace tombèrent dans une vallée, balayant la ville de Ranrahirca et ses 5 000 habitants. Le flot rocheux bifurqua ensuite vers Yungay, une station de montagne. En quelques minutes, les 20 000 habitants, à l'exception de 92 personnes, furent tués. Environ 66 000 Péruviens trouvèrent la mort dans ce séisme. Le bilan ne cessait de s'alourdir, les secours ne parvenant qu'avec difficulté jusqu'aux survivants, dont beaucoup étaient bloqués loin de tout abri, dans le froid. Le Pérou mit des années à se relever de la catastrophe.

UN CIMETIÈRE POUR SANCTUAIRE
Des 20 000 habitants de Yungay, 92 échappèrent à l'avalanche qui détruisit la ville : ils avaient pu se réfugier dans le cimetière situé sur une colline, le lieu le plus élevé de la cité.

VALDIVIA
SÉISME, CHILI, 1960
—— RÉPERTOIRE P.132 – SITE N°18 ——

LES CHILIENS ont appris à craindre les violents séismes qui ébranlent fréquemment leur pays. Ils avaient encore en mémoire les 50 000 morts du séisme de 1939, qui dévasta le centre du Chili, lorsque la terre trembla à nouveau, en mai 1960.

Peu après 6 heures le samedi 21, un séisme de magnitude 7,7 se déclencha près de Valdivia, faisant un grand nombre de victimes et jetant dans les rues des dizaines de milliers de Chiliens. Ce n'était que le début de huit jours de cauchemar. Secousse après secousse, les ravages s'étendirent sur 145 000 km². La secousse la plus violente survint à 15 heures le dimanche 22 mai et atteignit 8,7 sur l'échelle de Richter. La terre trembla durant trois longues minutes, culbutant des milliers de bâtiments, déclenchant glissements de terrain et avalanches dans les Andes. Quelques jours plus tard, plusieurs volcans vomissaient de la lave.

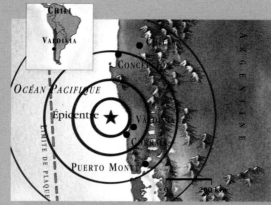

LE GRAND SÉISME CHILIEN
Après que le fond rocheux eut cédé, 1 000 km de croûte océanique plongèrent sous l'Amérique du Sud. Les secousses ravagèrent le centre du Chili; des tsunamis se propagèrent à travers le Pacifique.

LE PACIFIQUE EN PROIE AUX TSUNAMIS

Les secousses apaisées, le niveau de l'océan Pacifique s'éleva de manière spectaculaire. Les digues des ports se rompirent, les villes furent inondées. Dès les premiers signes annonciateurs d'un tsunami, les habitants avaient fui vers l'intérieur des terres. Leurs craintes étaient fondées. Quinze minutes après le séisme, l'eau montait brutalement, emportant les bateaux. Une demi-heure plus tard, une vague de 10 m s'abattait sur la côte, écrasant les maisons. En se retirant, l'océan aspira les ruines jonchant les ports et les baies. À Corral, des hommes descendus d'une colline voisine pour tenter de sauver leurs bateaux furent emportés par une nouvelle vague. Il n'y avait plus rien à sauver lorsque la troisième vague s'abattit. La côte chilienne, la plus proche de l'épicentre, fut la première touchée. Mais les tsunamis se propagèrent dans toutes les directions. La vague qui atteignit Hawaii quinze heures plus tard véhiculait encore assez d'énergie pour produire une muraille d'eau de 11 m, qui inonda Hilo et tua 61 personnes.

Les vagues portèrent la destruction jusqu'aux Philippines, en Nouvelle-Guinée, en Nouvelle-Zélande et au Japon. N'ayant pas été alertés, les Japonais n'étaient absolument pas préparés à affronter des vagues de plus de 6 m. Cent dix-neuf personnes périrent.

Le bilan de 5 000 morts au Chili aurait été plus lourd si les gens n'avaient pas pris en compte l'avertissement donné par les secousses initiales. Les conséquences pour l'économie, cependant, étaient catastrophiques, et seule la mobilisation massive de la Croix-Rouge permit d'éviter la famine.

VALDIVIA EN RUINE
Des survivants errent dans Valdivia dévastée par une série de tremblements de terre. Près de 400 000 bâtiments furent détruits par les secousses dans le centre du Chili.

TSUNAMIS

Les séismes sous-marins sont très courants. Quoique la plupart d'entre eux ne causent guère de dommages directs, ils peuvent générer des vagues dévastatrices, capables de traverser un océan. Ce phénomène était autrefois nommé raz de marée, sans doute parce que l'arrivée de telles vagues évoque la marée montante. Aujourd'hui, on préfère le vocable de tsunami, utilisé par les Japonais. Le séisme né au large du Chili, en 1960 *(voir Valdivia, ci-contre)*, déclencha des tsunamis dont les ravages s'étendirent tout autour du Pacifique.

Les tsunamis surviennent lorsqu'un séisme s'accompagne de la rupture et de l'effondrement d'une section du fond océanique. L'eau s'engouffre dans l'espace ainsi créé, générant un puissant mouvement dans la masse liquide. L'ondulation se propage à partir de la faille du fond océanique. En pleine mer, elle forme des trains de vagues peu élevées avançant à plus de 1 000 km/h. Lorsqu'elles atteignent des eaux moins profondes, les vagues sont freinées par le fond marin et contraintes de remonter. Un tsunami à peine repérable en pleine mer peut se muer en une vague de 10 m, lorsqu'il vient se fracasser sur le rivage.

En 1946, un séisme près des îles Aléoutiennes, dans le Pacifique nord, déclencha un tsunami de 35 m, qui emporta un phare et tua cinq personnes. Près de cinq heures plus tard, une vague de 12 m s'écrasait dans la vallée de Pololu, sur l'île d'Hawaii. Hilo, la capitale, fut en grande partie submergée par un plus petit tsunami. Cent soixante-cinq personnes périrent, et les dégâts s'élevèrent à 26 millions de dollars.

BROYÉS PAR UNE VAGUE
Bateaux de pêche, véhicules et maisons furent emportés par un tsunami de 10 m sur l'île d'Okushiri, en 1993. La vague, née dans la mer du Japon, tua 240 personnes.

TERRIFIANTE MURAILLE
Les habitants de Hilo, à Hawaii, fuient le tsunami qui submergea la ville en 1946, tuant 165 personnes. Un centre de surveillance des tsunamis fut ensuite établi sur l'île.

TANGSHAN

SÉISME, CHINE, 1976

RÉPERTOIRE P.137 – SITE N°86

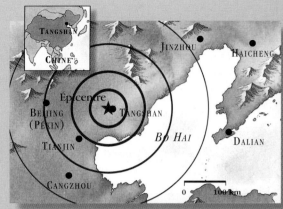

LE SÉISME qui frappa le nord-est de la Chine, le 28 juillet 1976, fut le plus meurtrier de notre époque. Son foyer était localisé juste sous la ville industrielle de Tangshan, laquelle fut pratiquement détruite par une secousse de 8,3 sur l'échelle de Richter. Le tremblement de terre fut soudain, et causa la mort d'un habitant sur dix. Les dommages s'étendirent bien au-delà de Tangshan. La secousse principale et les centaines de contrechocs qui suivirent tuèrent plus de 240 000 personnes ; on dénombra 164 000 blessés.

UNE TRAGÉDIE CHINOISE
La secousse principale dévasta une zone de 47 km² autour de l'épicentre, localisé à Tangshan. Beijing (Pékin), la capitale, et le port de Tianjin furent également endommagés.

En 1976, Tangshan était un centre industriel et minier prospère. Depuis que Mao Zedong avait proclamé la République populaire de Chine, en 1949, la ville avait grandi rapidement. Elle venait de dépasser le million d'habitants.

Le 28 juillet, les équipes de nuit s'activaient dans les mines de charbon, lorsque, à 3 h 42, une faille située à 11 km à peine sous la ville céda. Les ondes sismiques piégèrent les mineurs.

Un autre drame se jouait en surface. Des survivants racontèrent que, lorsque la première vague d'ondes atteignit la ville, ils avaient entendu un sifflement semblable à celui du vent. D'autres soutenaient qu'il s'agissait d'une assourdissante détonation.

Les vibrations initiales étaient faibles mais rapides. Quelques secondes plus tard, le sol se déplaça en même temps qu'il se soulevait, puis retombait.

En l'espace de dix secondes, la plupart des immeubles de Tangshan et de sa banlieue étaient réduits en tas de gravats sur lesquels flottaient des nuages de poussière. Près de 86 % de la population étaient ensevelis sous les décombres, mais, miraculeusement, seuls 16 % souffraient de blessures mortelles. Trois cent mille personnes purent se dégager elles-mêmes et, dès l'aube, les rescapés s'étaient organisés en équipes pour sauver les milliers

TANGSHAN EN RUINE
Le séisme né de la rupture d'une faille sous Tangshan détruisit 90 % de la ville. La plupart des habitants furent piégés sous les décombres de 650 000 immeubles.

L'ARMÉE EN RENFORT
Plus de 100 000 hommes de l'Armée populaire furent dépêchés à Tangshan pour participer aux opérations de sauvetage et à la construction de 370 000 abris avant l'arrivée de l'hiver.

d'habitants encore bloqués. Tandis que les uns recherchaient avec fébrilité leurs proches, d'autres tentaient de rassembler de la nourriture et des vêtements pour ceux que l'on secourait. Plus de 700 000 blessés avaient besoin de soins, et les équipes médicales travaillèrent sans répit de douze à quinze jours durant, alors même que nombre de leurs membres étaient eux aussi blessés. Les hôpitaux étaient en ruine ; il fallait opérer parmi les décombres avec des instruments stérilisés dans l'eau bouillante, et pour seul anesthésique, l'acupuncture.

LA RECONSTRUCTION DE TANGSHAN

Très vite après le séisme, 180 000 membres du corps médical, maçons et soldats furent réquisitionnés dans les districts environnants et dépêchés à Tangshan. Ils apportèrent des médicaments et des pompes permettant de tirer de l'eau potable. Des vivres furent parachutés. Après des mois consacrés à l'urgence, la reconstruction

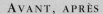

AVANT, APRÈS
De cet hôpital de Tangshan, il ne subsistait qu'un pan après le séisme. La plupart des immeubles de brique, comme celui-ci, ne résistèrent pas.

de Tangshan put commencer. Dix années de travail et d'investissements furent nécessaires. Un tel effort était justifié par la localisation stratégique de la ville et la richesse des gisements de charbon, qui compensait le coût du déblaiement des ruines.

DES RAILS DÉFORMÉS
42 000 ouvriers réparèrent les voies ferrées de Tangshan. En six jours, une ligne était remplacée, permettant l'acheminement de l'aide et l'évacuation des blessés.

LA DÉTECTION DES MOUVEMENTS
Dans cette station de surveillance sismique, en Californie, les géologues inspectent la faille de San Andreas au rayon laser. Ils peuvent ainsi mesurer le mouvement des roches.

PRÉDIRE LES SÉISMES

Les séismes majeurs surviennent lorsque les roches en bordure des plaques tectoniques résistent au déplacement de celles-ci.

Les géologues repèrent le danger lorsqu'ils enregistrent l'augmentation de la contrainte au niveau de la roche piégée par l'arrêt du mouvement le long d'une faille. Ils peuvent ainsi prédire que plusieurs des plus grandes villes mondiales, dont Tokyo, San Francisco et Los Angeles, sont susceptibles d'être frappées par un séisme, que verra peut-être l'actuelle génération. Les habitants n'abandonnent pas pour autant ces villes. Et, malheureusement, les géologues ne peuvent dire à quel moment la roche va céder, ce qui rend impossible toute évacuation préalable.

Toutefois, dans de nombreux cas, des perturbations sont décelées, avant les séismes, dans la circulation des eaux souterraines, comme dans la manière dont l'électricité est conduite par le sol. De même, le comportement des animaux change.

Les scientifiques chinois ont tenté, à partir de telles observations, d'élaborer un système de détection des séismes.

En 1975, leurs méthodes parurent être validées lorsqu'ils prédirent le séisme qui allait frapper Haicheng, dans le nord-est de la Chine. Ayant enregistré des mouvements caractéristiques du sol, ils remarquèrent aussi que les serpents sortaient d'hibernation et que les rats pullulaient. Douze heures après l'évacuation de la ville, un séisme se déclenchait. Les dégâts furent importants, mais on déplora peu de victimes. La chance avait joué, puisque des chocs précurseurs avaient alerté les autorités.

Tangshan ne fut pas si chanceuse. Rien n'annonça le séisme de 1976.

VIVRE AVEC LES SÉISMES

Le séisme de Kobe, en 1995, a donné un avant-goût des désastres qui frapperont à l'avenir de nombreuses agglomérations de la planète. Les richesses mondiales se concentrent de plus en plus dans un nombre réduit de mégalopoles, dont beaucoup sont situées dans des zones géologiquement instables. Puisqu'on ne peut ni empêcher les séismes ni déménager les villes, la seule alternative est de faire en sorte que les bâtiments et leurs occupants puissent survivre à un séisme.

Des cartes des risques sismiques sont dressées afin d'identifier les zones les plus vulnérables. Les ingénieurs donnent une évaluation large de l'endroit, du moment où peuvent survenir des séismes, ainsi que de leur magnitude.

EXERCICES D'ALERTE
En Californie, on apprend aux écoliers comment réagir aux tremblements de terre. Le moment venu, ils sauront se mettre à l'abri et ne pas céder à la panique.

Ils évaluent également les risques de glissement de terrain, de liquéfaction des sols, d'inondations, d'incendies et autres menaces augmentant le potentiel destructeur d'un séisme.

Pour mieux définir les risques, ils visitent les sites des séismes majeurs et déterminent quels types de structures ont le mieux résisté, lesquels ont cédé. Ces données sont transmises aux urbanistes dans les zones à risque, afin qu'ils puissent faire renforcer les bâtiments dangereux et fournir aux architectes les informations nécessaires à la conception de bâtiments et d'infrastructures capables de résister à différents types

de secousses. Hélas! seuls les pays les plus riches peuvent assumer le coût de construction des bâtiments parasismiques. À San Francisco, où les normes de construction sont sévères, un séisme de magnitude 6,9 en 1989 ne tua que 65 personnes. Quelques mois plus tôt, un séisme de même magnitude frappait l'Arménie, où les budgets de construction sont moins importants, et 100 000 personnes mouraient *(voir p. 34).*

Après chaque séisme, des spécialistes examinent la performance des services d'urgence. Détecter les problèmes qui n'avaient pas été prévus permet d'améliorer les procédures d'intervention. Cela aide également à élaborer les programmes d'éducation à destination des populations vivant dans les zones vulnérables aux séismes, afin qu'elles sachent comment réagir lorsque la terre se met à trembler.

MAUVAISES VIBRATIONS
Ce sismogramme, enregistré en Angleterre en 1923, traduit l'amplitude et la durée des ondes sismiques de magnitude 8,3 qui ébranlèrent la plaine japonaise du Kanto et Tokyo.

Début du séisme   Magnitude maximale

TOKYO HIER ET AUJOURD'HUI
Tokyo fut en grande partie détruite (ci-contre) durant le séisme de 1923. La ville moderne (ci-dessous), malgré un code d'urbanisme contraignant, demeure vulnérable aux effets d'un séisme majeur.

LISBONNE

SÉISME, PORTUGAL, 1755

RÉPERTOIRE P.134 — SITE N°56

LE 1er NOVEMBRE 1755, un séisme sous-marin de magnitude 8,5 se déclenchait au sud-ouest du Portugal, portant la destruction à travers la péninsule Ibérique et le nord-est de l'Afrique. À Lisbonne, la capitale portugaise, des dizaines de magnifiques palais et cathédrales furent détruits sous l'effet des secousses ou ravagés par les incendies qui firent rage durant une semaine. Les ports de la région subirent de nouveaux dégâts sous l'impact des vagues destructrices qui survinrent une heure et demie après le séisme. Quelque 60 000 personnes périrent, dont 15 000 habitants de Lisbonne.

LE PLUS VIOLENT SÉISME EUROPÉEN

Le séisme avait son foyer sous la mer, près de la frontière entre les plaques nord-africaine et eurasienne. Il fut ressenti jusqu'au nord de l'Écosse, et des tsunamis traversèrent l'Atlantique pour déferler sur les petites Antilles.

Lorsque le soleil apparut au levant, le 1er novembre 1755, Lisbonne était une riche cité, confiante en l'avenir. L'or affluait des colonies portugaises du Brésil, les marchandises d'Afrique et d'Inde abondaient. Ce commerce avait financé la construction de palais et d'églises renfermant des chefs-d'œuvre de l'art et de la littérature. Les habitants de Lisbonne croyaient devoir leur bonne fortune à leur foi en Dieu ; ils avaient appris des jésuites, établis dans la ville, que leur salut dépendait de la stricte observance des rituels du catholicisme.

LISBONNE EN FLAMMES
Rares furent ceux qui tentèrent d'éteindre les incendies qui échappaient à tout contrôle lorsque les tsunamis atteignirent la ville.

RUINES ET DÉSESPOIR
João Galma Stomberle a peint l'angoisse des survivants sur la Praça de Santa Catarina, à Lisbonne, qui en appellent à Dieu pour trouver une explication à la tragédie.

LA COLÈRE DE DIEU

À 9 h 30, les fidèles étaient réunis pour célébrer la Toussaint dans les églises de la ville. Lorsque les prêtres entonnèrent la messe, le sol se mit à trembler, les murs à tanguer, et des blocs de pierre se détachèrent. Trois violentes secousses se succédèrent en dix minutes, dévastant une grande partie de la capitale portugaise.

La plupart des survivants fuirent les amas de ruines instables, indifférents aux incendies qui, déjà, se propageaient dans la ville. Ceux qui avaient pris la direction du port, espérant trouver un navire, furent bientôt confrontés à une nouvelle terreur. Vers 11 heures, le premier tsunami surgissait dans le port. Un survivant décrivit cette vague dressée comme une montagne... « Elle arriva écumant et grondant et déferla sur le rivage avec une telle impétuosité que tous, nous courûmes, craignant pour nos vies. » Tandis que les rescapés regardaient brûler Lisbonne et pleuraient leurs morts, ils se demandaient pourquoi Dieu avait détruit leurs églises et tué les fidèles le jour de la Toussaint.

Cette interrogation fut reprise par les savants de toute l'Europe, dont beaucoup, rejetant les explications mystiques et religieuses, préférèrent rechercher la cause scientifique du désastre. Leur recherche favorisa le développement de la géologie moderne.

Cette révolution de la pensée trouva son pendant dans l'action du Premier ministre du Portugal, le marquis de Pombal, qui entreprit rapidement de faire reconstruire Lisbonne, et obligea les jésuites à quitter la ville.

VOLTAIRE
Dans son Poème sur le désastre de Lisbonne, *Voltaire conclut que l'homme, faible et impuissant, est voué à un infortuné destin sur terre.*

KOBE

SÉISME, JAPON, 1995

RÉPERTOIRE P.138 – SITE N°37

LE SÉISME DE MAGNITUDE 7,2 qui ébranla Kobe le 17 janvier 1995 fut le plus puissant qu'une ville moderne ait jamais subi. Vingt secondes de secousses détruisirent une grande partie de la ville et les dégâts s'étendirent jusqu'à Osaka, la deuxième ville du Japon. Le séisme et les 142 incendies qu'il provoqua endommagèrent environ 180 000 bâtiments. Cent hectares furent brûlés à Kobe, 6 310 personnes périrent et 43 000 furent blessées. Le choc fut sévère pour l'économie japonaise, et la reconstruction de cette importante ville industrielle, qui s'acheva seulement en 2005, est évaluée à 147 milliards de dollars.

SÉISME DANS LA BAIE D'OSAKA
La rupture d'une faille courant sous Kobe, survenue à 20 km sous la pointe nord de l'île d'Awaji-shima, déclencha le séisme. Kobe fut la plus touchée, mais des bâtiments furent endommagés jusqu'à Kyoto.

Avant le séisme, Kobe, sur l'île d'Honshu, était fameuse pour ses bœufs, les plus dorlotés au monde. Les visiteurs déboursaient de coquettes sommes pour quelques morceaux de bœuf élevé à la bière et massé. Les élégantes maisons de bois de la vieille ville étaient un autre pôle d'attraction.

Le 16 janvier 1995, scientifiques et ingénieurs convergeaient vers Osaka pour un colloque consacré à la réduction des risques sismiques en milieu urbain. Il devait s'ouvrir le lendemain et visait à mieux sensibiliser une région qui, n'ayant connu qu'une faible activité sismique dans un récent passé, n'était pas aussi bien préparée que le reste du Japon. Ailleurs, de fréquents tremblements de terre et des frémissements volcaniques rappelaient aux habitants que le pays est établi sur l'une des zones les plus instables de l'écorce terrestre. Le colloque n'eut jamais lieu. Le lendemain à l'aube, les responsables locaux avaient devant les yeux la preuve que leurs plans d'intervention étaient dramatiquement inadéquats.

UN RÉVEIL BRUTAL

La plupart des gens dormaient encore à 5 h 46. Comme tous les Japonais, les habitants de Kobe avaient été formés depuis l'enfance à se blottir sous une lourde table ou dans une embrasure de porte tant que duraient les secousses, puis à sortir aussi vite que possible. Certains furent écrasés dans leur lit avant même d'avoir pu bouger. D'autres paniquèrent et se précipitèrent dehors sous des avalanches de ciment. Des milliers d'autres encore furent piégés et ensevelis sous les décombres.

DES RUES DÉFORMÉES
Des galeries du métro de Kobe s'écroulèrent durant le séisme, entraînant en surface un gauchissement des rues.

PRISONNIERS DES DÉCOMBRES

Alors que la majorité des bâtiments récents avait résisté à vingt secondes de secousses violentes, quelque 56 000 immeubles plus anciens s'étaient écroulés. Les maisons de bois du centre historique furent particulièrement endommagées, comme les appartements édifiés sur les terrains instables dominant la baie d'Osaka.

Tandis que le jour pointait, s'élevaient les cris étouffés des habitants ensevelis. Certains demeurèrent ainsi plus de cinq jours, car les équipes de secours n'étaient pas suffisamment équipées en caméras à fibres optiques et ne disposaient d'aucun chien pour retrouver les rescapés. Des milliers de personnes moururent de leurs blessures ou périrent dans les incendies qui ravagèrent Kobe après le séisme.

DES FEUX INDOMPTÉS
L'alimentation en eau ayant été interrompue durant les premières heures suivant le séisme, les pompiers maîtrisèrent difficilement les incendies (ci-dessus). Nombreuses furent ainsi les vieilles maisons en bois réduites en cendres (ci-contre).

DES LEÇONS À TIRER
Des ingénieurs inspectent l'autoroute afin de comprendre comment, bien que renforcée avant le séisme, elle a pu s'effondrer sur 550 m.

LA RECHERCHE DES CORPS
Près de 30 000 soldats furent envoyés à Kobe pour tenter de retrouver sous les ruines les corps des disparus et porter assistance aux 300 000 personnes désormais sans abri.

KOBE APRÈS LA CATASTROPHE
Les traditionnelles maisons de bois du cœur de Kobe furent emportées par le séisme, puis les rues étroites et les allées se muèrent en un piège de flammes lorsque le feu gagna.

SCÈNES D'ENFER

Les incendies s'étaient déclarés aussitôt que la terre s'était mise à trembler. Le gaz échappé des canalisations rompues s'était enflammé, mettant le feu aux immeubles. Les pompiers durent se frayer un chemin dans les rues jonchées de débris et encombrées par des milliers de gens tentant de fuir. Quand ils parvenaient à atteindre le lieu d'un incendie, ils avaient de grandes difficultés à éteindre le feu, l'alimentation en eau ayant été gravement perturbée par le séisme. Lorsque cela était possible, ils pompaient l'eau du port ou des ruisseaux. Par chance, le vent était faible et les feux ne se propagèrent pas trop vite.

LES LEÇONS DE KOBE

Le séisme de Kobe a montré combien une ville moderne peut être vulnérable aux forces destructrices d'un tremblement de terre. Outre les centaines de milliers de personnes ayant perdu toit et emploi, un million d'habitants environ furent privés de gaz, d'électricité ou d'eau. La liaison par le train à grande vitesse fut perturbée durant six mois, et le port de Kobe ne retrouva son activité antérieure qu'après plus d'un an. Trois jours après la catastrophe, les autorités admirent avoir été débordées. Kobe eut de profondes répercussions dans le pays, que le professeur Katsuki Takiguchi, de l'Institut de technologie de Tokyo, a ainsi analysées : « La leçon la plus marquante est que le Japon n'est pas à l'épreuve des séismes. Nous avons toujours pensé que le Japon était en avance sur tout le monde. Cela s'est révélé inexact. »

TSUNAMI DANS L'OCÉAN INDIEN

TSUNAMI, ASIE, 2004

RÉPERTOIRE P.136 – SITE N°105

LE 26 DÉCEMBRE 2004, UN FORT TREMBLEMENT DE TERRE a déchiré le fond de l'océan Indien, déclenchant un tsunami dévastateur qui s'est propagé dans l'océan, atteignant avec une force meurtrière les rivages de nombreux pays. Des villes et des communautés entières ont été détruites, des centaines de milliers de morts sont à déplorer, conséquences du pire tsunami jamais enregistré.

PROPAGATION À TRAVERS UN OCÉAN
Les vagues du tsunami ont été déclenchées par un séisme au large de l'île indonésienne de Sumatra. La force du séisme fut telle que le tsunami s'est propagé dans toute la largeur de l'océan Indien, jusqu'aux côtes de l'Est africain.

Très vaste, l'océan Indien représente environ 20 % des mers et océans de la planète ; il est délimité par le sud de l'Asie, l'est de l'Afrique et l'Australie. Sous cet océan, à 240 km des côtes de l'île indonésienne de Sumatra, deux plaques tectoniques sont en contact. La plaque inférieure, qui porte l'Inde, s'enfonce progressivement sous la plaque supérieure, qui représente l'essentiel du Sud-Est asiatique. Les tensions extrêmes accumulées au contact des deux plaques ont été libérées sous forme d'un séisme aux effets dévastateurs, le matin du 26 décembre 2004.

VAGUES GÉANTES
Sur une plage près de Krabi, dans le sud de la Thaïlande, les touristes courent pour échapper à la première vague qui déferle sur le rivage. Une série de six vagues dévastatrices a touché les côtes thaïlandaises, atteignant 12 m de hauteur.

Ce séisme, de magnitude 9,3 sur l'échelle de Richter, a causé une rupture évaluée à 1 200 km de long entre les plaques, et a duré plusieurs minutes, car cette cassure n'a pas été instantanée, mais s'est produite en deux phases. Lorsque le séisme s'est apaisé, personne ne se doutait que ces secousses déclencheraient un tsunami mortel qui frapperait les côtes de douze pays.

Pendant le tremblement de terre, le fond de l'océan s'est soulevé de plusieurs mètres le long de la ligne de rupture. Des milliards de tonnes d'eau ont été soulevées par le mouvement de l'écorce terrestre, et l'eau s'est répandue en rayonnant vers l'extérieur, tout au long de cette ligne de faille, en une série de raz-de-marée dévastateurs. Là où l'océan est profond, le tsunami ne formait qu'une petite « bosse » à la surface de l'eau, mais il s'est propagé à une vitesse atteignant 800 km/h. En eau moins profonde, à l'approche des côtes, le tsunami a ralenti mais a pris de la hauteur, formant ainsi de gigantesques vagues meurtrières.

DESTRUCTION DES CÔTES
À peine 30 minutes après la fin du séisme, la première vague se propageant vers l'est est venue s'écraser sur la côte de l'île indonésienne de Sumatra. Les vagues ont atteint 20 m de hauteur, détruisant presque tout sur leur passage. Des bâtiments en béton ont été anéantis, la végétation arrachée, des bateaux projetés à plusieurs centaines de mètres. La ville de Banda Aceh a été presque entièrement détruite, et plus de 100 000 personnes ont trouvé la mort dans cette région.

ZONE SINISTRÉE
La ville de Banda Aceh, dans l'île indonésienne de Sumatra, a été ravagée par le tsunami. Outre les milliers d'habitants ayant péri dans la catastrophe, des milliers d'autres se sont retrouvés sans abri, leurs maisons ayant été détruites. Aide de première urgence et troupes de secours ont été envoyées dans cette région.

©DigitalGlobe Inc.

©DigitalGlobe Inc.

AVANT
La ville de Banda Aceh est la capitale de la province indonésienne d'Aceh, située à l'extrémité nord de l'île de Sumatra. Cette image satellite montre une partie de la ville avant le tsunami.

APRÈS
Sur cette image satellite prise deux jours après la catastrophe, la plupart des constructions de cette partie de la ville ont été entièrement détruites, tandis que le relief de la côte a été fortement érodé.

RETRAIT DE LA MER

La Thaïlande fut le deuxième pays touché par le tsunami. Destination touristique très prisée, de nombreux touristes séjournaient sur ses plages de la côte ouest. Lorsque les vagues ont atteint les côtes thaïlandaises, la mer s'est retirée sur plusieurs centaines de mètres, dégageant les plages. Ce phénomène est un signe annonciateur classique d'un tsunami, mais la plupart des gens sur les plages l'ignoraient. Au lieu de prendre la fuite vers l'intérieur des terres, plus en hauteur, un grand nombre de touristes se sont approchés de l'étendue dégagée par la mer pour regarder la vie marine qui y était échouée. Quelques minutes plus tard, la première vague frappait la côte,

projetant des milliers de tonnes d'eau sur les plages. Plus de 5 000 personnes ont perdu la vie en Thaïlande, dont de nombreux touristes.

VAGUES DÉVASTATRICES

Les vagues du tsunami lancées vers l'ouest, traversant l'océan Indien en direction de l'Afrique, étaient orientées sommet en avant, ce qui explique que les plages du Sri Lanka n'aient pas connu ce recul de la mer avant que les vagues frappent. Il n'y a donc eu aucun signe avant-coureur. À peine plus de deux heures après le séisme ayant ravagé le fond de l'océan, une série comptant jusqu'à six vagues géantes a détruit les côtes du Sri Lanka, tuant des milliers de

personnes, détruisant villes et villages de pêcheurs, laissant des milliers de sans-abri.

Lorsque les vagues ont touché l'extrémité sud de l'île, elles ont dévié et fait à nouveau des milliers de morts sur la côte sud-ouest. Huit cents personnes au moins ont trouvé la mort lorsque la vague a balayé un train bondé circulant dans le sud de l'île. Au total, le tsunami a fait plus de 31 000 victimes au Sri Lanka.

Les vagues ont poursuivi leur course meurtrière vers le nord pour frapper les côtes indiennes, où plus de 10 000 personnes ont perdu la vie. Le tsunami a également touché les Maldives. Ces îles comptent parmi les terres immergées les plus basses de la planète, mais

DESTRUCTIONS MASSIVES
Le tsunami a ravagé des régions entières. Maisons et bâtiments ont été réduits en gravats, les ressources en eau potable ont été polluées par l'eau de mer et la boue, les routes et les ponts ont été emportés, retardant les premiers secours.

DANS LES DÉCOMBRES
Après le tsunami, les débris jonchent les rues de la ville de Meulaboh, sur l'île de Sumatra, en Indonésie. Les survivants fouillent les décombres à la recherche du peu de biens récupérables.

tiers d'enfants, totalement impuissants face aux vagues gigantesques.

Un vaste élan humanitaire international s'est aussitôt concrétisé par d'importants dons financiers, médicaux et alimentaires. Des centaines de milliers de personnes ont tout perdu lors de cette catastrophe ; la reconstruction va demander des années dans certaines régions très touchées. Des îles entières se trouvent maintenant sous le niveau de la mer, tandis que le relief des côtes a été profondément remanié.

8 500 km de distance, où, près de seize heures après le séisme, une vague de 1,50 m a déferlé.

CONSÉQUENCES DRAMATIQUES
Le nombre important de pertes humaines est dû en partie à l'absence de tout système d'alerte contre les tsunamis dans l'océan Indien. En revanche, dans l'océan Pacifique, un système sophistiqué d'alerte a été mis en place pour lutter contre les raz de marée. Il n'y avait pas eu de tsunami majeur dans l'océan Indien depuis l'éruption du volcan Krakatoa en 1883.

On ne connaîtra sans doute jamais avec exactitude le bilan meurtrier du tsunami de 2004, mais les estimations font état de 273 800 morts, dont un

LA TRAGÉDIE DU TRAIN
Sur la côte sud-ouest du Sri Lanka, un train bondé a été emporté par les vagues du tsunami. Il a fallu plusieurs jours pour extraire les centaines de corps des passagers pris au piège dans les wagons lorsque les vagues ont frappé.

heureusement, comme elles sont entourées de récifs coralliens qui ont nettement atténué la violence des vagues, les dégâts ont été limités.

Le tsunami s'est propagé sur près de 5 000 km dans l'océan Indien, jusqu'aux côtes africaines. Lorsqu'il a atteint le Kenya et la Somalie, il avait cependant perdu beaucoup de sa puissance et les pertes humaines y furent relativement faibles.

Bien qu'ayant perdu sa force meurtrière, ce tsunami a été ressenti jusqu'en Afrique du Sud, à

LA PUISSANCE DES VAGUES
Les vagues du tsunami étaient si puissantes qu'elles ont arraché du sol et tordu des rails de chemin de fer.

LE CIEL EN COLÈRE

CHAQUE ANNÉE, des orages dévastateurs provoquent la mort de milliers de personnes et causent des milliards de francs de dégâts. Les terribles cyclones tropicaux sont les plus destructeurs, mais les gros orages des régions plus froides ne sont pas en reste, qui peuvent s'accompagner des effets paralysants de la neige. Les simples orages, bien faibles en comparaison, ne provoquent des dommages que par leur nombre. Chaque jour, des dizaines de milliers de nuages orageux se forment et s'abattent en pluies torrentielles, grêle et éclairs. Les vents les plus puissants apparaissent avec les tornades, de pernicieux vents tourbillonnaires qui accompagnent les orages les plus importants et sont capables de soulever les voitures et de détruire les habitations.

DIEU DE L'ORAGE
Chango, dieu de l'orage et des éclairs, est invoqué par les Yoruba du Nigeria au cours de danses rituelles destinées à faire tomber la pluie.

④ LA TORNADE DES TROIS ÉTATS
En 1925, cette tornade balaya les États américains du Missouri, de l'Illinois et de l'Indiana, provoquant la mort de 689 personnes.

JARRELL ②
En mai 1997, une seule tornade, large de 800 m, déferla sur Jarrell (États-Unis) et causa la mort de 27 des habitants de la ville.

⑥ LA TEMPÊTE DU SIÈCLE
En mars 1993, une grande partie de l'est des États-Unis fut paralysée par un énorme blizzard.

① BIG THOMPSON RIVER
En juillet 1976, des pluies diluviennes tombèrent sur Rocky Mountain National Park, dans l'État américain du Colorado. La crue de la Big Thompson River qui s'ensuivit fit 139 morts.

③ GALVESTON
Galveston (États-Unis) connut un véritable désastre au début du XXᵉ siècle : en 1900, un terrible ouragan détruisit la moitié de la ville et coûta la vie à 6 000 habitants.

⑤ ANDREW
En 1992, un cyclone tropical ravagea le sud de la Floride, causant près de 25 milliards de dollars de dégâts. Cette tempête, qui frappa également la Louisiane, fut la plus ruineuse de tous les temps.

LE DANGER DES TORNADES
Emportant tout sur leur passage, les tornades constituent la principale menace naturelle pour de nombreuses régions des États-Unis. Cette tornade fut l'une de celles qui frappèrent Cantrall (Illinois) dans la même journée. On n'eut pas à déplorer d'énormes dégâts, mais 30 habitants de la ville se retrouvèrent sans abri.

AVION MÉTÉOROLOGIQUE
Les observations effectuées par des avions en vol, couplées avec celles que fournissent les satellites et les stations météorologiques au sol, permettent de détecter la formation des orages.

CYCLONE 2B ⑦
Le cyclone qui frappa le Bangladesh en 1991 noya sous 6 m d'eau les îles du delta du Gange et 120 000 personnes.

MESURER LES VENTS
Mis au point en 1846, l'anémomètre est utilisé dans la plupart des stations météorologiques à travers le monde pour mesurer la vitesse des vents. Lorsque les coupelles tournent, le nombre de rotations s'effectuant dans un laps de temps déterminé est enregistré. Cet instrument ancien, connu sous le nom d'anémographe, fonctionne avec un mécanisme d'horlogerie et traduit la vitesse moyenne des vents sur du papier millimétré.

⑧ CYCLONE TRACY
Le jour de Noël 1974, la ville de Darwin, dans le nord de l'Australie, fut dévastée par un cyclone tropical qui fit souffler des vents atteignant 240 km/h.

VIOLENTES TEMPÊTES

LE MOUVEMENT DES OCÉANS et de l'atmosphère, tourbillonnant et imprévisible, détermine la répartition de l'eau et la régulation des températures à la surface de la Terre. S'ils favorisent la création d'une multitude de milieux naturels où la vie peut se développer, ces mouvements peuvent aussi générer de violentes tempêtes qui constituent une menace pour l'environnement et pour la vie.

MASSES D'AIR TUMULTUEUSES

En permanence soumise à l'action de l'énergie solaire, la Terre reçoit plus d'un million de joules par mètre carré par seconde. Les rayons du soleil, en chauffant les sols et les mers, provoquent l'évaporation de l'eau : tandis qu'elle irradie la surface de la Terre, la chaleur augmente la température de l'air au niveau du sol, de sorte que l'air se dilate, perd en densité et fait monter la vapeur d'eau.

En faisant ainsi s'élever un air humide et chaud, l'énergie solaire joue un rôle majeur dans la circulation de l'air et de l'eau sur la planète. Lors de tempêtes, de grandes quantités d'énergie sont brutalement rejetées dans l'atmosphère, tandis que l'air, qui monte rapidement, se refroidit et que la vapeur d'eau se condense sous forme de nuages pouvant engendrer des pluies.

Situés à proximité de l'équateur, les tropiques reçoivent plus de lumière directe du soleil que les régions qui se trouvent près des pôles. Ils constituent ainsi les zones les plus chaudes de la planète et celles où l'air chaud s'élève le plus rapidement ; les pluies, torrentielles, y sont fréquentes mais généralement de

Cellule polaire

Sens de la rotation de la Terre

Cellule tempérée

Basses pressions (60° Nord)

Hautes pressions (30° Nord)

Cellule tropicale

Au niveau des pôles, les rayons du soleil frappent de biais et la chaleur est diffuse.

À l'équateur, les rayons du soleil frappent de façon directe et la chaleur est concentrée.

Basses pressions équatoriales (équateur)

Alizés

MOUVEMENTS DE L'AIR
La Terre, qui tourne autour du Soleil, est touchée par les rayons solaires de façon irrégulière. Les différences de températures qui en découlent maintiennent l'atmosphère en mouvement. Tous les types de temps, dont les vents et les orages, proviennent de l'interaction entre air chaud ascendant et air froid descendant.

Vents d'ouest dominants

Hautes pressions (30° Sud)

Basses pressions (60° Sud)

Vents d'est dominants

courte durée. Ces brèves averses peuvent alimenter des perturbations plus importantes lorsque l'air qui s'élève forme une zone de basses pressions aspirant l'air plus dense des zones voisines. Sous certaines conditions, des masses nuageuses peuvent se concentrer audessus des océans et former un cyclone tropical.

Alors que l'air chaud se dilate et monte, l'air froid et sec se contracte et descend. En tombant, les masses d'air créent des zones de hautes pressions, dans lesquelles on observe un ciel dégagé et de faibles niveaux d'humidité.

PRINCIPALES ZONES ORAGEUSES
Bien des orages les plus forts naissent sous les tropiques, où les températures élevées génèrent de violentes tempêtes. Certains de ces orages deviennent des cyclones tropicaux. Dans les régions tempérées, coups de vents, blizzards et tempêtes peuvent se déclencher lorsque des vents polaires entrent en collision avec des masses d'air chaud.

Des vents forts émanent de ces zones de hautes pressions, lorsque l'air est aspiré en direction des zones de basses pressions équatoriales. Leur trajectoire nord-sud est infléchie par le mouvement de rotation de la Terre, plus sensible au niveau de l'équateur qu'à celui des pôles. Ce phénomène, connu sous le nom de force de Coriolis, provoque également l'élévation des masses d'air en spirale.

Dans les régions tempérées, les plus grandes tempêtes résultent de la rencontre brutale de l'air froid descendant des pôles avec l'air chaud s'élevant des zones subtropicales. Localement, ces tempêtes peuvent provoquer des chutes de pluie, de neige, de grêle, des éclairs, et entraîner coups de vent et tornades.

Le nombre de facteurs qui déterminent les mouvements des masses d'air rend généralement impossible toute prévision météorologique excédant quelques jours.

DOUBLE FLÉAU
Sur les rives du lac Okeechobee, en Floride, un pylône haut de 91 m semble ridiculement petit face à ce gigantesque éclair et à cette tornade qui pompe l'eau en direction des nuages.

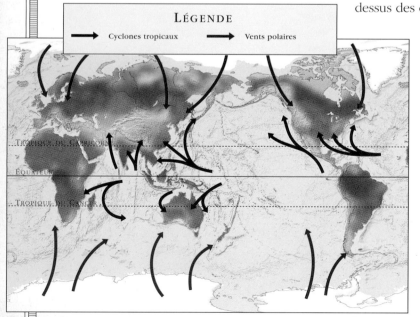

LÉGENDE
→ Cyclones tropicaux   → Vents polaires

TROPIQUE DU CAPRICORNE

ÉQUATEUR

TROPIQUE DU CANCER

ORAGES

À chaque heure du jour ou de la nuit, près de 2 000 orages éclatent à travers le monde. Relativement limitées en intensité et dans le temps comparées aux cyclones, ces terribles averses provoquent, ajoutées les unes aux autres, au moins autant de dégâts que les plus grands systèmes dépressionnaires.

Les grosses averses se forment lorsque l'air au niveau du sol est plus chaud que l'air se trouvant au-dessus. Moins dense, l'air chaud remonte et se refroidit, amenant la vapeur d'eau qu'il transporte à se condenser sous forme de nuages d'altitude. Pendant que l'air chaud conti-

nue de s'élever, l'air refroidi du sommet du nuage commence à descendre, transformant l'intérieur même du nuage en un véritable champ de bataille entre courants d'air ascendants et courants d'air descendants.

Rares sont les grosses averses qui durent plus de deux ou trois heures, mais ce temps suffit à libérer plus de 100 millions de litres d'eau. De telles précipitations peuvent transformer un cours d'eau tranquille en torrent tumultueux. Les habitants de Vaison-la-Romaine, dans le sud de la France, en ont fait la triste expérience en 1992.

Lorsque la pluie se transforme en grêle, les dégâts matériels sont souvent importants ; il arrive que des personnes soient blessées ou même

ÉCLAIR « SCULPTÉ »
La trajectoire d'un éclair peut rester gravée à jamais dans le sable. La température de l'air qui accompagne l'éclair atteint près de 30 000 °C, ce qui est suffisant pour faire fondre et s'agglomérer les grains de sable.

BIG THOMPSON RIVER
ORAGE, ÉTATS-UNIS, 1976
RÉPERTOIRE P.129 – SITE N°86

EMPORTÉS PAR LE COURANT
Des victimes périrent alors qu'elles tentaient de fuir à bord de véhicules, qui, comme celui ci-dessus, furent emportés par le courant. Le sort des maisons ne fut guère meilleur : 418 furent détruites.

CE MATIN DU 31 JUILLET 1976, les rives de la Big Thompson River apparaissaient encore comme un lieu de campement idéal aux 3 000 visiteurs venus admirer le paysage des Rocheuses. Quand, vers 6 h 30, un nuage orageux se forma à une distance de 13 km dans le ciel et qu'une forte pluie se mit à tomber, personne ne pouvait imaginer la catastrophe qui allait s'abattre.

Contrairement à la plupart des orages, qui dérivent au gré des vents dominants et ne produisent que de brèves averses, celui-ci resta de même intensité, donnant 30 cm de pluie en quatre heures et demie. Les pluies torrentielles formèrent des milliers de ruisseaux qui vinrent grossir le niveau des nombreux cours d'eau des Rocheuses ; à leur tour, ceux-ci se déversèrent dans

INONDATION DANS LES ROCHEUSES
Le 31 juillet 1976, l'orage particulièrement long qui s'abattit sur Rocky Mountain National Park (Colorado) provoqua une effroyable inondation sur 40 km du cours de la Big Thompson River.

la Big Thompson River et provoquèrent son gonflement. À 9 heures, le trop-plein d'eau atteignit une gorge étroite située sur le cours de la rivière. En quelques minutes, le niveau des eaux qui s'étaient concentrées là s'éleva de 5 m. Brusquement, une énorme masse d'eau se trouva libérée et commença à gronder en amont. Déferlant à travers la gorge, le flot déborda du lit de la rivière. Pour beaucoup de personnes présentes, le seul signe d'un danger imminent fut un bruit étrange, comparé par certains témoins à celui d'un train de marchandises. Le nuage de poussière qui précédait le mur d'eau rendit difficile, du fait de l'obscurité qu'il engendrait, toute tentative pour trouver une voie de repli.

L'inondation ne dura que quelques heures, mais ce fut suffisant pour balayer arbres, voitures, tentes, maisons, et pour causer la mort de 139 personnes. La force des flots fut telle que des ponts s'effondrèrent et qu'une section de l'autoroute 34 fut détruite.

tuées. Les grêlons se forment lorsque l'eau présente dans la partie la plus chaude d'un nuage, sa base, se charge de cristaux de glace, qui sont ensuite propulsés dans la partie haute du nuage, la plus froide. La plus grande catastrophe de ce type jamais enregistrée frappa l'Inde en 1888 : des grêlons de la taille d'une balle de golf s'abattirent sur Moradabad, tuant 246 personnes.

La foudre demeure cependant la plus mortelle des conséquences d'un orage. Chaque

INONDATION EN FRANCE
Des torrents d'eau boueuse s'écoulent des bâtiments effondrés de Vaison-la-Romaine, après que l'Ouvèze, quittant son lit à la suite d'un violent orage, a déferlé sur la ville.

ÉCLAIR EN ZIGZAGS
Sur cette photographie en accéléré, un orage d'été décharge plusieurs éclairs successifs dans le ciel de Tucson (Arizona).

année, rien qu'aux États-Unis, près de 100 personnes périssent d'en avoir été frappées.

Le mouvement des gouttes d'eau et des cristaux de glace lors d'une grosse averse crée de vastes charges électriques opposées ; la foudre explose lorsque les charges négatives et les charges positives se rencontrent. L'air entourant l'éclair, dont la température devient quatre fois plus élevée que celle régnant à la surface du Soleil, se dilate à une vitesse supersonique, ce qui provoque le bruit familier du tonnerre.

ALERTE À LA CELLULE GÉANTE
La plupart des tornades naissent au sein d'importants nuages orageux ou cellules géantes. Ces orages déclenchent également de violentes averses de grêle.

TORNADES

Une tornade est une colonne d'air tourbillonnant à grande vitesse qui gagne le sol à partir du cœur d'un important nuage orageux. Au centre de la tornade, tel un gigantesque aspirateur, un vortex de basse pression pompe l'air et balaie tout sur son passage. Il s'accompagne de vents rotatoires extrêmement violents qui peuvent souffler jusqu'à 500 km/h, assez fort pour renverser des maisons, projeter des camions dans les airs, voire arracher la peau sur le dos du bétail.

Si les tornades ne sont pas rares dans certaines parties de l'Europe, en Asie ou en Australie, elles sont particulièrement fréquentes et spectaculaires aux États-Unis, notamment dans le Middle West. En 1992, on a enregistré 1 293 tornades dans le pays, dont 57 ont produit des vents de 150 km/h. La plupart ont eu lieu

UNE PLUIE DE DÉBRIS
Des débris emportés par la tornade qui passa sur Pampa, au Texas, le 8 juin 1995, furent retrouvés à 100 km de la ville.

NUAGE TOURBILLONNAIRE
Lorsqu'un vortex jaillit de la base d'un nuage orageux, il prend souvent une teinte bleu-gris due à la condensation de l'air humide dans la colonne. Dès qu'elle touche le sol, la tornade s'obscurcit instantanément en absorbant la poussière et tous les obstacles qu'elle rencontre sur sa route.

LA TORNADE DES TROIS ÉTATS
TORNADE, ÉTATS-UNIS, 1925
RÉPERTOIRE P.129 – SITE N°53

LE 18 MARS 1925, une tornade d'une extrême brutalité fit 689 victimes et 1 980 blessés lors de son passage à travers le Missouri, l'Illinois et l'Indiana. Pendant pratiquement toute sa durée, elle suivit le tracé d'une crête sur laquelle s'égrenaient villes minières et fermes isolées.

Cette tornade prit naissance au sein d'un orage dont la base nuageuse se situait très près du sol. Cela expliquerait la grande stabilité du vortex qui toucha terre à proximité d'Ellington, dans le Missouri. Lorsque la tornade eut atteint la ville d'Annapolis, toute proche, qu'elle raya pour ainsi dire de la carte, elle laissait déjà derrière elle un sillon dévastateur d'une ampleur exceptionnelle. Mais un autre facteur vint alourdir le bilan humain : les habitants des zones rurales, pourtant habitués aux phénomènes de ce genre, furent pris de court. Le ciel obscurci et l'air rempli de poussière et de débris avaient masqué l'approche du tourbillon, qui s'abattit sans leur laisser le temps de réagir.

La tornade atteignit l'apogée de sa puissance destructrice dans l'Illinois. Les vents tourbillonnaires balayèrent le village de Gorham, tuant ou blessant la moitié de sa population. Non loin, à Murphysboro, le bilan s'éleva à 234 victimes. Ne perdant rien de son intensité, la tornade poursuivit sa route meurtrière : De Soto vit disparaître 69 des siens ; à West Frankfort, 800 mineurs furent plongés dans l'obscurité à la suite de l'arrêt d'un générateur électrique. En remontant à la surface, ils retrouvèrent leurs maisons détruites et comptèrent 127 tués et 450 blessés parmi leurs parents et amis. Un peu plus loin, le village de Parrish perdit 22 de ses habitants. Dans l'Illinois, aux dégâts provoqués par la tornade elle-même s'ajoutèrent les incendies qui éclatèrent dans les ruines. Parmi les nombreuses victimes se trouvaient des dizaines d'enfants écrasés sous les décombres de leur école.

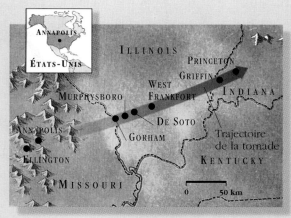

LA TORNADE DE TOUS LES RECORDS
La tornade des trois États reste la plus longue, la plus rapide et la plus destructrice jamais enregistrée. En trois heures et demie, elle parcourut 350 km et atteignit 117 km/h.

LE COUP DE GRÂCE
En atteignant l'Indiana, le redoutable vortex commença à faiblir, mais il fut encore assez puissant pour faire 71 nouvelles victimes, avant de quitter le sol. Son passage de trois heures et demie, le plus long jamais enregistré, ne laisse aucun doute quant à la portée destructrice d'une tornade de cette intensité.

FOYERS BRISÉS
Un petit survivant et son chien se réconfortent mutuellement à Murphysboro, dans l'Illinois. Avec eux, 8 000 personnes se retrouvèrent sans abri. La recherche et l'identification des corps des victimes nécessitèrent plusieurs jours.

SCÈNES DE DÉSOLATION
Griffin (Indiana) était méconnaissable après le passage de la tornade. Maisons et biens avaient été détruits, tandis que les arbres, ces repères familiers, gisaient déracinés, privés de vie à jamais.

L'ALLÉE DES TORNADES

Une gigantesque tornade balaie le Kansas, l'un des quatre États américains situés dans l'« allée des tornades ». Le Middle West reste l'une des régions du monde les plus sensibles à ce phénomène.

TOURBILLON D'EAU

En 1965, une impressionnante gerbe d'eau jaillit au large de l'Espagne, pulvérisant la jetée du port de Gerone. Six personnes périrent, écrasées par les trombes d'eau lorsque le geyser retomba.

au printemps et en été, bien que, cette année-là, le seul mois de novembre ait vu s'abattre 94 tornades en quarante-huit heures.

Les scientifiques restent dans l'incapacité de prévoir avec exactitude quand et où se formera une tornade. Néanmoins, les études ont montré qu'elles ont souvent lieu lorsque de l'air chaud heurte une poche d'air froid située plus en altitude. La collision entre les deux masses d'air provoque de puissants courants ascendants, qui forment à leur tour de turbulents nuages orageux appelés cellule géante. Si le tourbillon s'intensifie, un vortex est susceptible d'émerger du cœur du nuage et de se transformer en tornade en touchant le sol.

Le pouvoir de destruction d'une tornade dépend non seulement du diamètre de sa base et de la vitesse de ses vents, mais également de sa durée et des obstacles qu'elle rencontre sur sa route. En 1896, une tornade de faible intensité frappa un quartier densément peuplé de Saint Louis, dans le Missouri. Il ne lui fallut que quelques minutes pour faire 306 victimes.

JARRELL
TORNADE, ÉTATS-UNIS, 1997

—— RÉPERTOIRE P.129 – SITE N°100 ——

AU PRINTEMPS DE 1997, la petite ville de Jarrell, au Texas, comptait environ 400 habitants. Si certains travaillaient à Austin, tous avaient choisi de vivre au sein de cette paisible communauté rurale où chacun se connaissait.

Tôt, ce matin du mardi 27 mai, sous une chaleur déjà étouffante, une masse d'air chaud et humide en provenance du golfe du Mexique heurta, au-dessus du Texas, un front d'air froid et sec venant du nord. Aux environs de midi, de violents orages éclatèrent au nord de Jarrell. Peu après, une tornade s'abattit à proximité de Waco, détruisant une maison et trois caravanes. Puis une autre déferla sur Morgan's Point, près de Temple, coulant 50 bateaux dans le port de plaisance.

Les nuages orageux, toujours plus sombres, progressèrent vers le sud. À 15 heures, les services de secours de la région furent mis en état d'alerte. La sirène résonna une heure plus tard : plusieurs colonnes avaient été repérées, à 15 h 43, au-dessus d'une ferme située 2 km plus au nord. Tout en traversant un champ de blé, elles s'unirent pour ne plus former qu'une gigantesque tornade de 800 m de large.

SÉRIE NOIRE AU TEXAS
Le 27 mai 1997, les orages qui obscurcirent le ciel texan donnèrent lieu à la formation de 11 tornades. Cinq d'entre elles causèrent, outre d'importants dégâts, la mort de 30 personnes.

Les vents tourbillonnaires autour de ce vortex monstrueux étaient d'une puissance suffisante pour arracher la peau sur le dos du bétail et projeter des moissonneuses-batteuses de 10 tonnes en l'air. La tornade bifurqua ensuite vers l'est pour se diriger sur Double Creek, un faubourg de Jarrell.

Vingt minutes plus tard, on dénombrait 27 morts parmi les habitants de Double Creek, pourtant prévenus à temps. Après le passage de la tornade, qui progressait lentement, 45 des 50 maisons de l'endroit avaient été réduites en miettes. Par miracle, il y eut des survivants. Le tourbillon acheva sa course au Texas, faisant trois victimes supplémentaires à Austin.

TORNADES MEURTRIÈRES AU TEXAS
La tornade (à gauche) qui s'abattit au nord de Jarrell tua 14 enfants et 13 adultes. Une autre (ci-dessus) arracha le toit d'un magasin à Cedar Park, faisant 1 mort et 7 blessés.

DÉTECTER LES TORNADES

Aux États-Unis, dans les régions les plus exposées à des risques de violentes tornades, d'importants systèmes d'alerte ont été mis en place pour tenter de limiter les dégâts de ces spirales infernales. Depuis 1977, le radar Doppler permet aux météorologistes de détecter une tornade naissante à l'intérieur d'un nuage orageux : il repère le mouvement tourbillonnaire d'un vortex jusqu'à 25 minutes avant son échappée, un laps de temps précieux pour alerter la population.

Si les nouvelles technologies rendent possible le dépistage d'une tornade potentielle, elles ne permettent pas de repérer chaque orage qui se forme. Étant donné que moins de 1 % d'entre eux recèlent une tornade, les scientifiques sont contraints de sélectionner ceux qu'ils sonderont.

CHASSEURS DE TORNADES EN AMÉRIQUE
Des unités de recherche mobiles se déplacent dans les zones menacées par d'importants orages. À l'intérieur, un radar Doppler détecte les vortex qui se développent dans les nuages.

Pour en savoir plus sur la formation de ces phénomènes, le National Severe Storm Laboratory (Laboratoire national des graves intempéries) de l'Oklahoma a mis sur pied, en 1994, un projet baptisé Vortex. À l'aide de radars Doppler mobiles, de ballons de haute altitude et de sondes anti-tornades, cet organisme a réussi à détecter des centaines d'orages porteurs de tornades.

Ces efforts sont relayés par l'action d'une armée de chasseurs amateurs qui communiquent entre eux par radio : dès qu'une tornade est signalée, ils se précipitent sur les lieux au péril de leur vie, caméra vidéo au poing. Cependant, rien ne saurait empêcher certaines tornades de frapper sans prévenir ou presque, laissant peu de temps aux populations pour se mettre à l'abri lorsqu'un vortex touche terre. En 1974, une famille entière s'était réfugiée dans un placard, tandis qu'une tornade s'abattait sur sa maison de l'Indiana. Après son passage, ouvrant la porte de leur cachette avec précaution, ces gens découvrirent avec stupeur que tout avait été emporté... sauf le placard.

CYCLONES TROPICAUX

Chaque année, une soixantaine de gigantesques ouragans, accompagnés de vents de plus de 200 km/h, se déchaînent au-dessus des eaux tropicales océaniques. Ce phénomène, connu sous le nom de hurricane sur le continent américain, de typhon en Extrême-Orient et de willy-willy en Australie et en Inde, est appelé cyclone tropical.

Ce type d'intempérie se produit uniquement lorsque la température de l'eau dépasse 24 °C, en période de vents calmes. Cet environnement tropical favorise le développement de nombreux orages, quand l'air chaud situé en surface remonte brusquement pour se condenser sous la forme d'énormes nuages. Si ces perturbations éclatent à moins de 5° de l'équateur, la rotation de la Terre les amène parfois à se grouper autour d'une dépression centrale.

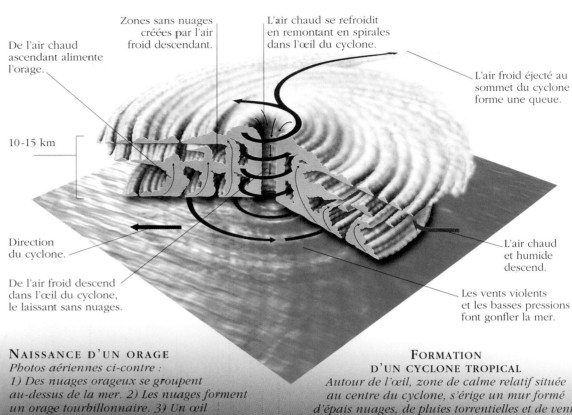

Zones sans nuages créées par l'air froid descendant.

L'air chaud se refroidit en remontant en spirales dans l'œil du cyclone.

De l'air chaud ascendant alimente l'orage.

L'air froid éjecté au sommet du cyclone forme une queue.

10-15 km

Direction du cyclone.

De l'air froid descend dans l'œil du cyclone, le laissant sans nuages.

L'air chaud et humide descend.

Les vents violents et les basses pressions font gonfler la mer.

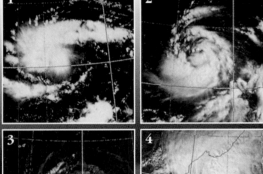

NAISSANCE D'UN ORAGE
Photos aériennes ci-contre :
1) Des nuages orageux se groupent au-dessus de la mer. 2) Les nuages forment un orage tourbillonnaire. 3) Un œil apparaît au centre de la perturbation ; on le distingue plus clairement ci-dessous. 4) L'orage éclate au-dessus des terres.

FORMATION D'UN CYCLONE TROPICAL
Autour de l'œil, zone de calme relatif située au centre du cyclone, s'érige un mur formé d'épais nuages, de pluies torrentielles et de vents tourbillonnaires. Le mur de l'œil est entouré de bandes d'orages qui convergent vers le centre de la dépression.

LE CYCLONE ANDREW

CYCLONE TROPICAL, ÉTATS-UNIS, 1992

RÉPERTOIRE P.129 – SITE N°95

AUX PREMIÈRES HEURES du lundi 24 août 1992, un cyclone tropical d'une rare violence s'abattit sur la pointe sud de la Floride. Sur sa route se trouvaient les banlieues densément peuplées de Miami, où vivaient et travaillaient 355 000 personnes. Les vents très violents et les nombreuses inondations provoquées par Andrew se déchaînèrent sur un périmètre supérieur à celui de l'ensemble de Chicago. Les dégâts se montèrent à plus de 25 milliards de dollars. Après avoir traversé le golfe du Mexique, le cyclone atteignit la Louisiane, où l'on déplora 2 milliards de dollars de pertes. Dévastateur sur le plan matériel, Andrew fit pourtant moins de 50 victimes.

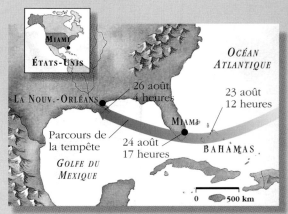

UN DÉSASTRE EXTRÊMEMENT COÛTEUX
Soumis par le nord à une haute pression, Andrew bifurqua vers l'ouest, traversa les Bahamas et le sud de la Floride. Dans le golfe du Mexique, il prit la direction du nord-ouest et frappa la Louisiane.

CÔTES DÉVASTÉES
Lorsque Andrew parvint au sud de la Floride, des vents de 320 km/h s'abattirent sur le littoral. Ils arrachèrent les bateaux à leur mouillage (à gauche) et provoquèrent une marée de tempête de 5 m de hauteur. Des stations balnéaires furent dévastées par les inondations.

Gravement touchée par cinq ouragans importants entre 1945 et 1950, cette partie de la Floride n'avait pas connu d'alerte sérieuse depuis quatre décennies. Les promoteurs immobiliers avaient mis cette trêve à profit pour transformer la périphérie sud de Miami – zone de fermes isolées et de marécages – en une banlieue tentaculaire.

Les premières informations relatives à l'ouragan n'inquiétèrent pas la population outre mesure. Si les vents avaient déjà atteint des vitesses considérables à l'aube du 22 août, on ne décelait pas d'œil en leur centre, et la perturbation semblait suivre une trajectoire qui passait largement au nord de l'État.

Le soir même, la situation changea du tout au tout. Un œil apparut nettement au cœur de l'immense masse nuageuse. Les vents s'intensifièrent, puis la dépression bifurqua vers l'ouest et mit le cap sur la Floride.

Le dimanche soir, l'avion de surveillance annonça des vents de 240 km/h. La télévision et la radio diffusèrent des messages d'alerte et plus de 1 million de personnes quittèrent leur foyer en direction du nord. Ceux qui avaient décidé de rester reçurent la consigne de se refugier dans les abris publics ou dans des constructions en béton.

NUAGES DESTRUCTEURS
Cette photo satellite montre les nuages tourbillonnaires d'Andrew recouvrant le sud de la Floride, le 24 août 1992, quand le cyclone faisait ses ravages.

SCÈNES DE DÉSOLATION
À minuit, Andrew toucha le nord de l'île Eleuthera, aux Bahamas, provoquant d'importants dégâts et la mort de quatre personnes. Après un bref affaiblissement au-dessus des eaux de l'archipel, peu profondes, les vents reprirent de plus belle lors de la traversée des grands fonds tièdes baignant l'est de la Floride.

Le 24 août, à 5 heures, Andrew franchit la baie de Biscayne. Il souleva une

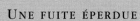

UNE FUITE ÉPERDUE
Les automobilistes affrontent les vents redoutables et les pluies diluviennes annonçant l'arrivée d'Andrew. Plus de 1 million de personnes furent évacuées avant que le plus fort de la perturbation ne touche la banlieue d'Homestead.

PULVÉRISÉS DANS LE PORT
Dans le port de South Gables, des hors-bord ont été projetés les uns contre les autres par la force des vents et la violence des vagues. En quelques minutes, l'ouragan balaya 15 000 navires.

LA PUISSANCE DES VENTS
Andrew creusa un sillon destructeur de 40 km de large à travers Dade County, dans le sud de la Floride. Assez puissants pour renverser un immeuble, les vents projetèrent ce poids lourd sur le toit d'un hangar.

marée de tempête de 5 m de hauteur qui inonda le littoral au sud de Miami, détruisant des centaines de maisons et d'immeubles. Puis la dépression entama, à la vitesse de 32 km/h, sa progression à travers la pointe sud de la Floride.

Si Andrew atteignit environ 800 km de diamètre, les vents les plus violents, rassemblés en mur autour de l'œil du cyclone, creusèrent un sillon destructeur de 40 km de large et soufflèrent jusqu'à 320 km/h. L'ouragan précipita des bateaux sur la grève, renversa des poids lourds et des avions légers, plaqua les arbres au sol. Certaines maisons virent leurs fenêtres éclater et leur toit projeté vers le ciel. Des caravanes, il ne resta plus que des amas de tôles : les débris disloqués, lancés à travers les airs par les vents, étaient devenus autant de projectiles meurtriers.

ÉTAT DES LIEUX
Ce terrain de caravaning a été réduit en miettes par les vents tourbillonnaires de l'ouragan (ci-dessous). Une mère et sa fille contemplent ce qui reste de leur maison, dont le toit a été arraché par la tempête (à gauche).

L'HEURE DU BILAN
Andrew ne passa que quatre heures en Floride. Ce fut suffisant pour détruire 80 000 foyers et en endommager sérieusement 55 000 autres. Ceux qui avaient fui eurent l'impression de revenir en terre étrangère. Toute la région, qui plus est, soumise à une chaleur oppressante, fut privée d'eau et d'électricité. Les scènes de pillage qui s'ensuivirent dans les maisons et les boutiques éventrées n'eurent rien de surprenant.

Dans la zone sinistrée débarquèrent 16 000 hommes de troupe et une armée de bénévoles, venus apporter leur aide. En dépit de leur concours, on estime à 25 000 le nombre de survivants qui quittèrent définitivement la Floride après le passage de l'ouragan Andrew.

*En 1988, la Jamaïque subit durant huit heures
la fureur de l'ouragan Gilbert. De nombreuses
parties de l'île furent ravagées par les vents
violents et la pluie incessante.*

Ainsi, au lieu de disparaître en quelques heures, la masse orageuse s'étend à mesure que l'air s'engouffre en son centre. Se hissant dans un mouvement de spirale, cet air chaud et humide donne naissance à un vortex toujours plus étroit de vents tourbillonnaires. Si la pression continue de chuter, la vitesse des vents augmente, tandis qu'un œil se forme au centre de la dépression.

Les conditions favorables à la naissance d'un tel phénomène ne sont réunies que sous les tropiques. Cependant, une fois constitué, un cyclone peut parcourir des milliers de kilomètres à travers les océans pour venir frapper les côtes des régions tempérées.

LES RAVAGES DU VENT ET DE LA PLUIE

Autour de l'œil du cyclone, vents et courants ascendants d'une puissance inouïe érigent une immense tour de nuages tourbillonnaires appelée mur de l'œil ; l'air monte alors si rapidement que la pluie forme un véritable rideau et que les vents soufflent parfois à plus de 320 km/h. Ces perturbations peuvent en outre engendrer des tornades, ce qui décuple leur effet destructeur.

Phénomènes particulièrement dévastateurs, les cyclones peuvent atteindre des diamètres de plus de 800 km et parcourir chaque jour une distance comparable, ce qui leur confère un immense rayon d'action. En 1952, l'un d'entre eux, traversant l'océan Indien, noya la Réunion sous 2 m d'eau en vingt-quatre heures.

*Les habitants d'Acapulco luttent pour endiguer
les violentes et brusques inondations
provoquées par l'ouragan Pauline,
le 9 octobre 1997.*

Les cyclones les plus importants se produisent au-dessus du Pacifique. Le typhon Véra, qui frappa l'île japonaise d'Honshu en 1959, déclencha des pluies torrentielles et des vents de 210 km/h sur un rayon de 700 km. Quant à Mitch, qui atteignit les côtes du Honduras le 27 octobre 1998 et noya pendant plusieurs jours l'Amérique centrale sous des pluies diluviennes et des torrents de boue qui firent des milliers de disparus, il se regonfla sur les eaux chaudes du golfe du Mexique, puis traversa la Floride le 5 novembre et disparut enfin.

La plupart des cyclones tropicaux faiblissent lorsqu'ils s'éloignent des zones maritimes. Ce ne fut cependant pas le cas de l'ouragan Hazel : après s'être abattu sur les côtes de la Caroline du Sud, en octobre 1954, il déferla à travers les États-Unis avant d'atteindre Toronto, au Canada.

TRACY

CYCLONE TROPICAL, AUSTRALIE, 1974

RÉPERTOIRE P.139 – SITE N°24

LE 25 DÉCEMBRE 1974, le cyclone Tracy, accompagné de vents de 240 km/h, s'abattit sur Darwin, dans le nord de l'Australie. La quasi-totalité des bâtiments de la ville furent détruits par la tempête et plus de la moitié des 40 000 habitants se retrouvèrent sans abri. En dépit de son étendue, le fléau fut relativement peu meurtrier : on retira 50 victimes des décombres et 25 des débris de bateaux qui jonchaient le port.

UN TERRIBLE CADEAU DE NOËL

Nombre de cyclones, nés dans la mer d'Arafura, se déplacent vers le nord-ouest sur la mer de Timor. Des conditions météo inhabituelles sont à l'origine de la déviation vers le sud-est du cyclone Tracy, qui, en 1974, mit le cap sur Darwin.

DES MONTAGNES DE DÉBRIS

Tracy détruisit tout ce dont dépendaient les 40 000 habitants de Darwin pour survivre dans la chaleur oppressante de cette région d'Australie. Une semaine après la catastrophe, plus de 20 000 personnes furent évacuées vers d'autres régions.

L'exceptionnelle situation de Darwin avait permis au Territoire du Nord, en Australie, de développer une importante activité agricole et minière. La ville avait connu un essor important dans les années 1960 et au début des années 1970. Les cyclones n'étaient certes pas rares dans la mer d'Arafura toute proche, mais, protégée par l'île de Melville, Darwin était considérée comme à l'abri de telles intempéries.

Tôt le 24 décembre 1974, les météorologistes réalisèrent l'importance de leur erreur : contre toute attente, Tracy venait d'opérer un virage à 90° après l'île de Melville et se dirigeait droit sur la ville. Les messages d'alerte se succédèrent. Ils n'empêchèrent pas les habitants de Darwin, persuadés qu'ils n'avaient rien à craindre dans leur maison, de s'apprêter à fêter Noël.

Le cyclone atteignit la ville aux environs de minuit. À Saint Mary, la messe fut interrompue par les pluies torrentielles qui inondèrent la cathédrale. Bientôt, la violence des vents rendit les routes impraticables. À 2 h 30, on ne comptait plus les maisons, les immeubles et les entrepôts disloqués par un vent dont la vitesse dépassait 200 km/h. Les éléments se déchaînèrent jusqu'à 4 heures du matin. L'œil du cyclone passa alors au-dessus de l'agglomération, faisant régner un calme aussi instantané qu'éphémère. Les vents incroyablement violents surprirent les nombreux imprudents qui s'étaient aventurés à l'extérieur.

Cinq ans après, Darwin retrouva son chiffre de population de 1974, dans une ville reconstruite de sorte qu'elle puisse supporter un cyclone d'une puissance comparable à celle de Tracy.

L'HEURE DU BILAN

Le vice-Premier ministre australien déclara après le désastre : « Darwin ressemble à un champ de bataille ou à Hiroshima. » Un médecin de l'armée de l'air, quant à lui, compara la ville à un gigantesque dépôt d'ordures.

MARÉES DE TEMPÊTE

Lors d'un cyclone, c'est la mer qui, souvent, se révèle la plus meurtrière. Elle submerge les littoraux les mieux protégés de gigantesques vagues et de marées d'une ampleur exceptionnelle, appelées marées de tempête. Dévastant ports et bateaux, les flots s'engouffrent à l'intérieur des terres, inondant les habitations et recouvrant d'eau salée les terres cultivées. Lorsque les zones côtières ne sont pas évacuées, le bilan humain s'alourdit de manière considérable.

L'un des survivants du grand ouragan de 1938, qui ravagea le littoral nord-est des États-Unis, décrit une marée de tempête de 12 m de haut s'approchant de Long Island : « J'ai d'abord cru à un immense banc de brouillard très épais

VAGUES SAISONNIÈRES
Un ouragan atlantique, accompagné de vents déchaînés et de marées de tempête, balaie l'île d'Antigua, dans les Antilles. C'est surtout en été et en automne que se manifeste ce type de perturbation.

DÉTECTION PRÉCOCE
Jadis, les marins qui naviguaient sur les mers tropicales utilisaient des barocyclomètres pour mesurer, avant une tempête, la pression de l'air et la direction du vent.

qui arrivait de l'océan… À mesure qu'il s'approchait, nous avons compris avec horreur qu'il s'agissait d'une muraille d'eau. » La tempête de 1938 s'abattit sur une région densément peuplée. Sur Rhode Island, la mer envahit le salon d'un hôtel de la plage, provoquant la mort de plusieurs personnes par noyade.

Le mouvement d'air à l'intérieur et autour du cyclone exerce son action sur la mer de deux façons : dans un premier temps, les vents violents soulèvent de gigantesques vagues qui irradient dans toutes les directions à partir du centre de la dépression. Les plus importantes se forment en amont de la tempête, là

TERREUR AUX ANTILLES
Les côtes de la république Dominicaine furent frappées par de gigantesques marées de tempête lorsque l'ouragan David toucha l'île en 1979, faisant 1 300 victimes.

où la mer subit l'avancée du cyclone. Dans le Pacifique, on a enregistré des vagues atteignant 25 m de hauteur. Ensuite, le niveau de l'eau monte en raison de la basse pression barométrique qui se développe au sein du cyclone. Sous celui-ci, la surface de la mer peut s'élever jusqu'à 6 m au-dessus de son niveau habituel.

Ce sont les zones marécageuses gagnées sur la mer et les avancées sableuses non protégées qui ont connu les marées de tempête les plus meurtrières. Ainsi, Galveston *(voir p. 70)* fut presque entièrement submergée par un tel phénomène en 1900. Mais la région la plus exposée du globe reste le Bangladesh, où plus de 1 million de personnes ont péri, au cours de ce siècle, du fait de plusieurs cyclones particulièrement dévastateurs.

GALVESTON
CYCLONE TROPICAL, ÉTATS-UNIS, 1900

RÉPERTOIRE P.129 – SITE N°33

GALVESTON ÉTAIT, au début du XXᵉ siècle, la première ville du Texas. Au classement du revenu par tête, ses habitants occupaient la quatrième place du pays. La ville devait beaucoup à son emplacement, à l'embouchure de Galveston Bay, un magnifique port naturel aux eaux profondes. Cependant, construite sur une avancée sableuse s'élevant à 2 m à peine au-dessus du niveau de la mer, la cité était extrêmement exposée aux dangers des tempêtes.

À l'aube du 8 septembre 1900, des pluies en rafale et des vagues déchaînées s'abattirent sur Galveston. Au cours de la matinée, les vents atteignirent 60 km/h, puis s'intensifièrent. Avec l'imminence de la tempête, la pression barométrique chutait de plus en plus, tandis que le niveau de la mer ne cessait d'augmenter. Fuyant les rues inondées, les habitants se ruèrent vers le pont qui reliait Galveston Island au continent. Celui-ci fut cependant rapidement recouvert par les flots, ce qui coupa toute possibilité de retraite aux malheureux. Au milieu de l'après-midi, la moitié de la ville était sous les eaux.

Soufflant à plus de 170 km/h, les vents tourbillonnaires soulevaient des vagues immenses qui pulvérisaient les constructions en bois avant de les abandonner au ressac. Nombre de bâtiments en pierre s'écroulèrent

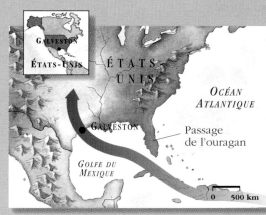

UN CYCLONE MEURTRIER
Ce cyclone tua 6 000 habitants de Galveston, soit un septième de sa population.

lorsque leurs fondations furent arrachées du sol sableux. Les survivants racontèrent la façon dont ils furent emportés par les flots et ballottés par les vagues jusqu'à ce qu'ils pussent s'accrocher à quelque chose.

Lorsque l'ouragan s'éloigna, la moitié de Galveston avait disparu. La ville fut reconstruite à l'abri d'une digue, qui prouva son efficacité en 1915 et en 1961, lorsque deux ouragans importants surgirent à nouveau : ils n'occasionnèrent que peu de dégâts.

UN CHAMP DE RUINES
Le cyclone de Galveston dévasta 2 600 maisons et fit près de 10 000 sans-abri. Beaucoup de constructions furent renversées par les vents (à droite). Dans les zones les plus touchées (ci-dessus), la catastrophe fut aggravée par les marées de tempête qui dévastèrent tout sur leur passage.

PRÉVOIR LES CYCLONES

Lorsqu'un cyclone important déverse des millions de tonnes d'eau sur une bande côtière peu élevée, la seule manière d'assurer sa survie est d'être ailleurs. Pour les millions de personnes qui vivent dans ces zones à risque, la meilleure défense consiste à être prévenu suffisamment longtemps à l'avance de l'approche d'une tempête pour se mettre à l'abri.

À l'aide de bateaux, d'avions et de satellites équipés d'appareils de détection, les météorologistes observent le développement des cyclones et étudient leur course. Si une alerte générale peut être donnée rapidement, il est difficile de déterminer le lieu exact de l'impact de la dépression, puisque son parcours se

LA CHASSE AUX OURAGANS
Lorsque plusieurs orages se forment au-dessus de la mer, les météorologistes mesurent le mouvement des perturbations à bord d'avions « chasseurs d'ouragans ».

révèle souvent imprévisible. Même dans les années 1990, des prévisions fournies vingt-quatre heures à l'avance ne dépassent pas une précision supérieure à 160 km. C'est alors aux autorités qu'appartient la lourde responsabilité d'évacuer une zone qui ne sera peut-être que peu touchée, ou d'attendre la dernière minute pour diffuser des messages d'alerte très localisés. En outre, les prévisions ne sont utiles que s'il existe un bon réseau de diffusion de l'information et des moyens de transport efficaces pour évacuer les populations. Tout comme il est primordial de prendre les menaces au sérieux : lors du passage de l'ouragan Camille aux États-Unis, en 1969, l'une des premières cibles fut un appartement du bord de mer dans lequel vingt-cinq personnes fêtaient précisément l'arrivée de la tempête. Une seule survécut.

CYCLONE 2B

CYCLONE TROPICAL, BANGLADESH, 1991

RÉPERTOIRE P.136 – SITE N°93

LE BANGLADESH est l'un des pays les plus pauvres et les plus densément peuplés du monde. La majeure partie de son territoire occupe l'immense delta formé par le Gange et d'autres fleuves importants nés dans l'Himalaya. Peu élevée, cette zone est particulièrement sujette aux inondations, mais les cyclones s'y révèlent plus dangereux encore. L'un d'entre eux, le cyclone 2B, frappa les côtes bangladaises le 29 avril 1991, accompagné de vents de 235 km/h et d'une marée de tempête meurtrière de 6 m de haut. Près de 140 000 personnes périrent noyées sous les vagues déchaînées qui envahirent le littoral et les îles du delta.

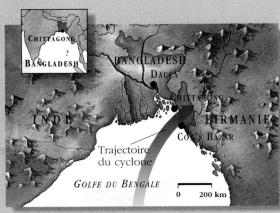

TRAGÉDIE AU BANGLADESH
Le cyclone 2B dévasta 800 km de côtes et joncha Chittagong, le port principal du pays, de débris de bateaux. La majorité des victimes habitaient les îles situées au large du continent, dans le golfe du Bengale.

Sept des neuf tempêtes les plus dévastatrices de ce siècle ont touché le Bangladesh. En dépit des risques, la population continue à vivre sur les îles exposées et sur les zones de vase qui bordent les côtes : la terre, extrêmement fertile en ces endroits, fournit suffisamment de récoltes pour répondre à leurs besoins alimentaires.

À la fin du mois d'avril 1991, des satellites repérèrent le cyclone 2B alors qu'il se ruait en direction du golfe du Bengale. La radio diffusa des messages d'alerte, exhortant les habitants à se réfugier dans les abris flambant neufs qui avaient été érigés après le passage du dernier grand cyclone, qui avait fait 500 000 victimes en 1970. Entassées dans ces abris, 100 000 personnes survécurent à la tempête qui s'acharna sur le littoral neuf heures durant. Bien d'autres, cependant, coincées dans leurs huttes de boue et de paille, demeurèrent à la merci des vents et des vagues impitoyables qui ravagèrent la région. Plusieurs îles disparurent sous les eaux. Le Bangladesh compta en tout 1,5 million de foyers détruits et 1 million de bêtes noyées.

S'OCCUPER DES MORTS
Quatre jours après la catastrophe, les funérailles d'une victime sont organisées par les membres de sa famille. La pénible tâche qui consista à récupérer les corps des noyés dura de longues semaines.

SANDWIP EN RUINE
Prise dans la tourmente du cyclone, l'île de Sandwip n'était plus qu'un champ de ruines. Selon un survivant, 30 000 personnes furent emportées au large par d'immenses vagues ; les deux tiers périrent noyées.

APRÈS LA TEMPÊTE

Le cyclone n'ayant pas épargné les routes, il fut difficile aux secours d'atteindre les survivants. De sérieux risques de famine menacèrent les zones où les récoltes avaient été noyées et où la terre, imbibée d'eau salée, était provisoirement stérile.

On tira les leçons de ce désastre : grâce au programme d'évacuation d'urgence qui fut mis en place et à la construction de nouveaux abris, des milliers de personnes survécurent au cyclone qui frappa de nouveau la région en 1997.

LA GRANDE TEMPÊTE DE 1987
Les essences rares des Kew Gardens de Londres comme des millions d'arbres du sud de l'Angleterre et de Bretagne furent déracinés par le terrible coup de vent qui balaya l'ouest de l'Europe en octobre 1987.

CHAPE DE GLACE SUR LE CANADA
Fin janvier 1998, le nord-est du Canada fut pétrifié par les tempêtes de neige. À Montréal, les arbres, brisés en deux sous l'effet du gel, s'effondrèrent sous le poids de la glace.

COUPS DE VENT
ET BLIZZARDS

Les tempêtes que subissent les régions tempérées n'atteignent pas la violence des cyclones tropicaux, mais elles durent généralement beaucoup plus longtemps. Ainsi, une intempérie importante peut mesurer plus de 1 600 km de diamètre, infligeant à la zone qu'elle touche des pluies diluviennes et des vents violents, souvent appelés coups de vent. Ces véritables calamités peuvent également engendrer des effets meurtriers inconnus sous les tropiques, comme un froid intense et des chutes de neige abondantes.

Ces tempêtes sont parfois appelées cyclones, car, comme eux, elles forment d'importantes masses d'air tourbillonnant vers le haut. Cependant, on les nomme le plus souvent dépressions en raison de la basse pression barométrique qui apparaît lorsque l'air s'élève. Contrairement aux cyclones tropicaux, les dépressions sont de vastes tempêtes frontales dues à la rencontre d'un air polaire froid avec un air tropical chaud. Celui-ci, chassé en altitude, s'élève en une étroite spirale qui forme un important nuage orageux tourbil-

MORTS DE FROID
Au Canada, en 1998, les températures chutèrent à – 40 °C, provoquant la mort de dizaines de milliers d'animaux.

LA TEMPÊTE DU SIÈCLE

BLIZZARD, ÉTATS-UNIS, 1993

RÉPERTOIRE P. 96 – SITE N°96

BLIZZARD À NEW YORK
Lors du blizzard qui frappa l'est des États-Unis en 1996, New York disparut sous 5 m de neige, et 23 personnes trouvèrent la mort.

lonnaire. Dans l'hémisphère Nord, 26 dépressions naissent chaque jour. Néanmoins, seules quelques-unes donnent lieu, comme en 1987, à de violents coups de vent dont les bourrasques peuvent atteindre 160 km/h. Les perturbations les plus menaçantes se produisent généralement en hiver, lorsque le contraste de température entre l'air polaire et l'air tropical est le plus fort. La collision entre les deux masses d'air provoque des dépressions que déplacent les vents dominants situés à un niveau élevé dans l'atmosphère. En 1968, l'une d'entre elles amena des vents de 200 km/h en Écosse, qui causèrent la mort de 16 personnes. Tels des ouragans, ces blizzards balayèrent ensuite l'Europe, provoquant d'importantes chutes de neige jusqu'en Iran.

Ces dernières années, l'Amérique du Nord eut à subir plusieurs de ces phénomènes, dont, en 1993, la tristement célèbre « tempête du siècle », qui tua au moins 243 personnes. En 1996, une grande partie de l'est des États-Unis fut à nouveau paralysée par un blizzard qui ensevelit Philadelphie sous 76 cm de neige. Deux ans plus tard, une tempête de neige priva d'électricité plus de 1 million de foyers du Québec, des milliers de pylônes ayant été déracinés.

L'Amérique du Nord essuie également de redoutables tempêtes de latitude moyenne venant de l'Atlantique. L'une des plus dévastatrices, la «tempête de Halloween», noya, en novembre 1992, les côtes du New Jersey et de la Nouvelle-Angleterre sous des pluies torrentielles pendant cent quatorze heures d'affilée.

CETTE PERTURBATION doit son surnom à son exceptionnelle ampleur. Pour la première et unique fois de ce siècle, une tempête provoqua la fermeture de tous les aéroports de l'est des États-Unis. Jusqu'à l'intervention des secours, d'importantes chutes de neige paralysèrent la région tout entière. Le blizzard provoqua la mort de 243 personnes et causa 3 millions de dollars de dégâts matériels.

Ce bilan aurait été bien plus lourd sans l'intervention des météorologistes, qui donnèrent l'alerte très tôt. Plusieurs jours avant que la tempête ne frappât, des images satellite montraient une immense masse d'air froid arrivant des régions polaires. Lorsqu'elle parvint sur le golfe du Mexique, elle entra en collision avec l'air chaud et humide de la zone. La dépression qui s'ensuivit dévasta Cuba : vents violents, pluies diluviennes et vagues monstrueuses détruisirent 1 500 maisons, en endommageant 37 000 autres.

Tout en se refroidissant, la perturbation opéra un brusque virage vers le nord. La Floride subit des vents puissants et, événement rare dans l'«État du soleil», de fortes chutes de neige. Celles-ci affectèrent tout le sud-est du pays, provoquant en nombre effondrements de toits et de câbles électriques. Des vents de 200 km/h secouèrent l'océan Atlantique. En Caroline du Nord, 200 maisons situées en bord de mer disparurent sous les marées de tempête et 152 cm de neige recouvrirent les Appalaches.

Dans le nord des États-Unis et au Canada, où les blizzards sont fréquents, la population était mieux préparée à ces excès climatiques. Pourtant, face à des

NEIGE EN BORD DE MER
Du 12 au 14 mars 1993, une vaste dépression envahit, de Cuba jusqu'au Canada, tout l'est de l'Amérique du Nord. Vents violents, températures glaciales et chutes de neige paralysèrent la région.

vents comparables à ceux d'un ouragan et aux énormes vagues qu'ils soulevèrent, la liste des dégâts continua de s'allonger. Sur Long Island, près de New York, 18 maisons furent emportées par les flots. Au large de la Nouvelle-Écosse, un bateau avec 33 hommes d'équipage à son bord disparut sous l'assaut de vagues de 20 m de haut.

La plupart des spécialistes s'accordent à dire qu'une telle tempête ne frappe qu'une fois par siècle, d'où le surnom qui lui a été donné. Elle coïncide cependant avec la série d'hivers particulièrement rudes qui ont frappé les États-Unis depuis 1989.

CHUTES DE NEIGE À NEW YORK
Plus de 2,50 m de neige tombèrent sur New York entre le 12 et le 14 mars 1993. Si ces précipitations n'ont rien d'exceptionnel, elles furent aggravées par le vent, qui provoqua la formation d'immenses congères.

CONCENTRATIONS DE NUAGES ORAGEUX

Le 26 juillet 1927, un orage se déchaîna au-dessus de l'État du New Jersey. La foudre frappa le pire endroit possible : un dépôt de munitions. L'explosion du magasin de TNT provoqua une réaction en chaîne. L'un après l'autre, les entrepôts entourant l'arsenal sautèrent, projetant des obus d'artillerie lourde dans les environs. Trente personnes trouvèrent la mort, plusieurs centaines d'autres furent blessées.

Seule la chance permet de déterminer avec précision où et quand un orage va s'abattre. En revanche, le degré de nuisance qu'il engendre dépend, pour une part, de la volonté et de la capacité de la population à se prémunir contre ses effets. Ne pas avoir entouré un dépôt de munitions de toutes les précautions nécessaires paraît certes imprudent, mais il serait injuste de rendre la négligence responsable de la totalité des pertes humaines qu'un orage peut causer.

MESURES DE PROTECTION

Chaque pays est amené à prendre des mesures de protection contre les intempéries. Au Bangladesh, pour les millions de familles qui cultivent la terre sur les îles du delta, le risque de mort par noyade lors d'un cyclone est très élevé. Cependant, le fait d'abandonner les terres les plus exposées ou de construire suffisamment d'abris pour la population a longtemps été considéré comme trop onéreux. Ce choix a eu pourtant un coût humain très lourd : plus de 100 000 personnes ont péri lors du cyclone de 1970 et autant en 1991.

Les décisions sont certes difficiles à prendre, même dans les pays les plus favorisés. Durant les deux dernières décennies, les restrictions budgétaires amenèrent les gouvernements à moins investir dans la protection contre les intempéries. Lorsque le Bureau météorologique britannique se révéla incapable de prévoir la « grande tempête » de 1987, la responsabilité en fut rejetée sur les compressions budgétaires. Nombre de bateaux chargés de missions de surveillance dans l'Atlantique avaient

ÉCLAIR RAMIFIÉ EN ARIZONA
L'invention du paratonnerre, en 1766, a considérablement réduit les dégâts provoqués par la foudre. Pourtant, celle-ci tue toujours plus de 100 personnes par an aux États-Unis et provoque régulièrement des désastres importants.

MENACE SUR LE PACIFIQUE
Les vents redoutables qui entouraient l'œil du cyclone Emilia, en 1994, menacèrent les îles Hawaii, au centre du Pacifique, particulièrement exposées à des phénomènes de ce genre.

UNE TORNADE EN VILLE
Les tornades sont rares dans les grandes villes. En 1997, l'une d'entre elles menaça pourtant Miami. Ses habitants eurent la chance de pouvoir fuir et l'on ne déplora aucune victime.

été supprimés ; les météorologistes, ne disposant plus que de données par satellite, n'avaient pu mesurer l'intensité du phénomène.

SE PRÉPARER AUX TEMPÊTES

Pour des raisons économiques, les dispositifs mis en place pour faire face à de fortes perturbations se révèlent peu adaptés aux phénomènes exceptionnels. Prenons l'exemple de l'Angleterre : depuis vingt-cinq ans, les hivers y sont plutôt doux et les chutes de neige rares. On a donc peu investi dans le matériel de déneigement, ce qui rend le pays vulnérable en cas de blizzard. Or les statistiques montrent clairement que ce type d'intempérie frappe l'île plusieurs fois par siècle. Ainsi, en février 1947, plusieurs jours de précipitations neigeuses abondantes, de vents violents et de températures glaciales enfouirent le pays sous des congères de 5 m de haut. L'armée fut appelée à la rescousse pour dégager les axes de communication et pour ravitailler les villages les plus reculés. Le radoucissement provoqua un brusque dégel et d'importantes inondations. Considérer que l'Angleterre est désormais à l'abri d'un blizzard de cette intensité serait faire preuve d'un dangereux optimisme.

Un tel état d'esprit règne aussi de l'autre côté de l'Atlantique. Ceux qui, dans les années 1980, hérissèrent le littoral de Floride de constructions et de marinas n'auraient pas dû être surpris par l'ampleur des dommages causés par le cyclone Andrew en 1991 ; certes, l'État avait connu pire dans les années 1940 et 1950, mais il était illusoire de croire que la trêve se prolongerait indéfiniment.

Il en est de même pour les habitants de New York et de la Nouvelle-Angleterre, qui auraient tout intérêt à faire preuve de vigilance : c'est en effet au début du siècle qu'un cyclone a traversé ces zones pour la dernière fois.

TEMPÊTE EN EUROPE
Le 26 décembre 1999, le nord de la France, la Suisse et l'Allemagne furent touchés par un ouragan et des pluies torrentielles. Des arbres ont été déracinés et des toits arrachés par des rafales atteignant 200 km/h.

LA FORCE D'ANDREW
Pendant plus de trente ans, la Floride continentale échappa aux vents destructeurs et aux marées de tempête des cyclones. En 1991, la chance tourna : c'est au sud de Miami que les dégâts furent les plus importants.

SEA-CLUSION
MIAMI, FLA.

SCÉNARIOS CATASTROPHES

LES ORAGES VIOLENTS ne sont pas les coups
les plus mortels que le temps puisse
asséner. Des modifications de configurations
météorologiques sont à l'origine de pertes
humaines bien plus importantes. Au cours
du XXe siècle, 10 millions d'êtres humains
sont morts de famines causées par
la sécheresse; plusieurs millions d'autres,
parce que des inondations dues à de trop
fortes pluies détruisirent les récoltes. Certains
changements affectant les configurations
météorologiques sont dus au hasard,
d'autres, à des modifications à long terme
du climat; d'autres encore
ont été provoqués par
des phénomènes comme
des météorites ou des
éruptions volcaniques.
La Terre a subi bien des
évolutions au cours
de son histoire, et, à
certaines époques, le climat
généra un environnement hostile à de
multiples formes de vie. Aujourd'hui, c'est
sous l'influence du facteur humain que le
climat pourrait évoluer de façon radicale.

② **LA DERNIÈRE GLACIATION**
*Lors de la dernière
glaciation, qui débuta
il y a environ 114 000 ans
et s'acheva voici 12 000 ans,
de vastes zones de
l'Amérique du Nord,
de l'Amérique du Sud
et de l'Eurasie furent
recouvertes par un épais
manteau de glace.*

MER DU NORD ⑤
*L'élévation du niveau de la
mer, les grandes marées et
un terrible orage
provoquèrent des
inondations sur
les côtes de
l'Europe du
Nord.*

① **L'« AMERICAN DUST BOWL »**
*Dans les années 1930, la sécheresse et l'érosion
qui frappèrent le Middle West provoquèrent
la ruine de dizaines de milliers de fermiers
dont les récoltes furent détruites.*

④ **L'EXTINCTION DU CRÉTACÉ**
*Près de 75 % des espèces vivant sur terre
dont les dinosaures, se sont éteintes
il y a 65 millions d'années. De nombreux
scientifiques pensent qu'une météorite
pourrait être à l'origine de la catastrophe.*

③ **LE MISSISSIPPI**
*En 1993, aux États-Unis, des pluies
inhabituellement importantes firent monter
le niveau du Mississippi et de plusieurs
de ses affluents, provoquant des crues
et des inondations sur une immense région.*

MENACÉS PAR LE RÉCHAUFFEMENT DE LA PLANÈTE
Les calottes glaciaires des pôles et les glaciers,
comme le Perito Moreno, en Argentine, fondent
lentement du fait du réchauffement du climat.
L'eau de fonte provoque une hausse du niveau
des mers et pourrait avoir une incidence
sur les courants marins.

⑦ GÖMEÇ
*Des chutes de neige particulièrement
importantes sur l'est de la Turquie, en janvier
1992, furent à l'origine d'avalanches
meurtrières qui engloutirent plusieurs
villages, parmi lesquels Gömeç.*

⑨ L'EXTINCTION DU PERMIEN
*Il y a environ 250 millions d'années,
une succession d'importantes
éruptions volcaniques en Sibérie
contribua au déclenchement
de l'une des plus grandes extinctions
de masse de l'histoire de la Terre.*

⑩ YANGZI JIANG
*Longues dans le temps et fortes
en intensité, les pluies de la mousson
de 1991 provoquèrent la crue
de plusieurs fleuves chinois, dont
le Yangzi Jiang. Un cinquième
de la population du pays fut durement
affectée par les inondations.*

⑥ CÔTE D'AZUR
*Dans le sud de la France, en 1985,
après plusieurs mois de faibles
précipitations, des incendies
impossibles à maîtriser provoquèrent
de terribles dégâts sur l'un
des plus beaux littoraux du monde.*

CALENDRIER MÉCANIQUE
Cet instrument, qui date
du XVIIIᵉ siècle, suit
le mouvement des planètes
tout au long de l'année
calendaire. Comme le savent
tous les agriculteurs, le temps
qu'il fait ne suit pas toujours
le cours des saisons.

⑧ ÉTHIOPIE
*Plusieurs millions
de personnes
moururent de faim
et de maladies liées
à la malnutrition après
des années de précipitations
insuffisantes sur une grande
partie du continent africain.
L'Éthiopie fut le pays
le plus touché.*

LES INCENDIES ⑪
DU MERCREDI DES CENDRES
*Le 16 février 1983, après
un long été de sécheresse,
plusieurs feux de brousse
éclatèrent sur le littoral
méridional australien.
Difficiles à maîtriser
en raison de vents
particulièrement
violents, ils firent
71 victimes.*

EXCÈS CLIMATIQUES ET EXTINCTIONS DE MASSE

MALGRÉ LES PROGRÈS TECHNOLOGIQUES, l'humanité continue de subir sécheresses, inondations et autres catastrophes naturelles. En étudiant les cataclysmes passés, on a mesuré combien le climat de la Terre dépend des multiples interactions entre les facteurs naturels. Que l'équilibre soit perturbé, et la vie sur la planète est menacée.

CHANGEMENTS CLIMATIQUES

L'idée que chaque région de la Terre est dotée d'un climat «normal» et stable vient de la brièveté de nos existences. Il suffit en effet de remonter plusieurs générations en arrière pour enregistrer des changements climatiques radicaux. Des terres agricoles sont devenues des déserts, des côtes ont disparu sous les océans, des glaciers ont englouti des vallées. Nos ancêtres rendaient les mauvais esprits ou la mauvaise fortune responsables de telles fluctuations. Aujourd'hui, nous cherchons des explications scientifiques, espérant ainsi prévoir les changements environnementaux et nous y préparer.

Il semble que les activités humaines, comme la déforestation et l'utilisation de combustibles fossiles, affectent le climat, mais ce n'est qu'un aspect du problème. Notre planète est coutumière des changements climatiques spectaculaires. Les plus récents étaient largement liés aux fluctuations du régime des vents et des courants océaniques. Le phénomène le mieux connu est celui d'El Niño. En se déplaçant vers l'est, les eaux chaudes superficielles du Pacifique Ouest

font naître la sécheresse en Australie et en Indonésie, tout en provoquant des pluies inhabituellement fortes sur une grande partie du continent américain.

Des changements plus profonds sont engendrés par le lent mais inexorable mouvement des continents. Lorsqu'ils bloquent les courants océaniques chauds au niveau des pôles, comme

LE PHÉNOMÈNE EL NIÑO
Ces images satellite de fin 1994 montrent, en rouge, une augmentation des températures de surface dans le Pacifique et, en bleu, une baisse de la quantité d'eau froide.

c'est le cas actuellement, des calottes glaciaires se forment. La Terre connaît ainsi un climat plus froid et plus instable que durant la plus grande partie de son histoire. Au cours des 2 millions d'années précédentes, la planète a subi neuf phases de froid extrême, qui ont vu de vastes portions du globe se couvrir de glaciers. L'avance et le retrait des glaciers coïncident avec des modifications cycliques de l'inclinaison et de l'orbite de la Terre. La quantité d'énergie solaire absorbée par la Terre en est affectée, ce qui se répercute sur les températures et peut avoir des conséquences majeures sur le climat.

Les impacts de comète et les éruptions volcaniques majeures, comme les météorites se brisant dans l'espace, libèrent dans l'atmosphère des poussières et des gaz qui peuvent aussi réduire considérablement le niveau de rayonnement solaire atteignant notre planète. Les changements biologiques peuvent également affecter le taux de dioxyde de carbone dans l'atmosphère et altérer profondément les températures. À cinq reprises, des facteurs naturels ont concouru à rendre la planète en grande part inhabitable, provoquant l'extinction brutale de plus de 60 % des espèces animales et végétales.

TEMPÉRATURES ET EXTINCTIONS
Ce graphique montre les extinctions de masse survenues depuis l'apparition de formes de vie complexes sur terre, il y a environ 570 millions d'années, et les fluctuations de la température moyenne.

INONDATIONS CLIMATIQUES
L'État de Géorgie fut victime d'inondations catastrophiques en 1994, les fortes précipitations dans le sud-est des États-Unis ayant provoqué la crue de nombreuses rivières.

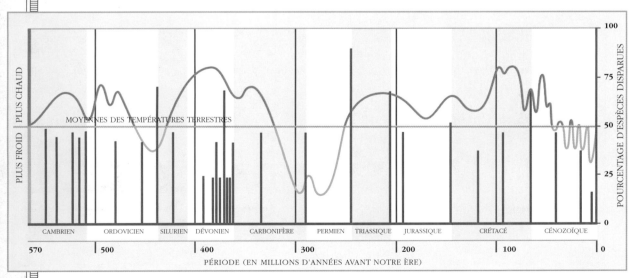

PLUS CHAUD | PLUS FROID

100

POURCENTAGE D'ESPÈCES DISPARUES

75

MOYENNES DES TEMPÉRATURES TERRESTRES

50

25

0

CAMBRIEN — ORDOVICIEN — SILURIEN — DÉVONIEN — CARBONIFÈRE — PERMIEN — TRIASSIQUE — JURASSIQUE — CRÉTACÉ — CÉNOZOÏQUE

570 — 500 — 400 — 300 — 200 — 100 — 0

PÉRIODE (EN MILLIONS D'ANNÉES AVANT NOTRE ÈRE)

INCENDIES DANS L'OUEST
En 1988, plusieurs mois inhabituellement secs, dans l'ouest des États-Unis, provoquèrent des incendies incontrôlables dans le parc de Yellowstone.

SÉCHERESSES

Toute région recevant des pluies inférieures à la normale pendant une longue période est amenée à faire l'expérience de la sécheresse. Mais des régions comme l'Afrique du Nord ou le Middle West américain sont davantage exposées aux dégâts et aux souffrances qu'engendre le manque relatif d'eau, car les sécheresses y durent souvent plusieurs années.

L'origine de telles fluctuations climatiques demeure mal comprise. L'assèchement du climat du Sahara s'inscrit dans un très long cycle qui, sur les dix mille dernières années environ,

a fait de prairies fertiles le désert le plus chaud du monde. Les rivières et les lacs se sont taris dans la plus grande partie de l'Afrique du Nord. Il est devenu de plus en plus difficile aussi, pour les habitants de cette région, de survivre aux intenses sécheresses survenant périodiquement. En Asie du Sud-Est, en Australie, et peut-être en Afrique, la baisse des précipitations annuelles est liée au phénomène baptisé El Niño et oscillation australe (*ENSO* en anglais).

Lors des semailles, les cultivateurs parient sur le temps, mais dans les régions subtropicales proches d'un désert, le risque est grand que les pluies fassent défaut. Ils peu-

STIGMATES DE LA SÉCHERESSE
En 1984, des milliers de bêtes périrent au Kenya (ci-contre), durant une sécheresse qui toucha 20 pays africains. Un cycle long de sécheresse provoque l'avancée des déserts africains, dont celui de Namibie (ci-dessous).

TOURBILLONS DE POUSSIÈRE EN AFRIQUE
Durant les périodes de sécheresse, de forts vents emportent l'humus desséché en des tourbillons de poussière. La fertilité des terres décline avec l'érosion des sols.

vent généralement survivre à une mauvaise année en abattant leurs troupeaux pour se nourrir ou en les vendant afin d'acheter des semences qu'ils planteront au début de la nouvelle saison. Malheureusement, si les précipitations sont encore rares l'année suivante, ils n'ont plus rien à vendre et les pénuries alimentaires deviennent préoccupantes.

Les mauvaises récoltes laissent les sols exposés à l'action du vent, et leur fertilité diminue. La faim persistante et la crainte de l'avenir ont des conséquences désastreuses pour la communauté. La malnutrition rend la population plus vulnérable aux infections, notamment les enfants et les personnes âgées. Les bébés meurent lorsque le lait maternel se tarit. Si la sécheresse perdure, la faim tue de plus en plus de personnes, et les gens sont contraints d'abandonner leurs maisons pour chercher ailleurs de quoi manger.

L'«AMERICAN DUST BOWL»

SÉCHERESSE, ÉTATS-UNIS, 1932–1940

RÉPERTOIRE P.129 – SITE N°63

DE 1932 À 1940, le Middle West américain subit une longue sécheresse qui laissa des dizaines de milliers de fermiers démunis. Des millions d'hectares de terres de labour étaient desséchés et le sol assoiffé était emporté en d'immenses nuages de poussière noire. Des milliers de gens moururent de faim ou de maladies pulmonaires dues à l'inhalation d'un air chargé de poussière. La sécheresse provoqua aussi l'exil de plus de 350 000 personnes.

VENTS DE POUSSIÈRE SUR LE MIDDLE WEST
On estime que, de 1932 à 1935, le vent souleva 850 millions de tonnes de terre arrachée aux exploitations autrefois fertiles de la Prairie. Ainsi se forma la région baptisée «American Dust Bowl», couvrant l'essentiel du Middle West.

Au début du XIXᵉ siècle, lorsque la première vague de colons traversa la zone aujourd'hui dénommée l'*American Dust Bowl* (le «bassin de poussière américain»), la région connaissait l'une de ses sécheresses périodiques. L'endroit était si sec que les colons l'appelèrent le «grand désert américain» et poursuivirent leur route en direction de l'ouest, vers des terres plus vertes. Mais, vers 1860, quelques années pluvieuses transformèrent la région; les fermiers qui s'y établirent purent engranger de bonnes récoltes, jusqu'au retour de la sécheresse, en 1887.

Au début du XXᵉ siècle, la situation s'améliora à nouveau. Une nouvelle génération de fermiers s'installa et prospéra jusqu'en 1932. Cette année-là, les champs avaient été labourés et plantés comme d'habitude, mais la pluie ne tomba pas et rien ne poussa. Faute de couverture végétale, l'humus se transforma en une fine poussière balayée par des vents secs et chauds. Une tempête, en mai 1934, donna naissance à un nuage noir qui s'étendit de l'Alberta jusqu'au Texas, arrosant de la terre prélevée à des sols autrefois fertiles les bateaux naviguant à 500 km dans l'Atlantique.

En mars 1935, le vent souffla durant vingt-sept jours. Routes et fermes furent ensevelies sous une poussière asphyxiante. Les jours étaient aussi sombres que les nuits, et les toits ployaient sous la poussière. L'agriculture était en faillite, et l'érosion des sols était telle que de nombreux fermiers estimaient que leurs terres ne valaient plus la peine d'être cultivées.

Lorsque la pluie revint, en 1941, il subsistait dans la région moins de la moitié des fermiers. Ayant pris conscience de la nature fluctuante du climat, ils développèrent des pratiques protégeant la terre. La moitié des champs redevinrent des prairies, et des rangées d'arbres furent plantées pour faire barrière au vent.

CHASSÉS DE LEURS TERRES
Les tourbillons de poussière (ci-dessus au Missouri, en 1937) forcèrent 350 000 personnes à quitter le Middle West, n'emportant que quelques effets. De nombreuses familles furent plongées dans la misère, car le travail manquait alors.

ÉTHIOPIE

SÉCHERESSE, AFRIQUE, 1981–1985

—— RÉPERTOIRE P.133 – SITE N°41 ——

EN 1984 ET 1985, LA SÉCHERESSE a provoqué la perte des récoltes et la famine dans plus de vingt pays d'Afrique, mais c'est l'Éthiopie, subissant depuis 1981 les effets conjugués de faibles précipitations et de mauvaises récoltes, qui a le plus souffert. Le pays traversait alors une période de guerre civile, et plusieurs millions de personnes durent fuir les combats et partir à la recherche de nourriture. Bien qu'aucun chiffre précis ne soit disponible, on estime qu'au pire moment de la famine plus de 20 000 enfants mouraient chaque mois.

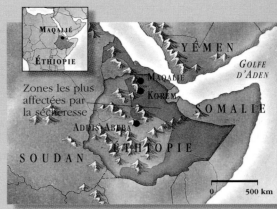

QUATRE ANNÉES DE SÉCHERESSE
La moitié de l'Éthiopie fut dévastée par la sécheresse. Lorsque les récoltes vinrent à manquer pour la seconde année consécutive, les fermiers affluèrent vers les villes pour vendre leurs biens contre de la nourriture. Après deux années supplémentaires sans pluie, des millions de personnes souffraient de la faim.

MALNUTRITION CHRONIQUE
Sous-alimentés depuis le début de leur courte existence, certains enfants n'étaient pas plus grands que des bébés. La nourriture trop rare était distribuée à ceux qui avaient les plus grandes chances de survivre.

CAMPS DE LA FAIM
Par dizaines de milliers, les réfugiés, épuisés, se rassemblèrent dans des camps. Affaiblis par le manque de nourriture, beaucoup moururent de faim ou de maladie avant d'être secourus.

L'Éthiopie est un pays montagneux, situé dans le nord-est de l'Afrique, au bord de la mer Rouge. Soumis toute l'année à un climat désertique, il connaît en juin une courte saison des pluies. Les meilleures années, les pluies tombent de juin à septembre, ce qui permet de réaliser de bonnes récoltes. Cependant, il arrive que les précipitations soient faibles, voire inexistantes.

Les pluies furent bonnes dans les années 1950, satisfaisantes dans les années 1960, mais le climat se détériora dans les années 1970. Le niveau des précipitations chuta, faisant de 1972, 1973 et 1974 des années de grande sécheresse. Avant même que la famine des années 1980

TERRE STÉRILE

Au cours des années 1980, la sécheresse ravagea l'Éthiopie. Les habitants, par dizaines de milliers, parcoururent des centaines de kilomètres, dans une quête désespérée de nourriture.

ne commence, près de 1 000 enfants mouraient chaque jour de maladies liées à la malnutrition.

La plus dramatique des sécheresses débuta en 1981. En 1982, la situation de pénurie alimentaire était déjà critique, et, en 1984, les conséquences du manque de pluie se firent de plus en plus sentir à travers le continent. Cette année-là, plus

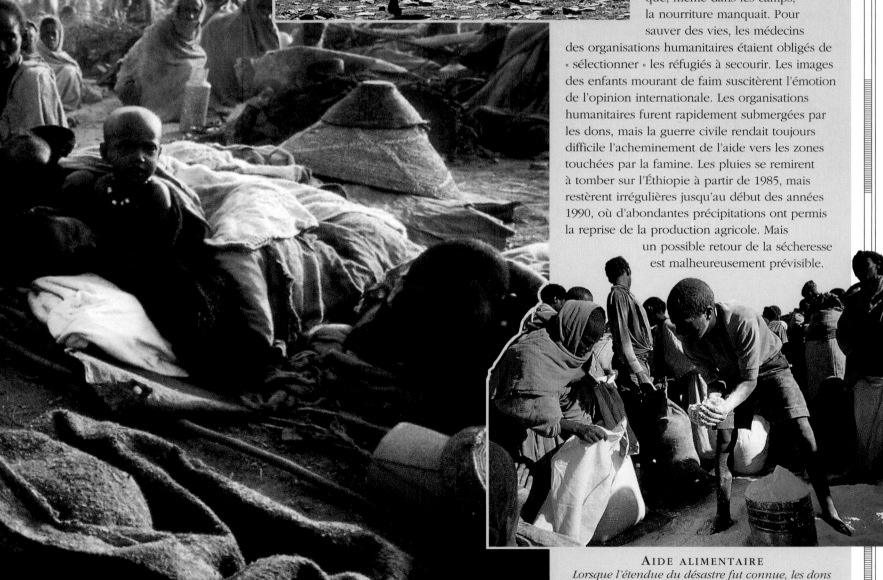

de 150 millions de personnes dans vingt pays d'Afrique furent confrontées à la famine. Engagé dans une guerre civile, le gouvernement éthiopien n'apporta que peu d'aide aux millions d'individus qui mouraient de faim. Dans les régions les plus touchées, villes et villages se vidèrent de leurs habitants, partis vers les grandes agglomérations dans une quête désespérée de nourriture. Faibles, affamés, beaucoup ne purent achever le voyage. Près de 10 millions de personnes, incapables d'aller plus loin, se rassemblèrent dans des camps de fortune près de Maqalié et de Korem.

L'AIDE HUMANITAIRE

En 1984, des journalistes de la BBC rendirent compte pour la première fois de la terrible situation des réfugiés. Le reportage révélait que, même dans les camps, la nourriture manquait. Pour sauver des vies, les médecins des organisations humanitaires étaient obligés de « sélectionner » les réfugiés à secourir. Les images des enfants mourant de faim suscitèrent l'émotion de l'opinion internationale. Les organisations humanitaires furent rapidement submergées par les dons, mais la guerre civile rendait toujours difficile l'acheminement de l'aide vers les zones touchées par la famine. Les pluies se remirent à tomber sur l'Éthiopie à partir de 1985, mais restèrent irrégulières jusqu'au début des années 1990, où d'abondantes précipitations ont permis la reprise de la production agricole. Mais un possible retour de la sécheresse est malheureusement prévisible.

AIDE ALIMENTAIRE

Lorsque l'étendue du désastre fut connue, les dons affluèrent du monde entier. Les fonds collectés permirent d'apporter une aide alimentaire à ceux qui avaient survécu à la famine.

INCENDIES

Les incendies sont inévitables après une séche-resse, même brève. La végétation se dessèche, et un éclair peut facilement l'embraser. Les feux ainsi déclenchés sont souvent éteints par la pluie, ou meurent en atteignant un plan d'eau ou une zone offrant peu de combustible.

Loin d'être totalement destructeurs, les incendies ont souvent des effets bénéfiques. En brû-lant la végétation morte, ils nettoient la terre, et la saison suivante est une période de rapide régénération. Beaucoup de plantes et d'animaux se sont adaptés au cycle régulier des feux et du

L'AUSTRALIE EN FEU
*Environ 15 000 feux éclatent chaque année
en Australie, qui détient ainsi
le triste record mondial des incendies.*

L'INCENDIE DU YELLOWSTONE EN 1988
*Plus de 290 000 ha du parc de Yellowstone
furent détruits lors du plus grand incendie
qu'ait connu l'Amérique du Nord au XXe siècle.*

renouveau. Mais les gens vivant dans des zones à risque sont en permanence menacés de se trouver sans nourriture ni abri, parce que leurs habitations et leurs récoltes, ne pouvant être déménagées, sont vulnérables aux effets dévas-tateurs du feu.

Alors que la plupart des incendies s'étendent assez lentement pour permettre la fuite, certains se propagent à toute allure. Ces incendies dévastateurs surviennent plus fréquemment

MERCREDI DES CENDRES

INCENDIE, AUSTRALIE, 1983

RÉPERTOIRE P.139 – SITE N°25

Environ 15 000 feux se déclarent chaque année dans le bush australien. En février 1983, les risques étaient particulièrement importants, El Niño ayant apporté à l'Australie un été extrêmement chaud et sec. Le thermomètre marquait régulièrement 40 °C. Les cours d'eau et les puits s'étaient taris,

et même les énormes réservoirs approvisionnant les habitants de l'État de Victoria étaient à sec.

Pourquoi autant de feux éclatèrent-ils simultanément le 16 février 1983 ? Cela demeure un mystère. Quelques-uns étaient peut-être dus à des pyromanes. D'autres furent causés par des étincelles provoquées par la rupture de câbles électriques. Les feux prirent très vite de l'ampleur. Attisées par un vent violent, les flammes se propagèrent à 160 hm/h à travers le bush.

La population était tenue informée de l'avancée des incendies, mais un brutal changement de direction du vent eut de fatales conséquences. Des gens qui se croyaient à l'abri

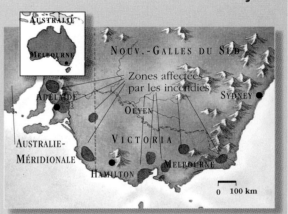

LE JOUR OÙ L'AUSTRALIE PRIT FEU
*Le 16 février 1983, des feux éclatèrent dans le
sud de l'Australie et firent rage pendant
quarante-huit heures, laissant des dizaines de
fermiers ruinés, 8 500 sans-abri et 71 morts.*

comprirent qu'ils couraient un grave danger. Certains ne purent fuir, car une épaisse fumée leur cachait le feu et les empêchait de se diriger.

Dans la mémoire de nombreux Australiens, les incendies de 1983 demeurent les plus terrifiants. Bien qu'il y ait eu plusieurs feux importants depuis, aucun n'a fauché autant de vies.

SOUDAIN, L'ENFER
*Le bush assoiffé brûla avec une telle intensité
que les arbres explosaient et que les maisons
se consumaient en quelques minutes (ci-dessous).
La force du vent rendait la lutte contre le feu
extrêmement périlleuse (ci-contre).*

COMBAT AÉRIEN
Les avions furent appelés en renfort pour maîtriser les incendies qui ravagèrent le parc de Yellowstone durant tout l'été 1988, jusqu'en septembre.

après une grave sécheresse et lorsque soufflent des vents forts. Le 8 octobre 1871, des vents violents poussèrent les incendies sur 1 036 km² à travers le Wisconsin. Neuf villes furent détruites, et plus de 1 500 personnes périrent à Peshtigo et dans ses environs. Le feu se propagea si vite que les habitants ne prirent conscience du danger que lorsqu'il était trop tard pour fuir.

NUAGE DE FUMÉE SUR SUMATRA
Des incendies de forêt ravagèrent l'Indonésie en 1997 et 1998, enveloppant d'une épaisse fumée une grande partie de l'Asie du Sud-Est, durant plusieurs mois.

LA CALIFORNIE EN FLAMMES
En 1994, les incendies firent rage autour de Los Angeles, causant des millions de dollars de dégâts.

LE FACTEUR HUMAIN

Dans les années 1970, les biologistes découvrirent que les coûteux programmes de lutte contre les feux de forêt et de brousse ne protégeaient pas la plupart des habitats, mais, au contraire, contrariaient le cycle de feu et de renouveau qui les gouverne. En conséquence, dans de nombreux parcs nationaux, on laissa les incendies déclenchés par la foudre brûler sans obstacles, pourvu qu'aucune vie humaine ni aucune propriété ne fussent menacées. Cette politique fonctionna très bien

VESTIGES CALCINÉS À SYDNEY
En décembre 1987, un feu de brousse ravagea la Nouvelle-Galles du Sud (Australie), atteignant la banlieue de Sydney. Deux pompiers périrent en combattant l'incendie.

dans le parc national de Yellowstone, au nord-ouest des États-Unis, jusqu'à l'été de 1988. Faute de pluie pour éteindre les flammes naturellement, les gardes du parc décidèrent d'envoyer les pompiers. Mais les incendies échappaient alors à tout contrôle, et ne s'éteignirent qu'avec les neiges d'automne. À ce moment-là, 648 000 hectares de forêt primaire avaient été détruits.

Les feux ne font pas partie du cycle naturel des forêts tropicales, et l'on a vu, en 1997, les conséquences du défrichage par le feu. Les pluies de mousson n'étant pas venues éteindre les feux délibérément allumés en Indonésie et en Malaisie, les incendies firent rage durant des mois, détruisant des milliers de kilomètres carrés de forêt tropicale et couvrant l'Asie du Sud-Est d'un épais manteau de fumée qui masquait le soleil.

CÔTE D'AZUR
INCENDIE, SUD DE LA FRANCE, 1985
RÉPERTOIRE P.134 – SITE N°111

CHAQUE ANNÉE, des milliers d'incendies éclatent en France dans les forêts, les garrigues et les maquis. Le nombre de feux a augmenté avec le déclin de l'agriculture traditionnelle familiale, car les herbes et les broussailles, que rasaient autrefois chèvres et moutons, croissent désormais en toute liberté. Lorsque les étés sont très chauds et secs dans le Midi, le sol est ainsi couvert d'une végétation que la foudre ou l'étincelle d'un feu de camp suffit à enflammer.

Le 31 juillet 1985, en pleine saison touristique, les pompiers de la Côte d'Azur étaient en alerte. Quand un feu mineur se déclara à 12 h 30 dans le massif de l'Esterel, les pompiers volontaires furent rapidement sur les lieux, mais le mistral soufflait très fort ce jour-là, et des rafales de 80 km/h attisèrent le brasier. Les flammes embrasèrent les arbres proches, et, bientôt, l'incendie échappait à tout contrôle, provoquant l'évacuation de trois campings.

À 16 heures, la fumée coupait la route reliant Cannes aux Adrets, et des cendres tombaient sur Mandelieu. Des hélicoptères vinrent en renfort, et des Canadair déversèrent de l'eau sur le brasier. Cinq pompiers furent tués en combattant l'incendie, et 20 autres grièvement brûlés. Le soir venu, le vent tomba et le feu put être éteint à la périphérie de Cannes.

Ce même après-midi, 1 000 autres pompiers avaient été appelés pour maîtriser un important feu de forêt qui menaçait les villes de Callas et du Muy. Le vent, qui soufflait en

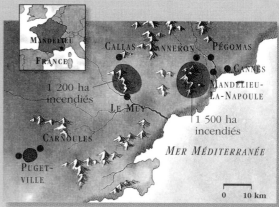

INCENDIES DANS LE MIDI
Les incendies qui ravagèrent la Côte d'Azur à partir du 31 juillet 1985 détruisirent plus de 2 700 hectares. Des milliers de pompiers furent mobilisés, cinq d'entre eux périrent.

rafales, tomba vers 17 heures, mais l'incendie ne fut éteint qu'à l'aube. Un autre incendie, déclaré vers 20 heures à proximité de Carnoules, ravagea un peu plus les forêts de la Côte d'Azur.

Depuis 1985, les efforts consacrés à la détection des feux et à la lutte contre les incendies ont permis de maîtriser plus rapidement ceux-ci. Mais, faute de précipitations plus abondantes, la menace d'un incendie incontrôlable persiste.

LA MONTAGNE EN FEU
Le feu qui se déclara dans le massif de l'Esterel gagna le massif du Tanneron (ci-contre), brûlant 1 500 ha. Les pompiers volontaires (ci-dessus) reçurent le renfort des pompiers professionnels. Ensemble, ils parvinrent à empêcher l'incendie d'atteindre Cannes.

YANGZI JIANG

INONDATION, CHINE, 1991

RÉPERTOIRE P.137 – SITE N°95

EN 1991, CERTAINES RÉGIONS DE CHINE subirent une mousson inhabituellement longue et précoce avec des pluies exceptionnellement importantes. Près de 220 millions de personnes, soit un cinquième de la population du pays, furent touchées. La plus dévastatrice des inondations eut lieu lorsque le lac Tai Hu, près de l'embouchure du Yangzi Jiang, déborda et inonda la grande région agricole et industrielle située entre Shanghai et Nankin.

CRUES ESTIVALES EN CHINE

Cultures, maisons, usines et voies de communication furent détruites dans le centre de la Chine en 1991 après les crues de plusieurs fleuves, dont le Yangzi Jiang, consécutives à de fortes pluies. On estime que 20 % des récoltes estivales du pays furent anéanties.

RENFORCER LES DIGUES

Les habitants de la province d'Anhui travaillèrent avec ardeur à renforcer les digues le long du Yangzi Jiang, qui commença sa crue en mai 1991.

La réforme de l'économie chinoise, à partir de 1978, permit le développement rapide des provinces d'Anhui et de Jiangsu, qui devinrent l'une la principale région céréalière du pays et l'autre la première en production agricole et industrielle. Cependant, les réformes se firent, d'un point de vue financier, au détriment de la lutte contre les inondations.

Les ouvrages défensifs, habituellement suffisants pour affronter les inondations de la mousson d'été, se révélèrent incapables de faire face aux pluies torrentielles qui s'abattirent sur le pays en 1991. Ces pluies débutèrent en mai et furent bien plus fortes que d'habitude. Le système dépressionnaire, qui apportait d'ordinaire de fortes pluies sur le Sud, se déplaça de 300 km vers le nord, laissant les régions méridionales de la Chine dans une situation de sécheresse, tandis que le centre du pays était noyé sous des trombes d'eau – il tomba

INONDATION DANS LE JIANGSU

Durant l'été de 1991, les inondations touchèrent une grande partie de la province de Jiangsu, dont la ville de Xinghua (ci-dessus). L'armée aida à évacuer des millions de personnes (à gauche).

40 cm de pluie en deux jours. L'écoulement des eaux de pluie vint gonfler le Yangzi Jiang, qui déborda en aval, provoquant de graves inondations sur tout son cours.

À la mi-juillet, 1 780 personnes étaient mortes noyées ou lors de glissements de terrain. Plus de 80 % de la population de la province d'Anhui souffrirent des inondations et une grande partie

de Hefei, la capitale régionale, fut couverte de 1 m d'eau. Les flots balayèrent près de 1 million d'habitations et tuèrent 337 personnes, la plupart électrocutées alors qu'elles essayaient de sauver quelques biens de leurs maisons dévastées.

Dans la province de Jiangsu, 550 familles de paysans passèrent une semaine bloquées sur une étroite digue avant d'être secourues, et 198 personnes périrent noyées. Nankin et Wuxi furent également sévèrement touchées.

Durant les inondations, plus de 10 millions de personnes furent évacuées des zones les plus touchées afin de limiter les épidémies. À partir de septembre, après la décrue, le gouvernement lança un vaste programme destiné à prévenir de nouvelles catastrophes.

INONDATIONS

Les hommes, de même qu'ils ont érigé entre eux des frontières, ont essayé d'imposer des barrières à la nature. Régulièrement, les inondations montrent que la frontière naturelle entre l'eau et la terre ferme est en fait une vaste zone à mi-chemin entre les deux éléments. Ces aires, appelées lits intermédiaires, peuvent être sèches ou recouvertes par les eaux, en fonction de plusieurs facteurs, parmi lesquels le temps qu'il fait et les marées. Dotés de sols qui sont parmi les plus fertiles de la Terre, les lits intermédiaires constituent souvent des lieux très peuplés à forte activité agricole. De sorte que, lorsqu'une inondation se produit, ses conséquences sont généralement désastreuses.

RIVIÈRES EN CRUE

La fertilité des terres inondables ne doit rien au hasard. En effet, les crues fertilisent la terre en irriguant les sols et en y déposant des substances nutritives. Dans les anciennes civilisations, en Égypte par exemple, la vie était dépendante des crues annuelles des fleuves ou rivières. Depuis,

RIVIÈRE EN CRUE AU TEXAS
Victime de la crue de la San Jacinto River, après les terribles pluies qui s'abattirent sur le sud-ouest des États-Unis en 1994, cette famille cherche à se mettre à l'abri.

des barrages, des digues, des canaux et des réservoirs ont été aménagés pour maîtriser le débit des eaux. Cependant, rien n'est vraiment en mesure de protéger les récoltes et les habitations des inondations. Des pluies exceptionnellement fortes ou des chutes de neige sont susceptibles de faire monter le niveau d'une rivière en de telles proportions que l'eau peut submerger les ouvrages défensifs.

RISQUES SAISONNIERS
En 1983, lors de la mousson, Varanasi, en Inde, fut en proie aux inondations après que des pluies torrentielles eurent fait sortir le Gange de son lit.

MISSISSIPPI

INONDATION, ÉTATS-UNIS, 1993

RÉPERTOIRE P.129 – SITE N°97

AU COURS DE L'ÉTÉ DE 1993, des inondations frappèrent des dizaines de villes et des centaines d'exploitations agricoles situées sur les rives du Mississippi et de ses tributaires en amont. Les niveaux d'eau atteignirent des records sur une zone de 1 600 km à partir du Mississippi et du Missouri, balayant des centaines de dispositifs de sécurité. Les inondations provoquèrent la mort de 50 personnes, firent 70 000 sans-abri et perturbèrent la vie de centaines de milliers d'individus dans neuf États du Middle West. Près de 8 millions d'hectares de terres cultivables, détrempés, demeurèrent improductifs durant la période de pousse. Le coût total du désastre fut estimé à 12 milliards de dollars.

LA GRANDE INONDATION DE 1993
Après des taux de précipitations rarement enregistrés aux États-Unis et au Canada, plus de 80 000 km² dans le Middle West furent inondés par les crues du Mississippi et des rivières de la région.

COMMUNICATIONS COUPÉES
Ce pont sur le Mississippi fut fermé le 16 juillet 1993 après l'inondation de Quincy (Illinois). Les effets de ce désastre se firent sentir dans un rayon de 11 km.

En septembre 1992, des pluies inhabituellement fortes commencèrent à tomber sur le nord de l'Amérique. Un mouvement des vents de haute altitude provoqua l'arrivée d'une succession de dépressions depuis le golfe du Mexique, qui arrosèrent copieusement le centre des États-Unis.

En juin 1993, en l'espace de huit mois, certaines zones avaient reçu trois fois plus de pluie qu'en une année. Le sol était complètement saturé, et les nouvelles précipitations virent gonfler les affluents du Mississippi. Le 20 juin, l'écoulement des eaux était si fort qu'un barrage situé sur la Black River, dans le Wisconsin, se rompit, submergeant une centaine d'habitations et déversant des torrents d'eau dans le Mississippi.

En juillet, un tiers du bassin hydrographique du fleuve était littéralement inondé par des précipitations quatre fois plus abondantes qu'en temps normal. Le 14 juillet, plus d'une centaine des rivières de la zone étaient en crue. Tandis que le niveau des eaux continuait à s'élever, les habitants de la région, aidés par des unités de l'armée, mirent en place plus de 26 millions de sacs de sable pour renforcer et surélever

LA PLUIE NE JOUE PLUS
En 1993, les pluies intenses provoquèrent la crue du Mississippi. Comme ce stade à Davenport (Iowa), de nombreuses installations sportives furent mises hors service.

COMBATTRE L'INONDATION
Les habitants de Des Moines (Iowa) empilèrent des milliers de sacs de sable dans l'espoir de faire barrage à la crue de la rivière Des Moines en 1993.

PRÈS DE SAINT LOUIS
Cette photo, prise par satellite en juillet 1993, montre, en rouge, l'étendue des inondations à la confluence du Mississippi et du Missouri, au nord de la ville de Saint Louis.

ÉVACUÉS EN BATEAU
Ces deux habitants d'Ursa (Illinois) furent évacués après avoir été bloqués sur le toit de leur maison, envahie par plus de 1 m d'eau.

les ouvrages défensifs. Cent cinquante de ces digues, destinées à retenir les flots quelques jours, se rompirent immédiatement. Les habitants des régions touchées et les soldats travaillèrent sans relâche à sauver ce qui pouvait encore l'être dans les maisons inondées et à évacuer les millions de têtes de bétail menacées.

Les inondations les plus graves eurent lieu à la confluence du Mississippi et du Missouri.

Au début du mois d'août, le flot dévastateur déferla sur Saint Louis : la cote d'alerte de 15 m, soit 6 m de plus que lors des inondations précédentes, était atteinte. Équipée d'un système de protection capable de résister à 16 m d'eau, la ville échappa à l'inondation complète. Les eaux causèrent néanmoins de graves dégâts, et le niveau du Mississippi resta dangereusement élevé jusqu'à la fin d'août.

Nombreux sont ceux qui pensèrent que les inondations de 1993 n'auraient pas été aussi dévastatrices si les ouvrages défensifs avaient été prévus pour libérer l'eau au lieu de la retenir. D'autres avancèrent que les pertes matérielles auraient été bien plus importantes si aucune mesure de protection n'avait été prise. Cependant, personne ne contesta que le fait de vivre dans une plaine inondable constitue un danger, et tous furent d'accord sur le caractère inéluctable de nouvelles inondations.

MER DU NORD

INONDATION, EUROPE DU NORD, 1953

RÉPERTOIRE P. 134 – SITE N°95

CERTAINES DES TERRES les plus fertiles d'Angleterre et des Pays-Bas sont situées en dessous du niveau de la mer et ne sont protégées de la mer du Nord que par des digues ou des dunes.

Lorsqu'un vent violent s'abattit sur l'Angleterre le 31 janvier 1953, les météorologistes donnèrent l'alarme. Avec une marée d'équinoxe de printemps particulièrement haute, ils redoutaient les orages et les vents qui feraient monter le niveau de la mer et projetteraient d'énormes vagues sur les côtes. Les bulletins d'informations radiophoniques conseillaient aux habitants des régions menacées de se mettre à l'abri dans des zones qui, malheureusement, étaient trop éloignées pour être atteintes à temps.

Aux premières heures du 1er février, alors que l'orage se déchaînait au-dessus de la mer du Nord, les côtes anglaises, néerlandaises et belges étaient dévastées par les inondations. La plus touchée fut la zone méridionale de la mer du Nord, où le niveau de la mer s'éleva de 5,50 m par rapport à la normale. Dès 4 heures du matin, des centaines de digues aux Pays-Bas avaient cédé sous la pression de gigantesques vagues. Des

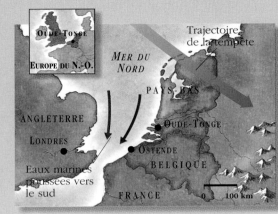

LA MER DU NORD DÉFERLE
En 1953, la mer du Nord entama les dispositifs de protection côtière de l'Angleterre, des Pays-Bas et de la Belgique. Les inondations causèrent la mort de plus de 2 100 personnes.

localités entières furent complètement détruites, des centaines de personnes périrent noyées dans leur maison lorsque la mer envahit jusqu'à 60 km à l'intérieur des terres. Certaines zones côtières se trouvèrent englouties sous 10 m d'eau. Les marées hautes continuèrent à endommager les régions littorales jusqu'à la réfection du dispositif de protection, l'année suivante.

LE NIVEAU DES OCÉANS

La rotation de la Lune autour de la Terre est responsable du phénomène des marées, qui inondent les côtes basses. Les hommes ont érigé des digues et des murs pour retenir l'eau à marée haute et transformer des marais salés en terres cultivables ; ils ont construit des villes sur ces lieux exposés aux inondations. Le sentiment de sécurité dû au rythme régulier des marées peut se révéler trompeur : les ouvrages défensifs ne parviennent pas toujours à contenir les flots lors des violentes tempêtes. Alors, la marée dépasse son niveau habituel, et si, en même temps, les vents soufflent vers le littoral, d'énormes vagues projettent l'eau encore plus loin à l'intérieur des terres.

Au cours de l'histoire de la Terre, le niveau des océans a varié plus d'une fois, notamment en raison des changements climatiques. Le réchauffement actuel de la planète provoque la réduction des calottes glaciaires, ce qui fait monter de 2 mm le niveau de la mer chaque année. Les terres basses, tels les Pays-Bas, deviennent ainsi plus sujettes aux inondations maritimes, tandis que les îles coralliennes, comme les Maldives, sont menacées de disparaître un jour.

Ce phénomène de la montée du niveau de la mer s'accroît du fait que de vastes zones subissent encore les conséquences de la dernière glaciation. Voici 18 000 ans, une grande partie du nord de l'Amérique et de l'Europe du Nord s'affaissa sous le poids d'un épais manteau de glace. Lorsqu'il se retira, les terres commencèrent à reprendre leur forme. Certaines régions septentrionales subissent encore ce phénomène, qui provoque un affaissement et une lente descente dans la mer de zones situées au sud.

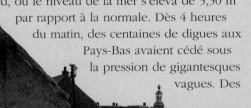

SCÈNES DE DÉSOLATION
Aux Pays-Bas, l'inondation fit plus d'un milion de sans-abri. Oude-Tonge (ci-dessus) et Vlissingen (à gauche) furent parmi les nombreuses localités de la basse Zélande à avoir été touchées. Toute la région se trouva inondée après que les vagues déchaînées eurent brisé les digues protectrices.

PROTECTION MARITIME
L'impressionnante « barrière » de la Tamise, en Angleterre, construite près de l'embouchure du fleuve, protège Londres des inondations maritimes et des marées de tempêtes.

POTEAU PROVIDENTIEL
Après l'inondation de Palm Beach, en Floride, cet homme, accroché à un poteau, assiste désemparé à un nouvel assaut des vagues.

AVALANCHES ET GLISSEMENTS DE TERRAIN

En montagne, des conditions climatiques extrêmes peuvent provoquer de véritables désastres. Les pluies abondantes qui saturent le sol et délogent les pierres sont à l'origine de glissements de terrain. Les chutes de neige augmentent les risques d'avalanche en recouvrant les pentes d'un manteau instable. À mesure que la neige s'accumule, un réseau de particules de glace, qui garantit la tenue de la couche neigeuse

LA NEIGE GRONDE
Ici, en Antarctique, c'est une chute de séracs qui a provoqué cette gigantesque avalanche.

et la retient aux flancs de la montagne, apparaît. À peine le dégel est-il amorcé qu'il se fragilise : un fort bruit, une bourrasque, un mouvement déstabilisateur suffisent pour que les particules se désolidarisent. Lorsque plus rien ne la retient, la neige dévale la pente, entraînant pierres, graviers et autres débris sur son passage.

Les avalanches les plus meurtrières de notre siècle se produisirent au cours de la Première

VICTIMES DE LA GUERRE DES AVALANCHES
Pendant la guerre de 14-18, dans les Alpes italiennes, des avalanches provoquées volontairement par des tirs d'artillerie coûtèrent la vie à de nombreux soldats autrichiens et italiens.

Guerre mondiale, dans les Alpes du Nord italiennes, où s'affrontaient des milliers de soldats autrichiens et italiens. Après qu'une avalanche eut tué 253 soldats en décembre 1916, les deux armées décidèrent de prendre les pentes enneigées pour cible afin d'augmenter les risques de coulées. Au cours des deux hivers qui suivirent, plus de 40 000 hommes périrent ensevelis sous des tonnes de neige.

Lorsqu'une avalanche amorce sa course, toute fuite est impossible en raison de la neige et des pierres qui, atteignant des vitesses de 320 km/h, balaient tout sur leur chemin.

GÖMEÇ

AVALANCHE, TURQUIE, 1992

— RÉPERTOIRE P.135 – SITE N°117 —

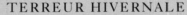

AU NORD DE L'IRAK et à l'est de la Turquie, à l'écart des axes de peuplement et de développement de ces deux pays, s'étend une zone montagneuse revendiquée par le peuple kurde. En réaction à ces mouvements indépendantistes, le gouvernement turc y a érigé des avant-postes militaires. Dans cette zone de vive tension, la vie est rude, notamment l'hiver. L'année 1992 débuta dans des conditions particulièrement difficiles. D'abondantes précipitations neigeuses enfouirent certaines régions de l'est de la Turquie sous 9 m de neige. En montagne, les risques d'avalanche se firent de plus en plus sérieux.

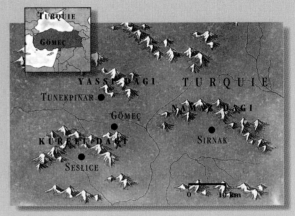

LA MORT DANS LES MONTS DE TURQUIE
Les avalanches les plus meurtrières frappèrent la Turquie orientale en janvier 1992. Elles engloutirent plusieurs villages, dont Gömeç, faisant des centaines de victimes.

TERREUR HIVERNALE
Le vendredi 31 janvier, une avalanche dévala des flancs du mont Gabar. Les villages de Gömeç et Tunekpinares furent les premiers touchés. D'autres coulées de neige se succédèrent pendant le week-end, recouvrant de nouvelles zones d'habitation et détruisant un poste militaire turc. Des blizzards cinglants empêchèrent les secours de parvenir sur les lieux sinistrés. Devant la force des vents et le manque de visibilité, deux hélicoptères qui transportaient des médecins et des secouristes durent rebrousser chemin. Le dimanche, le temps s'éclaircit suffisamment pour

LA MORT BLANCHE
Des centaines de personnes périrent sous les avalanches qui ravagèrent les environs de Gömeç. Aux secours qui parvinrent enfin sur les lieux du drame incomba la pénible tâche d'extraire les corps de la neige.

permettre à la Croix-Rouge turque d'atteindre Gömeç. Le village avait été presque entièrement enseveli, et la moitié de ses 250 habitants manquait à l'appel. Les militaires turcs, pour leur part, déploraient 132 victimes.

Le bilan ne cessa de s'alourdir au cours de la semaine suivante : beaucoup de ceux qui avaient été emportés par l'avalanche périrent avant l'arrivée des secours ; d'autres, retrouvés vivants, moururent d'hypothermie sur le chemin de l'hôpital. Rendus inaccessibles par les monceaux de neige qui bloquaient les routes, plusieurs villages ne purent être approvisionnés. Les forces d'intervention américaines évitèrent une nouvelle tragédie en livrant couvertures, médicaments et nourriture à 110 villages de la région.

La situation du peuple kurde n'a certes guère évolué, mais le succès de la mission de secours américaine a ouvert la voie à un projet de création d'une force internationale de secours d'urgence.

GLACIATION DU PLÉISTOCÈNE

GLACIATION, MONDE, 1,6 MILLION-12 000 ANS AV. NOTRE ÈRE

RÉPERTOIRE P. 129 – SITE N° 5

LORS DU PLÉISTOCÈNE, voici 1,6 million d'années, la Terre traversa l'une des périodes climatiques les plus instables de son histoire. Sur un cycle d'environ cent mille ans, les calottes glaciaires des pôles s'élargirent, puis rétrécirent régulièrement, provoquant une alternance de longues périodes glaciaires et de brefs réchauffements. La plus récente de ces glaciations, le dernier âge glaciaire, débuta il y a 114 000 ans. Il fallut cependant quarante mille ans aux couvertures glaciaires pour se stabiliser. La température moyenne était alors inférieure d'environ 5 °C à celle d'aujourd'hui. D'épais glaciers recouvraient une grande partie de l'Amérique du Nord et de l'Eurasie du Nord. En dépit de fluctuations de température, ces conditions se maintinrent soixante mille ans. À l'époque où les couvertures glaciaires étaient les plus épaisses et les plus étendues, voici 18 000 ans, elles emprisonnaient une telle quantité d'eau sous forme de glace que les océans

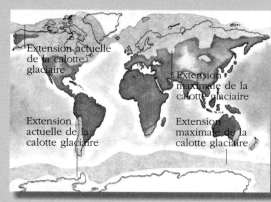

LA DERNIÈRE GLACIATION
Les couvertures glaciaires atteignirent leur étendue maximale voici 18 000 ans, provoquant une chute du niveau de la mer de 100 m.

occupaient une surface inférieure de 5 % à celle d'aujourd'hui. Il y a 12 000 ans, le dégel s'amorça, provoquant de terribles inondations qui causèrent la perte de bien plus d'espèces que durant toute la période glaciaire. Les eaux de fonte engloutirent une partie de l'Amérique du Nord. Pour survivre aux conditions instables du pléistocène, les espèces – y compris les hommes – durent faire preuve de grandes capacités d'adaptation.

ANIMAUX VENUS DU FROID
Le mammouth à long poil disparut à la fin de la dernière ère glaciaire. Peut-être nos ancêtres chasseurs sont-ils responsables de son extinction. Néanmoins, beaucoup des espèces qui ornent, depuis trente mille ans, les murs de la grotte de Lascaux, ont survécu.

EXTINCTIONS DE MASSE

Les millions d'espèces qui peuplent aujourd'hui la Terre ne représentent qu'une infime partie des manifestations de vie qu'a connues notre planète. La concurrence naturelle et les bouleversements écologiques provoquent en permanence la disparition de certaines formes de vie et l'apparition de nouvelles. Cinq extinctions de masse ont cependant bouleversé la vie terrestre : dans un laps de temps relativement court, plus de la moitié des espèces animales et végétales disparurent. La plus récente, voici 65 millions d'années, concerna les dinosaures. D'autres, plus anciennes, furent tout aussi dramatiques. Plus de 70 % des animaux périrent vers la fin de l'époque dévonienne, tandis qu'au terme du permien 90 % des espèces s'éteignirent.

ÂGES GLACIAIRES

Nombre d'espèces meurent durant les périodes d'instabilité climatique appelées âges glaciaires. Notre planète en a connu au moins cinq, chacun ayant duré plusieurs millions d'années. Le plus récent débuta il y a environ 1,6 million d'années. Lorsque la position des continents empêche les courants océaniques de réchauffer

LONDRES GÈLE EN 1814
Ce tableau témoigne d'une rigueur climatique aujourd'hui disparue. Cette période, connue sous le nom de petit âge glaciaire, prit fin en 1850.

l'un ou l'autre pôle, la glace s'accumule jusqu'à former une calotte glaciaire. Durant ces périodes, le climat est sensible aux légères variations du trajet orbital terrestre. La température globale moyenne fluctue de plusieurs degrés sur un cycle d'environ cent mille ans, ce qui provoque l'élargissement et le rétrécissement des calottes glaciaires. Nous sommes aujourd'hui dans un cycle relativement chaud et stable, entre deux glaciations.

GLACIER DE MONTAGNE
Outre les pôles, la glace recouvre aussi les montagnes, où la neige forme des glaciers. Ici, le Gorner (Alpes suisses), l'un des plus importants d'Europe.

ÉTUDE SUR LE CHANGEMENT DU CLIMAT
Forage en Antarctique pour extraire une carotte de glace. Les bulles d'air qu'elle renferme révéleront la quantité de dioxyde de carbone contenue dans l'atmosphère à l'époque où la glace s'est formée.

EXTINCTION DU CRÉTACÉ

EXTINCTION DE MASSE, MONDE, – 65 MILLIONS D'ANNÉES

RÉPERTOIRE P.130 – SITE N°1

LES FOSSILES TÉMOIGNENT de la présence des dinosaures sur la Terre pendant environ cent soixante millions d'années. Puis, voici 65 millions d'années, ils disparurent, et, avec eux, 70 % des autres espèces vivantes. Les roches en formation durant cette période nous fournissent aujourd'hui de précieuses indications sur les causes de ce phénomène.

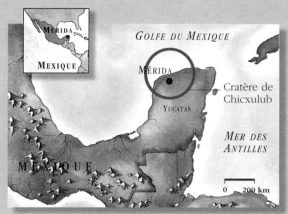

UN CRATÈRE MEURTRIER
Une étude géophysique a montré que le cratère de 200 km de large situé sous la péninsule du Yucatán fut creusé par une météorite voici 65 millions d'années. L'impact projeta de la roche sur un rayon de 80 000 km².

SCHÉMA COLORÉ DU CRATÈRE DE CHICXULUB

Apparus sur terre voici 225 millions d'années, les dinosaures régnèrent en maîtres et laissèrent peu de place aux mammifères, présents 10 millions d'années plus tard. À cette époque, le climat était plus chaud et plus stable qu'aujourd'hui. Néanmoins, les dinosaures durent s'adapter aux fluctuations du niveau de précipitations, dues à l'émergence et au morcellement du continent unique de la Pangée. Ils eurent également à affronter une série d'extinctions de masse et l'apparition de végétaux à fleurs, voici 120 millions d'années. À la fin du crétacé, plusieurs espèces bien connues de dinosaures s'étaient éteintes, dont la plupart des immenses sauropsidés herbivores.

Bien d'autres, comme *Tyrannosaurus rex*, un carnivore, survécurent à ces épreuves.

Au moment de l'extinction de masse, la Terre fut heurtée par une météorite de 10 km de diamètre, qui creusa un énorme cratère dans le golfe du Mexique. Une grande partie de l'Amérique du Nord et des Caraïbes reçut une pluie de rochers en fusion. En étudiant les roches en formation à cette époque, on a établi

VICTIMES DE L'EXTINCTION
D'après les fossiles, on sait que les ammonites (à droite), et toutes les espèces de dinosaures, dont Edmontosaurus (ci-dessous), disparurent lors de la grande extinction. Mais nous igorons si cela s'est produit en un instant ou en un millénaire.

que toute la planète était couverte d'une couche de poussière vraisemblablement composée des restes pulvérisés de la météorite. D'où l'hypothèse avancée par certains spécialistes selon laquelle la poussière projetée dans l'atmosphère bloqua les rayons du soleil pendant des mois. Le froid et l'obscurité qui s'ensuivirent interrompirent la croissance des végétaux.

La chaîne alimentaire ainsi rompue, des millions d'espèces périrent. Les partisans de cette théorie soulignent que parmi les survivants se trouvaient des insectes, qui se nourrissaient des carcasses de grands animaux, des mammifères, qui se nourrissaient d'insectes, et des végétaux, dont les graines germèrent lorsque la lumière du jour réapparut. D'autres experts mettent en avant des événements tels que les importantes éruptions de lave en Inde, la chute du niveau de la mer et les grands bouleversements climatiques pour expliquer cette extinction. Les roches qui se formèrent après le crétacé ne portent plus aucune trace des dinosaures. En revanche, on y trouve la preuve que, des millions d'années après, les mammifères ayant survécu commencèrent à se diversifier. Progressivement, ils héritèrent du rôle prépondérant jadis dévolu aux dinosaures.

Les comètes sont d'énormes morceaux de glace et de poussières qui tournent autour du Soleil en orbites elliptiques. Tous les 76 ans, la comète de Halley devient visible à l'œil nu, lorsque la glace dont elle se compose s'évapore en une longue queue à mesure qu'elle traverse le centre du système solaire.

MENACES COSMIQUES

Certains spécialistes considèrent que l'origine de la majorité des grands bouleversements terrestres est à rechercher au-delà de notre planète. La rotation de la galaxie déplace notre système solaire dans des régions de l'espace où la densité de poussière et de gaz interstellaires est plus importante. Lorsque nous traversons l'un de ces nuages interstellaires, celui-ci interromprait l'émanation des rayons solaires, exposant la Terre à de plus grands risques de collision avec des débris cosmiques. Notre système solaire se situe actuellement dans une zone calme, ce qui n'empêche pas le globe de recevoir, en permanence, une pluie de résidus interplanétaires. La plupart se dissolvent dans l'atmosphère, se trans-formant en d'éphémères étoiles filantes qui ne touchent jamais terre. En 1908, cependant, un météore de 60 km de large explosa au-dessus de Tunguska, en Sibérie. Pas un arbre ne fut épargné à 50 km à la ronde, et une immense langue de feu de 20 km de haut embrasa le ciel. Par ailleurs, les géologues ont relevé au moins 150 cratères d'impact à la surface du globe. Certains experts associent douze de ces empreintes aux grandes extinctions, et notamment à trois des cinq plus importantes extinctions de masse : celle du crétacé *(voir ci-contre)*, celle de la fin du triasique, qui survint voici environ 210 millions d'années, et l'extinction de masse de la période dévonienne, il y a 367 millions d'années. Pour pouvoir considérer que les deux phénomènes sont effective-ment liés, il faut admettre que la météorite atteignait au moins 3 km de diamètre et qu'elle avait creusé un cratère dix fois plus large qu'elle, projetant roches volatilisées et autres débris à une vitesse égale à cinquante fois celle du son. La poussière soulevée dans l'atmosphère aurait alors neutralisé l'effet des rayons solaires, provoquant obscurité et températures glaciales.

Le dernier grand impact visible d'une météorite date de 50 000 ans : c'est le célèbre Meteor Crater d'Arizona, aux États-Unis, dont le diamètre atteint 1,2 km.

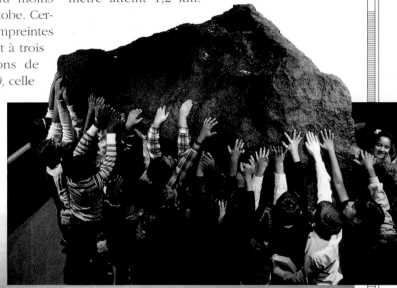

RESTES DE MÉTÉORITES
La météorite Ahnighto (à droite), l'une des plus grandes restées intactes sur terre. Celle qui creusa le Meteor Crater (ci-dessous) était plus importante encore, mais elle éclata en fragments minuscules.

MONTAGNES DE LAVE
Le plateau du Deccan, en Inde occidentale,
résulte d'importantes coulées de lave qui
se déversèrent, voici 65 millions d'années,
sur une zone de 500 000 km².

MENACES DU CENTRE DE LA TERRE

Outre les bouleversements provoqués par des chutes de météorites, la Terre s'est trouvée périodiquement confrontée à la menace de phénomènes nés en son sein. À plusieurs dizaines de millions d'années d'intervalle, des foyers de roche en fusion se sont frayé un chemin à tra-

FONTAINES DE LAVE EN ISLANDE
Les torrents de lave régulièrement déversés par les failles d'Islande sont d'une faible intensité par rapport aux terribles éruptions qui menacèrent la vie terrestre à l'époque préhistorique.

vers le manteau terrestre, avec une force telle qu'ils ont percé la croûte terrestre et déclenché de gigantesques éruptions volcaniques.

En Inde, chacune des éruptions ayant conduit à l'émergence du plateau du Deccan, il y a 65 millions d'années, projeta environ 1 000 km^3 de lave sur une zone de plus de 10 000 km^2. C'est en Islande, en 1783, qu'eut lieu la plus récente et la plus importante des manifestations de ce type. L'éruption ne produisit que 15 km^3 de lave, mais les émanations toxiques qui suivirent provoquèrent la destruction de 75 % du bétail. À l'époque préhistorique,

les éruptions les plus importantes libérèrent des gaz qui modifièrent temporairement la composition de l'atmosphère terrestre et eurent une incidence globale sur le climat.

En provoquant le déplacement des masses continentales, les mouvements qui affectent le manteau terrestre influent, eux aussi, sur les conditions climatiques. Ainsi, les glaciations se produisent lorsque les continents bloquent l'accès des courants océaniques chauds aux pôles. Les collisions entre les continents donnent naissance à des montagnes, phénomène qui a également des conséquences climatiques.

EXTINCTION DU PERMIEN
EXTINCTION DE MASSE, MONDE, −250 MILLIONS D'ANNÉES
RÉPERTOIRE P. 138 − SITE N°1

Extension des coulées de lave

OCÉAN ARCTIQUE

COULÉES DE LAVE EN SIBÉRIE
Le plateau central de Sibérie s'est formé à la fin du permien par un écoulement de lave qui recouvrit 1,5 million de km^2.

LE PLUS IMPORTANT phénomène d'extinction eut lieu voici 250 millions d'années environ, à la fin du permien. Le mouvement de la croûte terrestre provoqua alors la jonction des continents en une immense masse enserrant une vaste mer peu profonde. Les océans contenaient une grande variété de poissons et un extraordinaire échantillonnage d'invertébrés comme les trilobites, les coraux et de magnifiques organismes en forme de fleur, les lis de mer. Sur terre régnait un écosystème varié et complexe. Avec ses 5 m de longueur, le *Moschops*, un reptile herbivore, dominait par sa taille tous les autres animaux. Il constituait, avec ses semblables, la proie préférée des nombreux reptiles carnivores.

Au début du permien, le globe réunissait toutes les conditions d'une glaciation. Cependant, lorsque les continents se rapprochèrent des zones tropicales, la température se réchauffa rapidement. Au moment de l'extinction de masse, les mouvements de la croûte terrestre amenèrent les continents et la mer qu'ils encerclaient à se soulever et à s'assécher. Dans le même temps, les bassins océaniques qui entouraient la masse continentale se creusèrent.

EXTINCTIONS SOUS-MARINES
Lorsque, à la fin du permien, l'oxygène se raréfia dans les océans, les trilobites, comme 90 % des invertébrés marins, disparurent.

Le niveau de la mer s'abaissa ; de nombreux écosystèmes marins disparurent, et la sécheresse s'abattit sur les terres émergées. La Sibérie connut à la même période une série de gigantesques éruptions volcaniques : pendant six cent mille ans environ, 45 séismes noyèrent 1,5 million de km^2 sous 3 700 m de lave brûlante. Provoquant la disparition de toute forme de vie dans la région, la matière en fusion déclencha de gigantesques incendies et projeta d'énormes quantités de métal, de gaz et d'autres matières provenant du manteau terrestre très loin dans l'atmosphère.

Il est probable que, associé aux bouleversements de la croûte terrestre, le dioxyde de carbone rejeté par les éruptions volcaniques a modifié la composition de l'atmosphère et considérablement réduit

l'approvisionnement en oxygène des océans, tout comme la décomposition des cadavres carbonisés de millions d'animaux a amplifié la pollution de l'environnement. Plusieurs vagues d'extinction se seraient alors succédé, rendant la Terre inhabitable pour plusieurs dizaines de milliers d'années.

Seules 4 % des espèces survécurent à cette catastrophe. Les insectes, généralement moins touchés par ce type de phénomène, furent également décimés. Seuls en réchappèrent ceux qui se terrèrent pour échapper à la chaleur intense. Après l'extinction du permien, le climat se caractérisa par des températures élevées, ce qui contribua au développement des reptiles à sang froid et préluda à l'apparition des dinosaures.

SURVIVANTS DE L'EXTINCTION DE MASSE
*Ce squelette de 2 m de long est celui d'un carnivore amphibien, l'*Eryops, *qui survécut au permien. L'évolution ultérieure des mammifères est liée au fait que le lystrosaure, un reptile de la taille d'un porc, proche des mammifères, ne disparut pas lui non plus à cette époque.*

ÂGE GLACIAIRE OU RÉCHAUFFEMENT ?

Les fluctuations climatiques ont engendré des sécheresses, des inondations et des refroidissements à l'origine des catastrophes les plus tragiques de l'histoire de l'humanité. Pourtant, au cours des huit mille ou neuf mille dernières années, le climat de la Terre a été remarquablement stable. Les variations de la température moyenne ont été inférieures à 1 °C. Personne, cependant, ne sait quand s'achèvera cette période de stabilité, mais elle prendra fin sans aucun doute. Les deux millions d'années qui se sont écoulées furent marquées par une série d'âges glaciaires, durant lesquels la température moyenne était plus basse d'environ 5 °C et fluctuait beaucoup plus qu'aujourd'hui. Ces âges

glaciaires instables furent ponctués de brèves périodes interglaciaires pendant lesquelles le climat était, comme aujourd'hui, relativement doux et stable. Chacune d'entre elles dura en moyenne dix mille ans.

Cela suggère que le climat va devenir instable dans moins de mille ans ; les températures chuteront à nouveau. Toutefois, ce scénario a probablement été déjà gravement perturbé par les activités humaines.

CHANGEANTE ATMOSPHÈRE

Depuis le début de la révolution industrielle, il y a deux cents ans environ, la combustion de charbon, de pétrole et de gaz a progressivement accru la quantité de dioxyde de carbone dans l'atmosphère. Celui-ci est une composante normale et essentielle de l'atmosphère, qu'absorbent les plantes et que libèrent les animaux. Sa présence dans l'air contribue à piéger l'énergie solaire dans les couches inférieures de l'atmosphère, ce qui empêche la Terre de se trans-

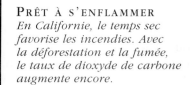

PRÊT À S'ENFLAMMER
En Californie, le temps sec favorise les incendies. Avec la déforestation et la fumée, le taux de dioxyde de carbone augmente encore.

DANS L'ATTENTE DE LA PLUIE
Pour prévenir de nouvelles famines en Afrique, les experts demandent qu'un effort urgent soit accompli dans la recherche en matière de récoltes résistant à la sécheresse.

former en un désert de glace. Mais ce n'est qu'un ingrédient mineur de l'air ; la combustion d'énergies fossiles s'est en conséquence traduite par une augmentation du taux global de dioxyde. En vingt ans, de 1970 à 1990, le taux de dioxyde de carbone dans l'atmosphère a augmenté de 10 %. Il est difficile de prévoir de quelle façon cet accroissement soudain affectera le climat, mais on prédit souvent une augmentation des températures moyennes comprise entre 1,5 et 4,5 °C.

Une hausse, même minime, entraînerait la fonte de larges pans des calottes polaires et de nombreux glaciers, donc une élévation brutale du niveau des mers. Les côtes les plus basses, notamment au Bangladesh, en Chine et aux Pays-Bas, seraient davantage exposées aux inondations. Les îles coralliennes, comme les Maldives et les îles Cook, disparaîtraient purement et simplement.

PRÉOCCUPATIONS ACTUELLES

L'étude des fluctuations climatiques rapides durant le dernier âge glaciaire suggère qu'elles se produisirent lorsque des armadas d'icebergs se détachèrent des glaciers couvrant le Canada, pour faire surface dans l'océan Atlantique. En fondant, ces icebergs perturbèrent la circulation océanique, les eaux froides de

SOUS LE SIGNE D'EL NIÑO
L'augmentation du taux de dioxyde de carbone renforcerait le phénomène El Niño, ce qui expose l'ouest du continent américain à des précipitations plus fortes et à des inondations plus importantes.

l'Atlantique Nord devenant moins denses que les eaux chaudes baignées par le Gulf Stream, remontant des tropiques. Certains chercheurs craignent qu'un réchauffement global, en faisant fondre la glace du pôle Nord, ne bloque à nouveau le Gulf Stream. Cela provoquerait une chute brutale de plus de 5 °C de la température dans le nord-ouest de l'Europe, région réchauffée par le Gulf Stream.

La plupart des scientifiques répugnent à fixer une date pour un tel événement, car jamais auparavant les conditions n'ont été semblables. Les températures globales augmentent, de même que le taux de dioxyde de carbone, déjà élevé ; et tout cela se produit durant une époque glaciaire, caractérisée par l'instabilité du climat. Pis, les scientifiques prédisent également que l'élévation du niveau des mers va significativement accroître l'activité volcanique, ce qui polluera davantage l'atmosphère.

LE RETRAIT DES GLACES
Des falaises de glace s'écroulent dans Disenchantment Bay, en Alaska. Le réchauffement global entraîne la rétraction des calottes glaciaires, ce qui risque de perturber les courants océaniques.

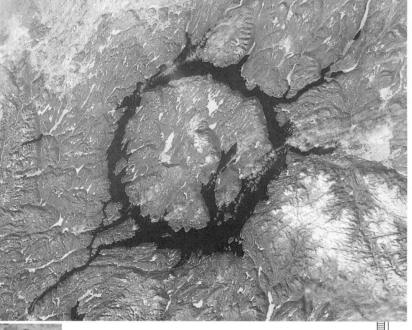

CRATÈRE MÉTÉORITIQUE
La Terre a déjà fait l'expérience d'importants impacts météoritiques. Le cratère Manicouagan, large de 100 km, est dû à un tel choc, daté de 210 millions d'années, à la fin du trias.

LA LUTTE POUR LA VIE

Nous, les humains, pensons appartenir à l'espèce dominante, mais, comme tous les êtres vivants, nous devons lutter pour notre survie. La pire menace vient des milliards de créatures minuscules qui vivent autour de nous. Insectes et micro-organismes divers sont à l'origine de famines massives ; ils dévorent, corrompent et empoisonnent nos vivres. Les microbes qui attaquent directement nos corps sont encore plus meurtriers. L'histoire est modelée d'épidémies qui ont affecté des populations entières, bouleversant l'ordre social. Les civilisations de la Grèce et de la Rome antiques furent submergées par de terribles épidémies. L'Empire mongol, qui domina une grande partie de l'Asie du Sud-Est, s'écroula lorsque la peste ravagea l'Eurasie au XIVe siècle ; et, sans les maladies infectieuses qu'ils importèrent, les Européens n'auraient pas colonisé si rapidement les Amériques. Au cours des cent cinquante dernières années, on a beaucoup appris sur les causes de ces épidémies, mais la propagation du sida, par exemple, témoigne du fait que l'humanité n'est toujours pas à l'abri des maladies infectieuses.

LA GRANDE FAMINE ②
Plus d'un million d'Irlandais moururent de faim dans les années 1840, les récoltes de pommes de terre ayant été détruites trois années de suite par un champignon parasite.

① **ÉPIDÉMIES AMÉRICAINES**
Entre 1492 et 1900, les maladies infectieuses importées de l'Ancien Monde par les Espagnols et par les colons européens emportèrent plus de 90 % de la population indienne du continent américain.

LE VIRUS DE LA GRIPPE
Le virus de la grippe, tel celui de la grippe chinoise en 1993, grossi ici 160 000 fois, est transmis par les gouttelettes que les personnes infectées émettent en se mouchant ou en toussant.

L'EAU QUI TUE
Dans les camps où ils trouvèrent refuge après avoir fui les combats en 1994, les Rwandais furent souvent contraints de boire l'eau souillée par leurs propres déjections, milieu propice à la prolifération des micro-organismes vecteurs de maladie, tel le vibrion cholérique.

③ **LA GRIPPE ESPAGNOLE**
*La pandémie de grippe la plus
meurtrière se déclara en 1918
et se propagea dans les tranchées
des Flandres. En juin 1919, elle avait
tué plus de 22 millions de personnes
dans le monde, malgré l'utilisation de
masques pour conjurer son expansion.*

⑥ **LE CHOLÉRA**
*Une épidémie de choléra
apparue dans le nord-est
de l'Inde en 1826, se répandit
dans le monde jusqu'en
1834, faisant des millions
de victimes.*

DU PARFUM CONTRE LA PESTE
Au temps où sévissait la peste,
on remplissait des diffuseurs d'herbes
aromatiques censées protéger leur
porteur d'une maladie que l'on croyait
transmise par l'air vicié.

⑤ **LA PESTE NOIRE**
*La pandémie de peste qui
ravagea l'Asie au XIVᵉ siècle
atteignit l'Europe en 1346.
En sept ans, avec un maximum
en 1348, elle tua un Européen
sur trois.*

④ **LE SIDA**
*Depuis que le sida a été identifié, dans les
années 1980, la recherche médicale a dépensé
des milliards pour trouver comment prévenir
ou guérir cette maladie. Mais le nombre de cas
augmente de manière alarmante.*

LES RATS, UN VÉRITABLE FLÉAU
Les rats vivent parmi les hommes et
se nourrissent de leurs vivres. Les puces,
parasites des rats, peuvent ainsi
nous transmettre des maladies comme
la peste. L'infection progresse si vite
qu'elle peut encore tuer lorsqu'elle n'est pas
traitée à temps par antibiotiques.

VIVANTS FLÉAUX

DES ENNEMIS INVISIBLES menacent les hommes en permanence : les micro-organismes, prédateurs de notre nourriture et de nos corps. Au cours des cent cinquante dernières années, les causes des épidémies et des maladies touchant les récoltes ont été peu à peu identifiées. Cette connaissance ne nous protège pourtant pas toujours des prédateurs minuscules mais mortels qui nous entourent, ni des ravages que peuvent exercer les insectes nuisibles.

NOS ENNEMIS

Lions, tigres, loups et ours, ces féroces préda- teurs que redoutaient nos ancêtres, comptent aujourd'hui parmi les espèces menacées, que nous protégeons dans l'espoir d'éviter leur extinction.

Personne, en revanche, ne déplore la dispa- rition de la variole. L'éradication de cette mala- die virale, en 1979, est considérée comme un remarquable succès. Si notre attitude face à ces deux types de prédateurs est bien différente, c'est que nous savons que les virus sont bien plus meurtriers.

Il est plus malaisé de se protéger d'un essaim d'insectes que d'une meute de loups, et plus difficile encore de combattre les hordes invi- sibles de virus, de bactéries et de champi- gnons…

Fondamentalement, tous les êtres vivants sont en compétition pour les ressources de la planète. Nous nous représentons au sommet de la chaîne alimentaire, mais, en réalité, nous fournissons de quoi subsister à une multitude d'autres êtres

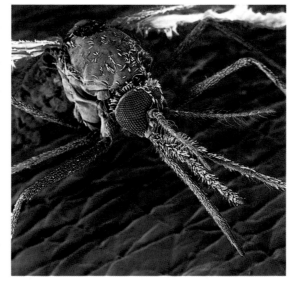

MOUSTIQUES VECTEURS DE MALADIES
La femelle de l'anophèle transmet à l'homme le paludisme, lorsqu'elle suce son sang. D'autres moustiques sont vecteurs de maladies mortelles : fièvre jaune, dengue et fièvre de la Rift Valley.

vivants. L'invention de l'agriculture nous a permis de produire davantage de nourriture, mais nous devons encore lutter, pour avoir notre part, contre les insectes herbivores et les micro-orga- nismes, et également contre des animaux nui- sibles plus gros, tels les rats et les souris.

L'agriculture a eu pour conséquence impré- vue de permettre aux micro-organismes patho- gènes d'infecter les humains. Les bactéries de la lèpre et de la tuberculose sont très proches des bactéries du sol, et ces maladies apparurent probablement très peu de temps après que nos ancêtres eurent commencé à cultiver la terre. L'humanité a quelque trois cents maladies en commun avec les animaux qu'elle a domesti- qués. De nombreuses maladies infectieuses, causes d'épidémies, proviendraient d'animaux domestiques. Le virus de la variole humaine, par exemple, est apparenté à celui de la variole de la vache, et le virus de la rougeole est pro- bablement proche de celui qui provoque la maladie de Carré chez le chien.

Au cours des siècles, le génie humain s'est mesuré aux organismes nuisibles. Ainsi ont été mis au point les préservatifs, les moustiquaires, le traitement des eaux usées, les règles d'hygiène, la pasteurisation, les antibiotiques, les vaccins ou encore les pesticides. Toutefois, l'avantage que nous pouvons prendre sur les microbes ne pourra jamais qu'être temporaire. Nos rivaux n'ont peut-être pas notre capacité à concevoir de nouvelles stratégies, mais ils sont plus nombreux et se reproduisent beaucoup plus rapidement. Ils évoluent à une vitesse sur- prenante, de sorte que, lorsqu'ils ont le dessus, même brièvement, l'humanité tout entière est en péril.

EUROPE		ASIE SEPTENTR. ET JAPON		AMÉRIQUE DU NORD	
TUBERCULOSE	194 891	TUBERCULOSE	159 605	SIDA	41 231
MALARIA	90 317	ROUGEOLE	8 334	TUBERCULOSE	22 860
ROUGEOLE	71 489	MALARIA	2 923	ROUGEOLE	2 666
PROCHE-ORIENT		ASIE MÉRIDIONALE		AMÉRIQUE CENTRALE	
MALARIA	211 666	MALARIA	4 696 895	MALARIA	172 258
TUBERCULOSE	83 368	TUBERCULOSE	1 865 493	TUBERCULOSE	32 717
ROUGEOLE	10 930	LÈPRE	666 091	LÈPRE	8 308
AFRIQUE		PACIFIQUE SUD		AMÉRIQUE DU SUD	
MALARIA	27 315 759	MALARIA	765 677	MALARIA	937 946
TUBERCULOSE	478 574	TUBERCULOSE	9 978	TUBERCULOSE	182 319
ROUGEOLE	333 053	ROUGEOLE	4 967	LÈPRE	152 710

PRINCIPALES MALADIES INFECTIEUSES
De nos jours, les maladies infectieuses tuent quelque 17 millions de personnes par an. Sur la carte, les trois maladies le plus contractées dans neuf régions du monde, et, pour chacune d'elles, le nombre moyen de cas recensés annuellement.

INVASION DE CRIQUETS EN AFRIQUE
En 1992, en Afrique, de vastes étendues de terres agricoles furent dévastées par la plus grande invasion de locustes de l'histoire.

LE PÉRIL ROUGE

De nos jours, la rougeole atteint surtout les enfants, provoquant frissons, fièvre et éruption cutanée. Lorsqu'elle arriva aux Amériques, la maladie tua des millions de personnes.

PILLEURS DE RÉCOLTES

Si la nourriture abonde dans certains pays, la production mondiale répond difficilement à la demande d'une population toujours croissante. Nous mettons donc en culture toujours plus de terres. Des surfaces autrefois occupées par la forêt tropicale, par le désert ou par des marais, sont aujourd'hui cultivées, ce qui a entraîné le déclin, voire l'extinction, de nombreuses espèces, tout en encourageant la prolifération des animaux nuisibles. Ceux-ci détruisent chaque année environ 35 % des récoltes mondiales et

ENGRAISSÉS PAR LES HOMMES
Non seulement les rats mangent nos vivres, mais leurs urines y répandent virus et bactéries. Il existe un lien entre ces rats noirs et la peste qui se déclara en Inde en 1994.

LE DORYPHORE
Venu des États-Unis, ce coléoptère s'est répandu en Europe et en Asie. Très résistant aux insecticides, il se nourrit des feuilles de la pomme de terre et de la tomate, détruisant ainsi les récoltes.

dévorent de 10 à 20 % des stocks une fois les récoltes faites. Si les dégâts causés par des rats sont évidents, ceux que provoquent les insectes ou les champignons microscopiques, bien qu'imperceptibles, sont beaucoup plus terribles.

Lorsque la nourriture abonde, les insectes nuisibles sont des machines reproductrices très efficaces. Les plus résistants survivent à la pénurie, puis, dès qu'ils ont à manger, ils se multi-

plient rapidement. Une femelle de puceron produit des milliers d'œufs, qui se transforment très vite en autant de pucerons. Lesquels se multiplient à leur tour, et le cycle se poursuit tant que l'alimentation est assurée. Un seul puceron peut ainsi donner le jour à 600 billions de descendants en une année.

Ce n'est qu'en recourant aux pesticides que les hommes peuvent produire assez de nourriture pour assurer leur subsistance, mais chaque nouveau pesticide n'offre qu'une protection éphémère. Les insectes nuisibles, en effet, s'adaptent rapidement. Le DDT, premier

LA LUTTE CONTRE LES CRIQUETS
Les avions déversent des pesticides sur les essaims de locustes. Ces essaims, qui rassemblent plus d'un million de criquets, s'étirent tellement qu'il est très difficile de les circonscrire.

insecticide utilisé à grande échelle, fut mis au point dans les années 1940. Dès 1947, des mouches résistantes au DDT firent leur apparition en Italie, puis dans d'autres pays. Bientôt, moustiques et poux développèrent des résistances. Mais de nombreuses espèces étaient vulnérables au DDT, sans être nuisibles. Le nombre des oiseaux de proie, qui se reproduisant plus lentement, ne développèrent aucune résistance, décrut considérablement tant que le pesticide fut utilisé. Le DDT n'eut, en revanche, guère d'impact à long terme sur les insectes.

RÉCOLTES CONTAMINÉES

S'ils causent directement de graves dégâts dans les cultures, les insectes sont à l'origine de dommages indirects bien plus considérables, puisqu'ils permettent aux micro-organismes d'infecter les plantes et de répandre les maladies. À l'échelle mondiale, 80 000 maladies végétales ont été identifiées. Certaines sont causées par des bactéries et par des virus, mais la majorité provient de champignons.

Certains champignons se sont spécialisés dans le parasitisme de quelques espèces végétales, et ce sont ces souches qui dévastent les récoltes. Comme la plupart des autres champignons, ceux-ci se reproduisent en libérant des millions de spores que le vent propage. Le champignon *Phytophthora infestans,* qui infeste les plants de pomme de terre, causa la mort de millions de personnes en Europe *(voir ci-contre).*

Quelques champignons tuent plus directement en produisant une toxine qui contamine les plantes. Durant la Première Guerre mondiale, 70 000 soldats environ moururent d'empoisonnement pour avoir mangé du pain fait à partir de seigle infesté par le champignon de l'ergot.

LA GRANDE FAMINE
MALADIE DE LA POMME DE TERRE, IRLANDE, 1845–1848
RÉPERTOIRE P.134 – SITE N° 65

LES ESPAGNOLS introduisirent la pomme de terre en Europe au XVIᵉ siècle. Elle poussait bien sur les sols exempts des micro-organismes ayant infesté la plante dans son Pérou natal. Au XIXᵉ siècle, c'était devenu la base de l'alimentation, particulièrement en Irlande, où les paysans devaient vendre l'essentiel de leurs récoltes et de leur bétail pour payer le fermage aux propriétaires.

Le mildiou, qui apparut aux États-Unis au début des années 1840, parvint en Europe en 1845. Les spores du champignon à l'origine de cette maladie avaient probablement traversé l'océan à bord des navires marchands avant d'être disséminées par le vent.

Inhabituellement pluvieux, l'été de 1845 fut propice au développement des champignons. Du jour au lendemain, de magnifiques plants de pommes de terre noircirent et devinrent visqueux. À la fin de l'été, le fléau s'était répandu à travers l'Europe. La grande famine était en marche.

La situation empira les deux années suivantes, le temps demeurant humide et les récoltes de pommes de terre insuffisantes.

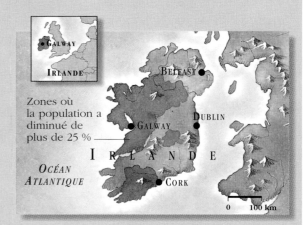

LE DÉPEUPLEMENT DE L'IRLANDE
Lorsque le mildiou envahit les champs de pommes de terre, en 1845, l'Irlande comptait 9 millions d'habitants. La famine emporta 1,5 million d'Irlandais ; ils furent 1,6 million à émigrer.

Durant l'hiver 1847-1848, des millions d'Européens furent touchés par la famine. En Irlande, presque toute la population avait faim. Les gens mangeaient de l'herbe, des détritus ou de la sciure. Émeutes et pillages se multiplièrent. Le typhus et la dysenterie se propagèrent rapidement, décimant une population affaiblie, qui était trop pauvre pour acheter de quoi se nourrir ou se chauffer.

ÉMEUTES À GALWAY
Tenaillés par la faim, les habitants de Galway prennent d'assaut les stocks de pommes de terre d'une épicerie.

FAMINE ET EXPULSIONS
De nombreux fermiers irlandais, trop faibles pour travailler la terre, furent expulsés par les propriétaires, en majorité anglais. Ces expulsions encouragèrent les revendications en faveur d'un État libre d'Irlande, institué en 1922.

MALADIES

Aucun volcan ou séisme, aucune tempête ou inondation n'a dévasté la population à la même échelle que les maladies infectieuses. Au Moyen Âge, la peste noire emporta environ un tiers de la population d'Europe et d'Asie *(voir p. 112)*. Après la colonisation de l'Amérique centrale par les Européens, 90 % de la population indigène moururent de maladies infectieuses *(voir p. 114)*. Parce que les victimes ne comprenaient pas la cause de ces désastres et ne pouvaient s'en prémunir, ces maladies répandaient la terreur autant que la mort.

Il fallut attendre les années 1860 pour que Louis Pasteur établisse que les maladies ont pour origine des organismes vivants microscopiques. Depuis, de nombreuses infections ont été reliées à telle bactérie, tel virus ou tel autre microbe ; et la recherche se poursuit, car les microbes évoluent rapidement et de nouvelles souches pathogènes émergent. Le VIH, responsable du sida, n'a été identifié qu'en 1984 *(voir p. 121)*. Des corrélations sont établies entre des microbes et certaines maladies dont on ne pensait pas qu'elles puissent être associées à une infection. Ainsi, des liens ont été mis en évidence entre des infections bactériennes et les ulcères de l'estomac ou les problèmes artériels dans les maladies du cœur. Plusieurs cancers et des maladies neurologiques rares sont associés à des infections virales.

Peu de microbes sont pathogènes, mais les microbes tueurs couvrent toute la palette des formes de vie microscopique et empruntent divers vecteurs. Le paludisme, la maladie infectieuse la plus meurtrière au monde, est dû à des

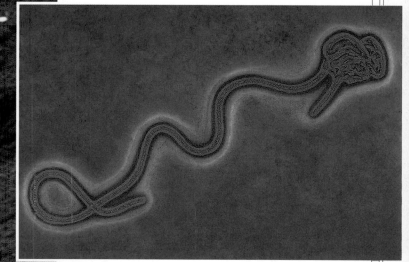

LE VIRUS ÉBOLA
Le virus Ébola, grossi 13 500 fois (ci-dessus), provoque des hémorragies qui emportent la plupart des malades en moins d'une semaine. Aussi les personnes en contact avec des victimes du virus se protègent-elles soigneusement.

LA PESTE NOIRE

PESTE, EURASIE ET AFRIQUE DU NORD, 1346–1352

RÉPERTOIRE P.135 – SITE N° 26

LA PESTE BUBONIQUE, due à la bactérie *Yersinia pestis*, présente chez les rongeurs sauvages et les puces se nourrissant de leur sang, se répandit, en 1331, parmi les rats de la province chinoise de Hopei. Les puces s'attaquèrent alors aux habitants. En 1332, le nord de la Chine était en proie à une épidémie meurtrière, qui se propagea vers l'ouest à travers l'Asie pour atteindre les rives de la mer Noire en 1346. Des marchands génois contractèrent la maladie à Kaffa et la rapportèrent en Europe.

Maladies infectieuses et morts prématurées étaient, hélas ! familières en Europe médiévale, mais rien n'avait préparé la population à l'horreur que répandit cette pandémie. Jeunes ou vieux, bien portants ou faibles, tous furent frappés sans distinction. Quand la maladie entrait dans une ville, on ramassait des centaines de corps chaque jour. Des villages entiers furent décimés. Une personne se savait atteinte lorsque se formaient des ganglions (bubons) dans l'aine ou sous l'aisselle. La maladie s'attaquait ensuite aux

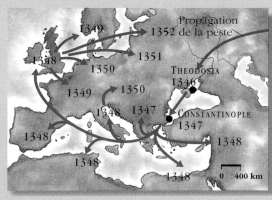

LA MORT SE RÉPAND
De Chine, la peste gagna l'Europe en 1346, où elle tua plus du tiers de la population. Les pertes furent également terribles en Afrique du Nord et au Proche-Orient.

vaisseaux sanguins. Le nom de peste noire est dû aux taches noirâtres qu'elle provoquait sur la peau. Les écrits de l'époque évoquent la « puanteur insoutenable » exhalée par l'haleine des victimes et la « matière qui exsudait de tout leur corps ». Certains malades déliraient, d'autres sombraient dans le coma. La plupart mouraient dans les jours suivant l'apparition des bubons, mais parfois, les bubons éclataient, libérant leur poison. Il y avait alors une chance de guérison. Il arrivait aussi que des malades atteints de la peste noire contractent la peste pulmonaire. Les poumons infectés, ils se mettaient à cracher du sang. Cette forme de la maladie était presque toujours fatale. Les témoins parlent de gens mourant en quelques heures.

Parce que le bacille de la peste tue rapidement et ne survit pas à la mort de son hôte, la peste noire ne dura guère. L'Europe connut d'autres épidémies de peste jusqu'à la fin du XVIIe siècle. En 1894, la peste se déclara à Hongkong et tua plus de 10 millions de personnes en Asie.

LE TRIOMPHE DE LA MORT
Après la peste noire, le spectre de la mort hanta l'art européen durant plus d'un siècle.

microbes complexes appelés protozoaires, que véhiculent les moustiques.

Les bactéries sont des organismes plus simples, formés, le plus souvent, d'une cellule unique, mais leurs effets varient beaucoup d'une espèce à l'autre. Par exemple, *Yersinia pestis,* le bacille de la peste, se reproduit si vite qu'il peut submerger le système immunitaire et tuer en quelques jours ou en quelques heures. *Mycobacterium tuberculosis,* en revanche, est un organisme à croissance lente, doté d'une enveloppe cireuse qui le protège du système immunitaire. Rares sont les personnes infectées qui développent immédiatement la tuberculose, mais le microbe peut rester assoupi durant des années pour redevenir actif lorsque le corps est affaibli par la malnutrition, le stress ou un autre trouble.

Plus minuscules qu'une bactérie, les virus sont constitués d'un petit nombre de gènes entourés d'une enveloppe protéinique qui leur permet de se coller à certaines cellules. Ces gènes, une fois introduits dans la cellule, en

UNE TIQUE DANGEREUSE
Cette tique, grossie 50 fois, est porteuse de la bactérie Borrelia burgdoferi, *responsable de la maladie de Lyme, qui se caractérise par des troubles articulaires, cardiaques et neurologiques.*

contrôlent la machinerie biochimique. Certains virus intègrent les gènes de la cellule hôte, provoquant une croissance anormale de celle-ci. Toutefois, les virus le plus couramment associés à des maladies infectieuses, ceux de la grippe par exemple, contraignent la cellule à fabriquer de nombreuses copies du virus, lesquelles vont infecter d'autres cellules.

ÉPIDÉMIES

Durant une épidémie, la maladie se propage rapidement. Elle tue les gens bien portants comme les infirmes, entraînant bouleversements sociaux et économiques.

En temps ordinaire, les anticorps produits par le système immunitaire protègent l'organisme, en identifiant et en détruisant les agents infectieux. Mais l'être humain est plus vulnérable lorsque survient un microbe virulent inconnu ou lorsque son système immu-

CHASSEUR DE MICROBES
Robert Koch (1843-1910) isola les bacilles responsables du choléra et de la tuberculose, et mit en évidence le lien entre les microbes et les maladies.

nitaire est affaibli. Les épidémies se déclarent généralement quand un microbe présent parmi d'autres espèces mute et attaque l'homme, ou encore lorsqu'un microbe parvient à contourner les défenses immunitaires. Des épidémies de grippe éclatent ainsi périodiquement parce que le virus

pathogène, présent chez les volailles et les porcs comme chez les humains, se transforme en passant de l'une à l'autre espèce, et ne peut plus être identifié par les autres. La grippe espagnole tua plus de 22 millions de personnes *(voir p. 118).*

Certains microbes relativement peu virulents, tel le bacille de la tuberculose, peuvent néanmoins engendrer une épidémie parmi une

INVASION DU SANG
Les protozoaires, agents du paludisme, envahissent les globules rouges et s'y multiplient. Ils se répandent dans l'organisme lorsque les globules éclatent.

ÉPIDÉMIES AMÉRICAINES
MALADIES DE L'ANCIEN MONDE, AMÉRIQUES, 1492–1900
RÉPERTOIRE P.130 – SITE N°5

LES HISTORIENS ont longtemps pensé que les Amériques n'étaient peuplées, avant l'arrivée de Christophe Colomb, que de 8 à 12 millions d'habitants. Un examen plus attentif des documents suggère que de 25 à 30 millions de personnes vivaient sous la domination de l'Empire aztèque, dans le seul Mexique. Vers 1580, ce nombre était tombé à 3 millions. Bien peu de victimes périrent en combattant les conquistadores espagnols. La plupart des Aztèques moururent en luttant contre les germes.

PROMESSES DE L'OR
Pour convaincre les indigènes d'Amérique centrale et du Sud de leur remettre leurs richesses, les Espagnols les persuadèrent que seul l'or viendrait à bout des maladies dont ils souffraient.

Pendant onze mille ans, les peuples d'Amérique n'avaient eu aucun contact avec les civilisations d'Europe, d'Afrique du Nord ou d'Asie. Ils avaient été épargnés par les épidémies de rougeole, de variole et autres maladies dont on pense aujourd'hui qu'elles sont dues à des microbes présents à l'origine chez les seuls animaux, mais ayant évolué pour attaquer les humains. À la différence de ceux de l'Ancien Monde, en contact avec des animaux

LA VARIOLE GAGNE L'AMÉRIQUE
Les conquérants espagnols introduisirent la variole à Hispaniola en 1518, puis au Mexique, où elle se propagea comme un feu de paille, atteignant les Incas avant même l'arrivée des Espagnols au Pérou.

domestiqués depuis des milliers d'années, les habitants des Amériques n'avaient apprivoisé que quelques animaux, tirant leur subsistance de la chasse et des cultures. Ils n'étaient donc pas immunisés contre les maladies de l'Ancien Monde.

Le rôle joué par les maladies infectieuses dans l'histoire des Amériques ne saurait être sous-estimé. En 1521, le conquistador espagnol Hernán Cortés prit la capitale des Aztèques, Tenochtitlán. Son armée, très réduite, ne put venir à bout d'un million et demi de personnes que parce que la variole avait tué la plupart des dirigeants aztèques et la moitié des guerriers, laissant les survivants démoralisés. Nul ne pouvait comprendre pourquoi la maladie ne frappait que les Aztèques, aussi les deux camps crurent-ils à une intervention divine.

Le même choc microbien se reproduisit en Amérique du Nord à l'arrivée des colons britanniques et français, quatre-vingt-dix ans plus tard. On estime aujourd'hui que, entre 1492 et 1900, la population indigène d'Amérique chuta de 100 millions à moins de 10 millions.

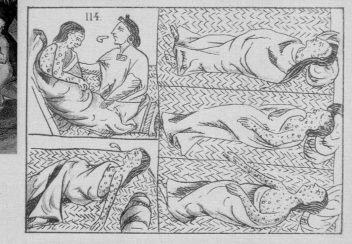

POUSSÉS AU DÉSESPOIR
Les maladies infectieuses de l'Ancien Monde décimèrent les Aztèques et permirent aux Espagnols de soumettre les survivants (ci-dessus). Des dessins de l'époque dépeignent les souffrances des malades atteints par la variole (ci-contre).

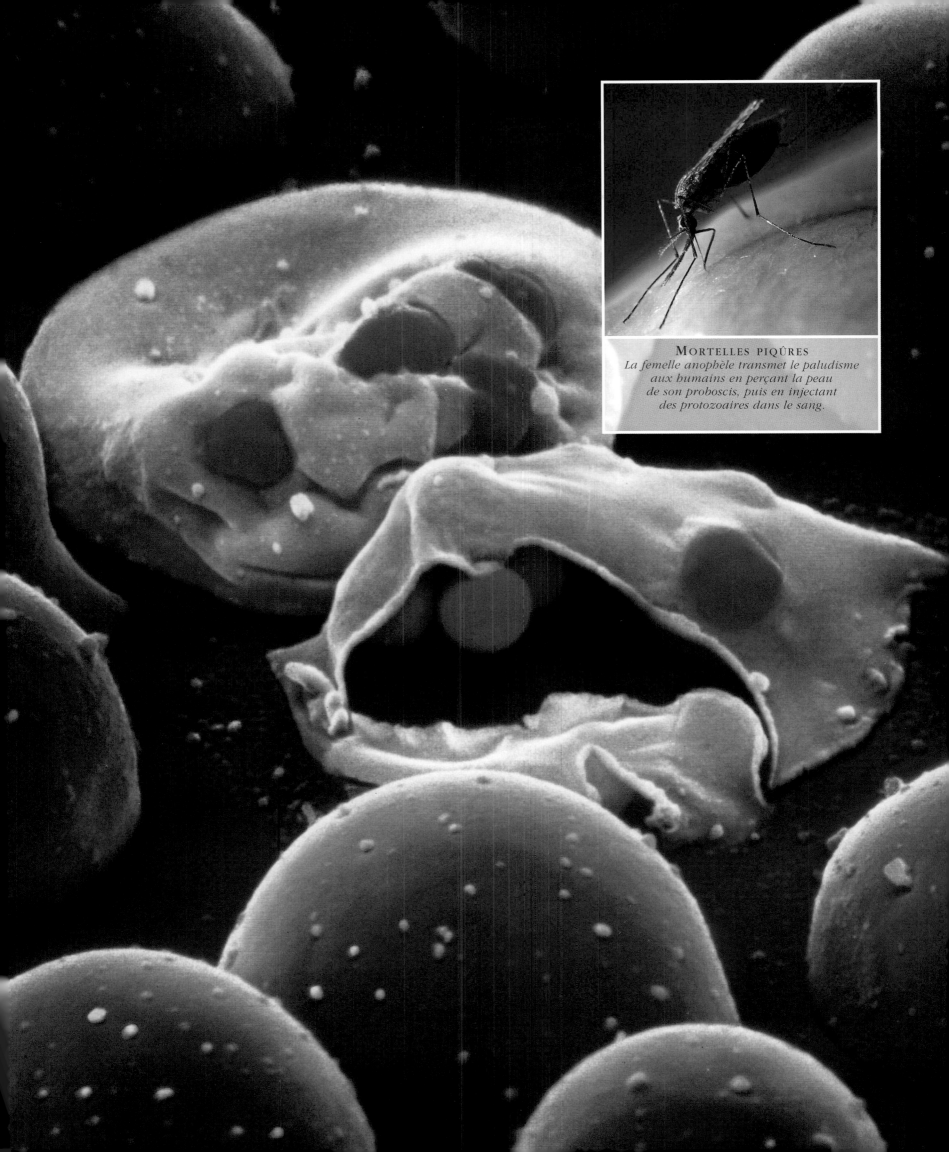

population que la promiscuité, l'insalubrité et la malnutrition rendent vulnérable à la maladie.

Depuis que l'agriculture s'est diffusée et que les hommes se sont sédentarisés et regroupés, l'histoire de l'humanité a été ponctuée de nombreuses épidémies. Le risque de propagation des infections a augmenté à mesure que les villages devenaient des bourgs, puis des villes. Marchands, soldats et explorateurs transportè-

LE CHOLÉRA ET LA GUERRE
Les populations fuyant la guerre civile au Rwanda, en Afrique, trouvèrent refuge dans des camps de fortune, où beaucoup moururent d'une épidémie de choléra favorisée par le manque d'hygiène.

rent ensuite les maladies d'une ville à l'autre, d'un continent à l'autre. En 166 apr. J.-C., les troupes romaines cantonnées en Syrie contractèrent une infection inconnue qu'elles rapportèrent en Italie. De là, la contagion s'étendit à toute l'Europe, emportant plus d'un habitant sur trois.

Les épidémies ont vaincu de nombreuses armées et anéanti des civilisations. On impute généralement à l'hiver russe l'échec de l'invasion napoléonienne en 1812, mais l'eau corrompue absorbée par l'armée française en fut plus certainement la

FILTRER LES GERMES
Les filtres à eau comme celui-ci devinrent courants au XIXe siècle, après que le Dr John Snow eut établi la relation entre choléra et pollution de l'eau.

cause. Entre 380 000 et 500 000 soldats qui marchaient sur Moscou moururent du typhus ou de dysenterie. Les civilisations aztèque et inca, qui s'éteignirent au début du XVIe siècle, furent victimes des bactéries et des virus importés dans le Nouveau Monde par les conquistadores espagnols *(voir p. 114)*.

LE CHOLÉRA
DEUXIÈME PANDÉMIE, MONDE, 1826–1834
RÉPERTOIRE P.136 – SITE N° 21

LE BACILLE DU CHOLÉRA, *Vibrio cholerae*, avait pour habitat originel les eaux du delta du Gange, dans le nord-est de l'Inde. Les villageois de la région contractaient parfois la maladie, mais le choléra ne devint un tueur en série qu'après avoir atteint Calcutta, en 1817. L'ingestion d'une faible quantité de vibrions cholériques ne provoque que rarement la maladie, car le bacille est détruit par l'acidité de l'estomac. À plus forte dose, en revanche, les bacilles passent dans les intestins, où ils se reproduisent rapidement. Des millions de bacilles furent jetés dans les rues bondées de Calcutta avec les excréments des malades, ce qui favorisa la propagation du choléra. En cinq ans, l'Asie du Sud-Est, la péninsule arabique et l'Afrique de l'Est étaient touchées.

En 1826, le choléra sortit de Calcutta une nouvelle fois pour se répandre vers le nord, à travers l'Inde, l'Afghanistan, l'Iran et la Russie.

À Moscou, atteinte en 1830, 50 % des malades décédèrent. Les Moscovites fuyaient vers l'ouest, propageant la maladie en Europe centrale. À l'été de 1831, au moins 100 000 personnes succombèrent au choléra en Hongrie, où les paysans, croyant être empoisonnés, massacrèrent médecins et responsables, qui tentaient d'imposer des mesures de prévention. Dans le même temps, des pèlerins musulmans diffusaient le choléra au Proche-Orient et en Afrique du Nord. En 1832, la maladie parvint en Europe du Nord, où elle frappa les grandes villes. Près de 10 000 personnes moururent tant à Stockholm qu'à Paris, et 7 000 à Londres. Les habitants, terrifiés, réclamaient des mesures de quarantaine et de restriction des déplacements. Ces mesures furent prises, en vain.

LE FLÉAU DU XIXe SIÈCLE
La pandémie de choléra déclarée en 1826 toucha le monde entier. La maladie se propage lorsque les excréments des victimes contaminent l'eau, les draps, les fruits ou les mouches.

À la fin de 1832, des émigrants européens importèrent le choléra en Amérique, où il emporta 50 000 personnes à New York. Durant le XIXe siècle, des millions de personnes moururent de cette maladie redoutée entre toutes, car la mort qu'elle entraîne est horrible et brutale. Cette peur incita les pays industrialisés à améliorer les réseaux d'eau. Mais le choléra frappe encore aujourd'hui les régions où l'eau est polluée.

STOCKHOLM 1832
LONDRES 1832
MOSCOU 1830
NEW YORK 1832
PARIS 1832
KABOUL 1826
LA HAVANE 1833
CADIX 1832
CALCUTTA 1826
MEXICO 1833
La pandémie atteint l'Amérique du Sud en 1834

LE CHOLÉRA À PARIS
En 1832, le choléra atteignit Paris, faisant 10 000 victimes. Certaines mouraient quelques heures après avoir contracté la maladie.

LA GRIPPE ESPAGNOLE

PANDÉMIE DE GRIPPE, MONDE, 1918–1919

RÉPERTOIRE P.134 – SITE N°84

À L'AUTOMNE DE 1918, une nouvelle forme de grippe se répandit parmi les soldats de la Première Guerre mondiale. Elle était si contagieuse que des unités entières furent atteintes. La plupart des malades guérissaient, mais beaucoup développèrent des complications fatales. Après l'armistice, en novembre, les combattants rapportèrent le virus chez eux. La moitié de la population mondiale fut touchée. En juin 1919, 22 millions de personnes avaient succombé à l'infection.

BILAN MONDIAL DE LA GRIPPE ESPAGNOLE
Plus de 22 millions de personnes succombèrent à cette épidémie que francophones et anglophones appelèrent grippe espagnole, les Espagnols, fièvre de Naples, les Japonais, fièvre du lutteur, et les Allemands, catarrhe éclair.

DES FOYERS D'INFECTION
La grippe espagnole se propagea rapidement dans la promiscuité des tranchées boueuses du nord de l'Europe, où elle parvint à l'automne de 1918.

Jamais conflit n'avait été plus meurtrier que la guerre de 14-18, et sa fin fut l'occasion de réjouissances. Pourtant, en rentrant chez eux, les soldats apportaient la mort. En quelques mois, la grippe espagnole fit plus de victimes que quatre ans de combats.

Jusqu'alors, les gens considéraient la grippe comme une infection très contagieuse qui affecte beaucoup les victimes, mais qui n'est mortelle que pour les plus faibles et les plus vieux. La grippe espagnole était différente : plus de 80 % de ceux qui décédèrent avaient entre dix-sept et quarante ans. La mort soudaine de dizaines de millions d'hommes et de femmes en âge de travailler fut aussi un désastre économique pour des sociétés qui venaient de perdre dans la boue des tranchées nombre de leurs jeunes hommes.

Le virus de 1918 fut particulièrement mortel parce qu'il s'attaquait aux poumons, ouvrant la voie à des infections bactériennes plus graves. Les poumons étaient si encombrés de glaires que celles-ci jaillissaient de la bouche et des narines ; de violents saignements de nez étaient courants.

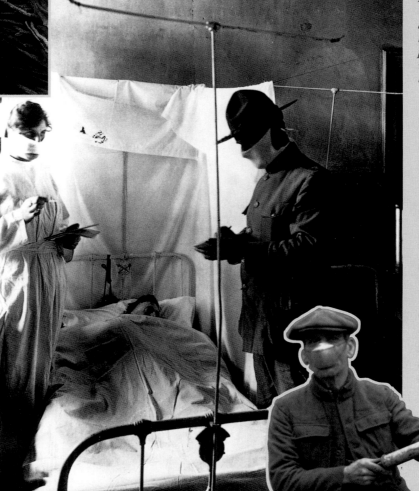

LA GRIPPE EN AMÉRIQUE
Une épidémie de grippe, qui se déclara aux États-Unis au printemps de 1918, toucha de nombreux militaires. Il est possible que les troupes américaines introduisirent le virus mortel dans les tranchées d'Europe.

Les antibiotiques n'existant pas encore, les médecins assistaient, impuissants, à l'agonie de leurs patients.

Des témoignages évoquent des malades succombant dans les rues ou au volant de leur voiture. Lorsque la grippe espagnole frappa les équipages d'un convoi de bateaux de guerre naviguant au large de l'Irlande, les hommes furent incapables de tenir le cap. Deux navires entrèrent en collision et sombrèrent avec 431 hommes. On vantait des remèdes fantaisistes comme l'inhalation d'eucalyptus, de soufre ou d'ail. La transpiration étant considérée comme un indice de guérison, des malades prenaient des bains bouillants ou buvaient de l'alcool pour transpirer davantage. La grippe espagnole ne disparut que lorsque l'humanité fut immunisée contre cette forme du virus.

Mais de nouvelles souches se développèrent bientôt, et les épidémies de grippe, depuis, ont été récurrentes.

Nul ne sait quand – ou même si – se développera un virus aussi virulent que celui qui sévit en 1918 et 1919.

COMBATTRE LA GRIPPE
À Londres comme dans d'autres villes européennes, les bâtiments publics, les bus et les trains étaient régulièrement aspergés de désinfectant, pour tenter d'enrayer l'épidémie.

LA MÉDECINE ET SES LIMITES

Durant des centaines d'années, les gens ont immunisé leurs enfants en les exposant aux maladies infectieuses dès leur plus jeune âge. Lorsque la variole sévissait, on inoculait aux enfants des tissus prélevés sur des malades atteints d'une forme atténuée de la maladie, qu'ils contractaient à leur tour, mais pour gagner une immunité à vie. Les vaccins modernes sont conçus pour immuniser sans provoquer la maladie, mais l'immunisation est de peu d'utilité contre des maladies comme la grippe, car les microbes qui

LA MÉDECINE EN PREMIÈRE LIGNE
La principale limite de la médecine est son coût. Des hôpitaux, comme ici en Somalie, manquent d'argent pour acheter les médicaments et les vaccins nécessaires à la population.

la provoquent ont trouvé le moyen de contourner les défenses immunitaires.

Le traitement des maladies infectieuses a fait un bond en avant avec l'invention, dans les années 1940, des antibiotiques. Ces substances chimiques, beaucoup plus toxiques pour les bactéries que pour les animaux, sont capables, pour la majorité d'entre elles, de soigner des infections bactériennes sans autre répercussion sur l'organisme. Toutefois, certains antibiotiques, comme la méfloquine, utilisée dans le traitement du paludisme, peuvent avoir des effets secondaires importants. Les médi-

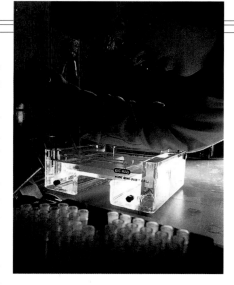

MICROBES À L'ÉTUDE
Les chercheurs cultivent dans les laboratoires des agents infectieux afin de comprendre comment ils provoquent les maladies.

caments contre les infections virales sont plus difficiles à mettre au point, car les virus se reproduisent en utilisant la machinerie biochimique de nos cellules. Enfin, les microbes développent des résistances aux médicaments, ce qui en limite aussi l'usage. Un demi-siècle de traitements antibiotiques a donné naissance à nombre de microbes résistant à la plupart des antibiotiques.

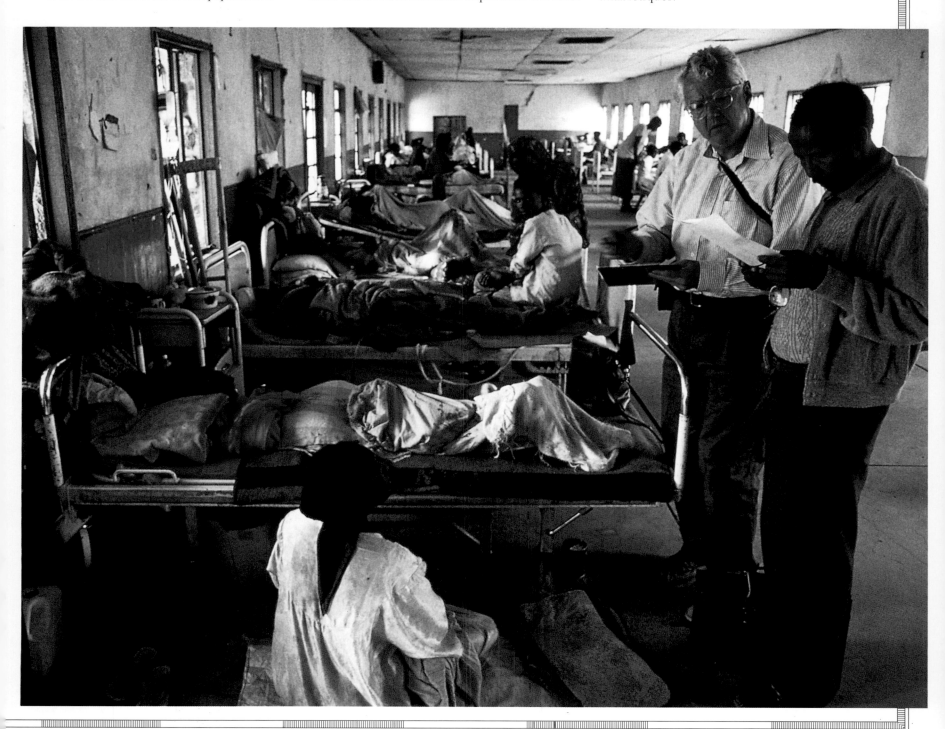

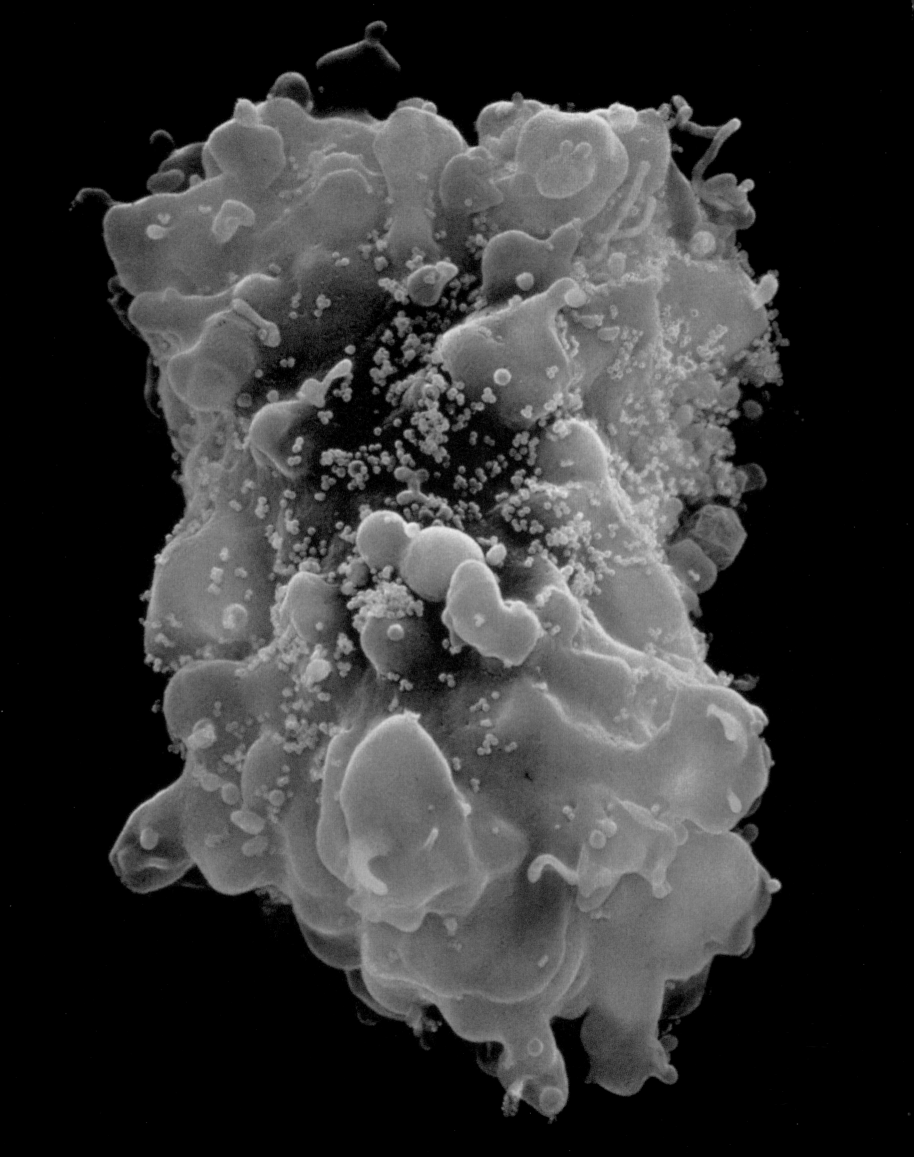

LE SIDA

PANDÉMIE, MONDE, DE 1959 À NOS JOURS

RÉPERTOIRE P.133 – SITE N°25

L'EXPANSION PLANÉTAIRE DU SIDA (syndrome immunodéficitaire acquis) a terrifié un monde qui pensait que la médecine moderne avait triomphé des épidémies. En 1997, 30 millions de personnes environ étaient infectées par le VIH, le virus responsable du sida ; aux États-Unis, il avait fait plus de 350 000 victimes. Le virus est véhiculé par le sperme, le sang et le lait maternel ; il se transmet également de la mère au fœtus. Il tue en détruisant lentement le système immunitaire. Des médicaments ont été mis au point pour combattre le sida (trithérapie), mais ils ne peuvent que ralentir les progrès de la maladie.

UN FLÉAU MODERNE
De nombreux scientifiques sont convaincus que le sida est né en Afrique dans les années 1950, la preuve ayant été faite qu'un virus semblable au VIH était alors présent sur ce continent. La carte montre comment la maladie s'est ensuite propagée.

La première étude sur le sida fut publiée en 1981 dans une revue médicale américaine. Mais, depuis les années 1970, les médecins de New York et de Californie décrivaient des symptômes aujourd'hui associés à cette maladie. Ils avaient noté qu'un nombre croissant d'hommes jeunes et bien portants développaient des infections jusqu'alors spécifiques aux personnes âgées ou à ceux dont le système immunitaire est gravement affaibli par des traitements médicamenteux. Une fois le sida identifié, deux années furent nécessaires aux chercheurs pour isoler le virus responsable de la maladie. Il fut baptisé virus de l'immunodéficience humaine (VIH) parce qu'il attaque les cellules du système immunitaire. On découvrit qu'il est présent sur tous les continents. Nombre de personnes infectées semblaient en bonne santé, mais beaucoup, depuis, ont développé le sida et sont décédées.

UN TUEUR LENT ET SILENCIEUX
Les personnes séropositives présentent d'abord les symptômes d'une grippe légère, puis semblent guérir à mesure que leur système immunitaire détruit le virus. Le VIH ne peut toutefois être éradiqué, parce qu'il mute rapidement, fabriquant

UNE CELLULE T-CD4 ATTAQUÉE
Une cellule du système immunitaire, appelée T-CD4, est ici grossie 40 000 fois. Sa surface est couverte de VIH (en bleu), le virus détruisant les cellules T-CD4 et affaiblissant ainsi le système immunitaire.

EN SOUVENIR DES VICTIMES
Cette gigantesque couverture a été commencée en 1986 par des amis et des proches de victimes du sida : chaque pièce est dédié à un disparu.

d'autres formes de virus contre lesquelles l'organisme doit produire de nouvelles défenses. Le combat dure souvent de six à dix ans, jusqu'à épuisement du système immunitaire. Dès lors, le corps est vulnérable aux infections. Parce que les personnes séropositives ne présentent aucun des symptômes du sida pendant longtemps, la contagion est difficile à retracer et plus encore à enrayer. Nombreux sont ceux qui, ignorant qu'ils ont contracté la maladie, transmettent le virus à leurs partenaires sexuels.

C'est dans les années 1980 que le lien a été clairement établi entre le sida et les personnes ayant de multiples partenaires sexuels ou prenant de la drogue par voie intraveineuse. Les malades du sida furent dès lors la cible des critiques morales de la part de certains ; la lutte concertée contre la maladie a ainsi été retardée d'une décennie. À cette date, le sida était devenu un fléau planétaire que la science demeure impuissante à guérir.

LA PHASE TERMINALE
Une fois le système immunitaire détruit par le virus, la mort peut être causée par d'autres infections, par un effondrement du système nerveux central, ou même par la faim.

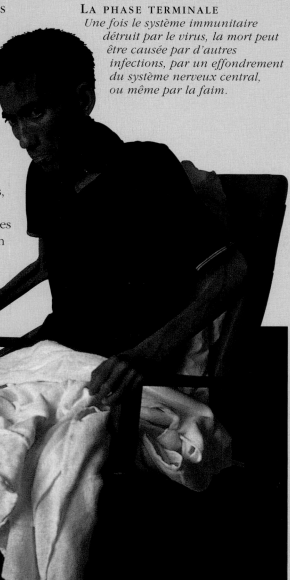

DE NOUVELLES MENACES

Peu après que le virus du sida eut été isolé, la rumeur circula que le VIH avait été mis au point dans les laboratoires de la guerre bactérienne et lâché accidentellement, sinon délibérément. Certains pensaient même qu'il avait été fabriqué par un groupe désireux de punir promiscuité sexuelle et toxicomanie. Il semblait avoir été conçu pour répandre la mort et la désolation. La longue période d'incubation signifiait que les victimes pouvaient transmettre la maladie durant des années sans même savoir qu'elles étaient contaminées. La résistance opposée par le VIH à toutes les armes de la médecine moderne avait convaincu de nombreuses personnes que le virus n'était pas apparu par hasard. L'histoire, pourtant, montre que les maladies émergent aisément sans aucune aide. La Terre est le laboratoire génétique suprême. Les êtres vivants luttent pour inventer des armes et des techniques de survie extraordinaires.

Il est dans la nature humaine de chercher de nouvelles manières d'exploiter l'environnement, mais nous nous rendons ainsi vulnérables aux nouvelles maladies. L'air conditionné, par exemple, a donné à une bactérie autrefois inoffensive l'occasion d'infecter les poumons. La mala-

NOUVELLE TERREUR EN AFRIQUE
En 1995, au Zaïre, le virus Ébola, qui provoque une fièvre hémorragique, tua plus de 80 % des personnes contaminées.

die du légionnaire ne fut identifiée qu'après la mort de 180 légionnaires américains qui participaient à un congrès, en juillet 1976. Depuis, la recherche a permis de prévenir et de guérir cette maladie infectieuse, mais les choses ne sont pas toujours aussi simples.

L'alimentation est devenue un vecteur potentiel de maladies infectieuses. Avec la transformation à grande échelle des produits alimentaires, les agents pathogènes présents dans la matière brute peuvent contaminer des lots entiers de produits transformés, expédiés dans toute la planète.

Le régime alimentaire des animaux de ferme a été radicalement modifié par l'introduction de cervelles et d'abats d'animaux, à l'origine d'une épidémie d'encéphalopathie spongiforme bovine (ESB) au Royaume-Uni. Cette maladie, qui attaque le cerveau des bovins, est provoquée par un prion, une particule infectieuse protéique. Des études semblent prouver l'existence d'une relation entre la consommation de viande infectée par l'ESB et l'émergence d'une nouvelle forme de la maladie de Creutzfeldt-Jakob, une dégénérescence du cerveau humain. À ce jour, seuls quelques cas ont été

LA PESTE EN INDE
En Inde, l'épidémie de peste de 1994 suscita une crainte généralisée. La maladie fit cependant peu de victimes, car elle peut désormais être soignée par antibiotiques.

UNE NOUVELLE GRIPPE À HONGKONG
Considérés comme l'origine d'une nouvelle souche grippale apparue chez les hommes en 1997, des milliers de poulets furent abattus à Hong Kong.

UNE BACTÉRIE RÉSISTANTE

Ces souches de staphylocoque doré, grossies 15 000 fois, sont résistantes à la plupart des antibiotiques. Ces bactéries provoquent infections suppurantes, abcès internes et furoncles.

recensés, mais, la période d'incubation étant très longue, il est impossible de dire combien de personnes ont été contaminées. Les épidémies de variole, et d'autres encore, se sont déclarées quand des microbes spécifiques aux animaux se sont répandus parmi les humains. C'est aujourd'hui le cas pour de nouvelles maladies infectieuses parmi les plus mortelles, comme celle due au virus Ébola. Jusqu'ici, ce virus n'a provoqué que quelques épidémies sporadiques, mais, s'il mutait, son potentiel infectieux serait accru.

LE RISQUE DE MUTATION

Les médecins redoutent particulièrement que les hantavirus ne modifient leur mode d'infection. Cette famille de virus est ainsi nommée en référence à la rivière coréenne Hantaa, sur les rives de laquelle des milliers de soldats des Nations unies tombèrent malades, durant la guerre de Corée, dans les années 1950. Quatre cents moururent. Les symptômes conjuguaient fièvre, hémorragies internes, insuffisance rénale et état de choc. Depuis que le virus responsable de la maladie a été isolé en 1976, des hantavirus ont été décelés parmi les rongeurs de cette région, mais aussi du monde entier. Leur présence est associée à de nouvelles et étranges maladies ayant tué des milliers de personnes. Les épidémies à hantavirus demeurent toutefois sporadiques, car seules sont contaminées les personnes en contact direct avec des rongeurs ou avec

leurs excréments. Une mutation pourrait cependant produire une souche capable de se transmettre d'un homme à l'autre aussi efficacement que le virus se propage parmi les rongeurs, et provoquer une pandémie contre laquelle nous ne sommes pas immunisés.

LA VACHE FOLLE

Les bovins britanniques auraient contracté l'ESB à partir de 1985, après avoir été nourris de cervelles de moutons atteints de la tremblante.

SECONDE PARTIE

RÉPERTOIRE

*« Au plus fort de l'orage,
il y a toujours un oiseau
pour nous rassurer. »*

René Char

COMPRENDRE LES CATASTROPHES NATURELLES est
beaucoup plus facile avec une carte sous
les yeux, car la géographie et la géologie
influent sur le type de catastrophe
qu'une région peut subir. Les séismes
et les éruptions volcaniques survenant
à la surface de la Terre fournissent de précieux
indices des mouvements internes, à l'origine
de la dérive des continents, de l'expansion
et de la rétraction des océans. Localiser
les tempêtes permet d'appréhender la circulation
de l'air dans l'atmosphère comme celle de l'eau
dans les océans. La géographie humaine importe
également. Dans les régions les plus riches,
le coût financier des catastrophes est beaucoup
plus élevé. Dans les régions les plus pauvres,
le bilan humain est plus lourd.

TEMPÊTE SUR LES ÉTATS-UNIS
*Cette image de synthèse de l'ouragan Andrew
donne la mesure de ce cyclone tropical qui causa
27 milliards de dollars de dégâts dans le sud-est
des États-Unis, en août 1992.*

RÉPERTOIRE

LES PAGES 128 à 139 présentent huit cartes localisant plus de 550 catastrophes naturelles. Le numéro attribué à chaque lieu renvoie à une entrée du catalogue, pages 140 à 153, une clé visuelle permettant de repérer d'un coup d'œil le type de catastrophe dont il s'agit. La carte ci-dessous indique les régions couvertes par ces cartes et les pages où figurent celles-ci. Le catalogue lui-même, découpé par régions, fournit une information détaillée sur les différentes catastrophes, présentées chronologiquement. Le numéro attribué à chaque entrée permet de situer le lieu sur la carte de la région, les coordonnées géographiques étant données par une lettre suivie d'un chiffre. L'indication du type de catastrophe et de la période à laquelle elle s'est produite est suivie d'une localisation. S'il y a lieu, le nom indiqué est celui que portait l'endroit ou le pays à l'époque, le nom moderne étant mentionné entre crochets. La catastrophe est ensuite décrite, l'étendue des dégâts et le bilan humain étant précisés dans la mesure du possible.

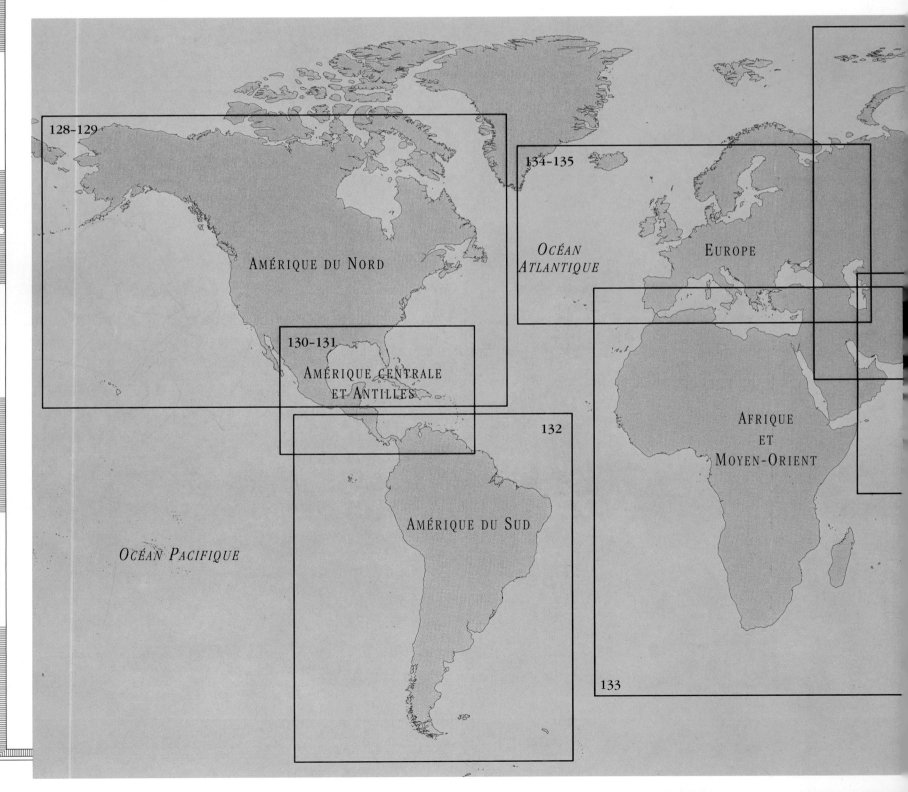

LES CARTES

Le planisphère ci-dessous indique la région couverte par chacune des huit cartes proposées plus loin. Chaque rectangle renvoie à une carte présentée sur une ou deux pages. Le nom de la région cartographiée et le numéro des pages où figure la carte apparaissent dans chaque rectangle.

Chaque carte comporte les informations suivantes :

• la localisation de plus de 121 catastrophes naturelles ;

• une brève introduction, indiquant les principales caractéristiques tectoniques et climatiques de chaque région, et la fréquence des épidémies ;

• un globe, accolé à chaque introduction, permettant de situer la région concernée par rapport au reste du monde ;

• une légende permettant de visualiser les différents types de catastrophe ;

• des flèches, en marge des cartes, indiquant les pages où figurent les zones géographiques voisines.

LE CATALOGUE
DES SITES

À chaque carte correspond une liste qui répertorie les informations concernant chacune des catastrophes localisées. L'encadré ci-dessous permet de retrouver les différentes listes. Les catastrophes décrites en détail dans la première partie de l'ouvrage (signalées par un *Voir p. ...*) sont également répertoriées et localisées sur les cartes, mais sans plus de détails. Pour les autres, le catalogue donne les informations suivantes :

• des coordonnées alphanumériques permettant de retrouver le site sur la carte correspondante ;

• le nom du lieu où s'est produite la catastrophe ou, pour les éruptions volcaniques, le nom du volcan ;

• le type de catastrophe ainsi que la date à laquelle elle s'est produite ;

• la zone géographique (État ou région physique) à laquelle le site appartient ;

• un compte rendu de la catastrophe, incluant le déroulement des événements et le bilan matériel et humain.

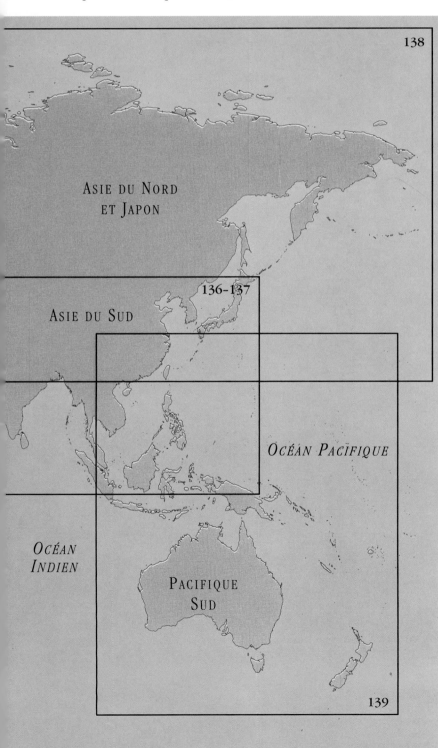

TABLE DES CARTES ET DU CATALOGUE

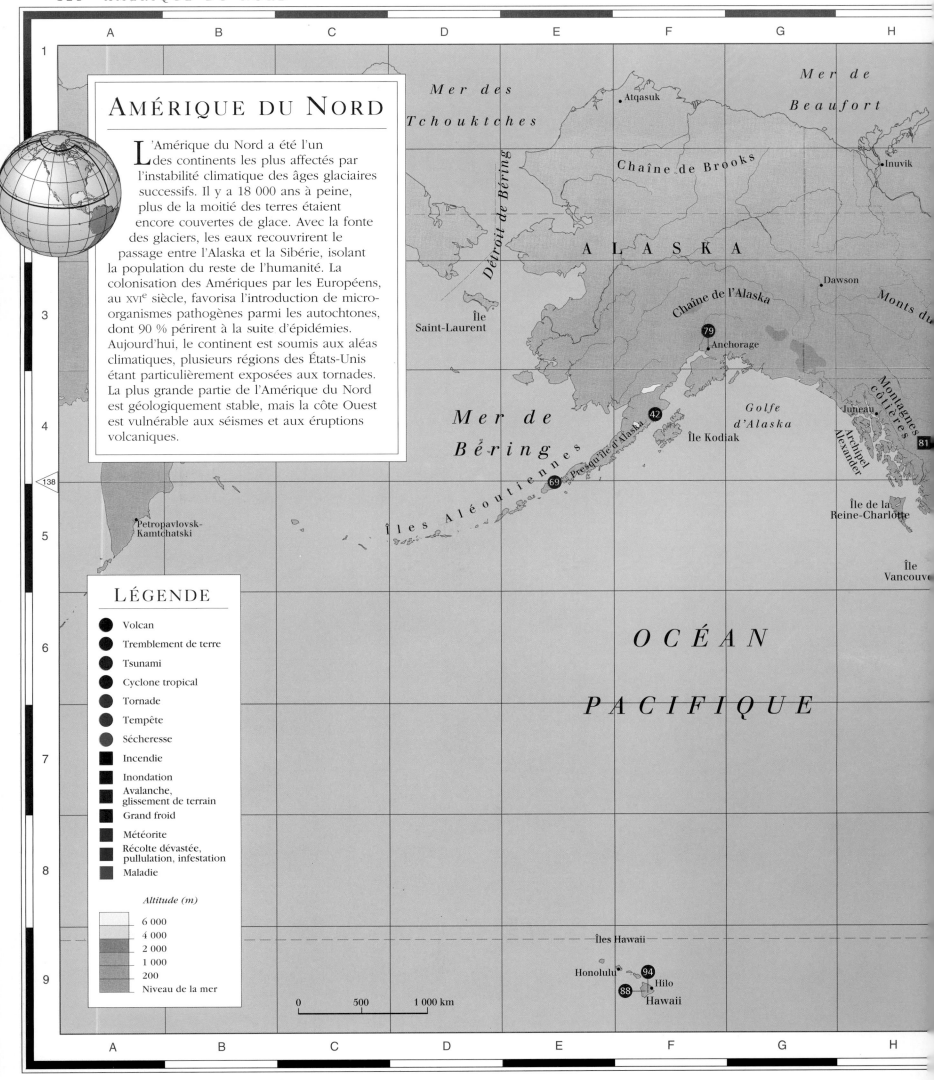

AMÉRIQUE DU NORD

L'Amérique du Nord a été l'un des continents les plus affectés par l'instabilité climatique des âges glaciaires successifs. Il y a 18 000 ans à peine, plus de la moitié des terres étaient encore couvertes de glace. Avec la fonte des glaciers, les eaux recouvrirent le passage entre l'Alaska et la Sibérie, isolant la population du reste de l'humanité. La colonisation des Amériques par les Européens, au XVIᵉ siècle, favorisa l'introduction de micro-organismes pathogènes parmi les autochtones, dont 90 % périrent à la suite d'épidémies. Aujourd'hui, le continent est soumis aux aléas climatiques, plusieurs régions des États-Unis étant particulièrement exposées aux tornades. La plus grande partie de l'Amérique du Nord est géologiquement stable, mais la côte Ouest est vulnérable aux séismes et aux éruptions volcaniques.

LÉGENDE

- Volcan
- Tremblement de terre
- Tsunami
- Cyclone tropical
- Tornade
- Tempête
- Sécheresse
- Incendie
- Inondation
- Avalanche, glissement de terrain
- Grand froid
- Météorite
- Récolte dévastée, pullulation, infestation
- Maladie

Altitude (m)
- 6 000
- 4 000
- 2 000
- 1 000
- 200
- Niveau de la mer

0   500   1 000 km

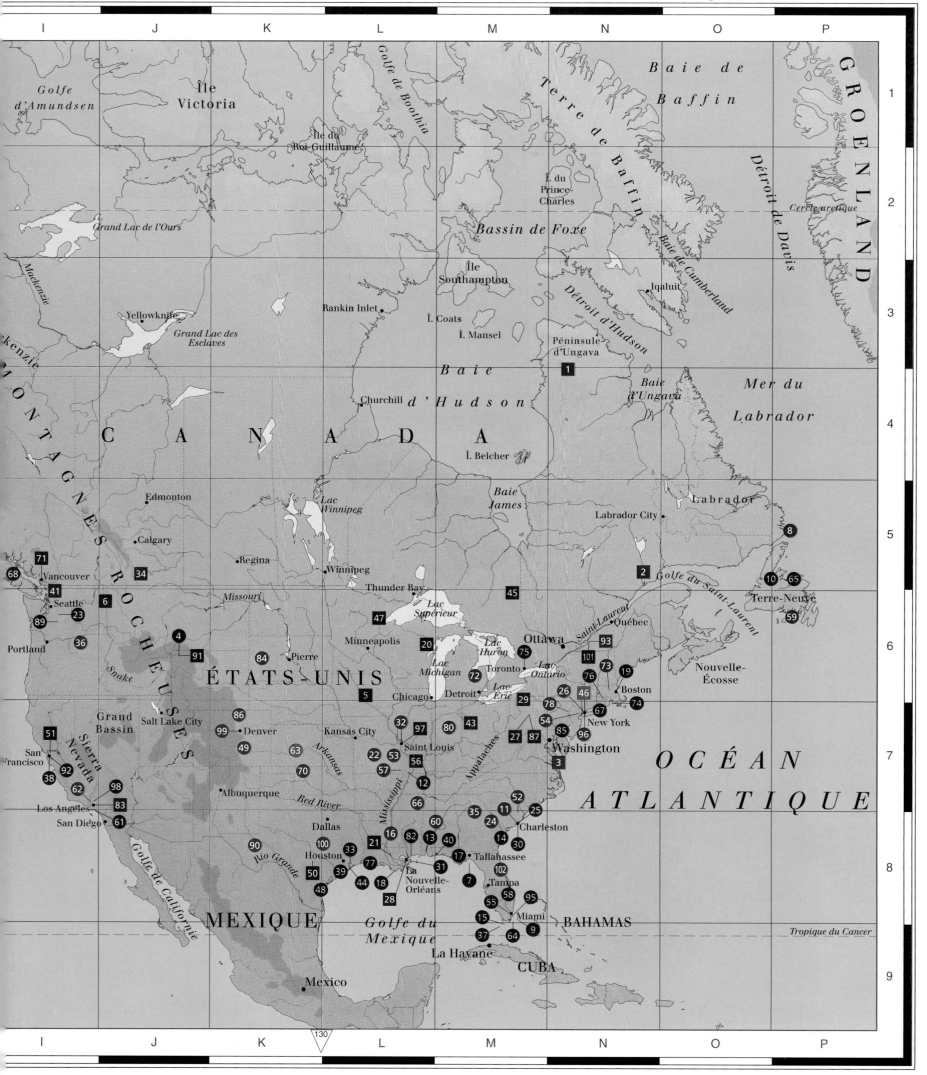

I J K L M N O P

1

2

Golfe
d'Amundsen
Île
Victoria
Baie de
Baffin
G
R
O
E
N
L
A
N
D

Île du
Roi Guillaume
Golfe de Boothia
Île de Baffin
Terre de Baffin
Cercle arctique

Mackenzie
Grand Lac de l'Ours
Bassin de Foxe
Île
Southampton
Î. du
Prince
Charles
Baie de Cumberland
Détroit de Davis

3

Yellowknife
Grand Lac des
Esclaves
Rankin Inlet
Î. Coats
Î. Mansel
Péninsule
d'Ungava
Détroit d'Hudson
Iqaluit

1

4

MONTAGNES ROCHEUSES
C A N A D A
Churchill
Baie
d'Hudson
Î. Belcher
Baie
d'Ungava
Mer du
Labrador

Edmonton
Lac
Winnipeg
Baie
James
Labrador
Labrador City

71
Calgary
Lac
Winnipeg
Winnipeg
8

5

68
Vancouver
34
Regina
Thunder Bay
2
Golfe du Saint-Laurent
10 **65**
Terre-Neuve

41
Seattle
6
Missouri
45
Saint-Laurent
Québec
59

89
23
47
Lac
Supérieur
93
Ottawa
Nouvelle-
Écosse

6

Portland
36
4
91
Pierre
84
Minneapolis
20
Lac
Michigan
Lac
Huron
Toronto
Lac
Ontario
101 **73** **19**
76
75

É T A T S - U N I S
5
72
Chicago
Detroit
Lac
Érié
26 **46**
78
Boston
74

Snake
29
67
New York
96

7

Grand
Bassin
Salt Lake City
86
51
Sierra
Nevada
99
Denver
32 **97**
80
43
54
85
27 **87**
Washington
OCÉAN

San
Francisco
92
49
63
Kansas City
22 **53**
Saint Louis
56
Appalaches
3
ATLANTIQUE

38
62
98
70
Arkansas
57
12
52
11
25

Los Angeles
83
Albuquerque
Red River
66
35
24
Charleston

San Diego
61
Dallas
16
82 **13**
60
40
14
30

8

90
Rio Grande
100
Houston
33
21
31
17
Tallahassee
102

MEXIQUE
50
39
77
44 **18**
La
Nouvelle-
Orléans
7
Tampa
58 **95**

48
28
55
Miami
BAHAMAS
Tropique du Cancer

Mexico
90
15
37 **64**
9
La Havane
CUBA

Golfe du
Mexique

9

I J K L M N O P

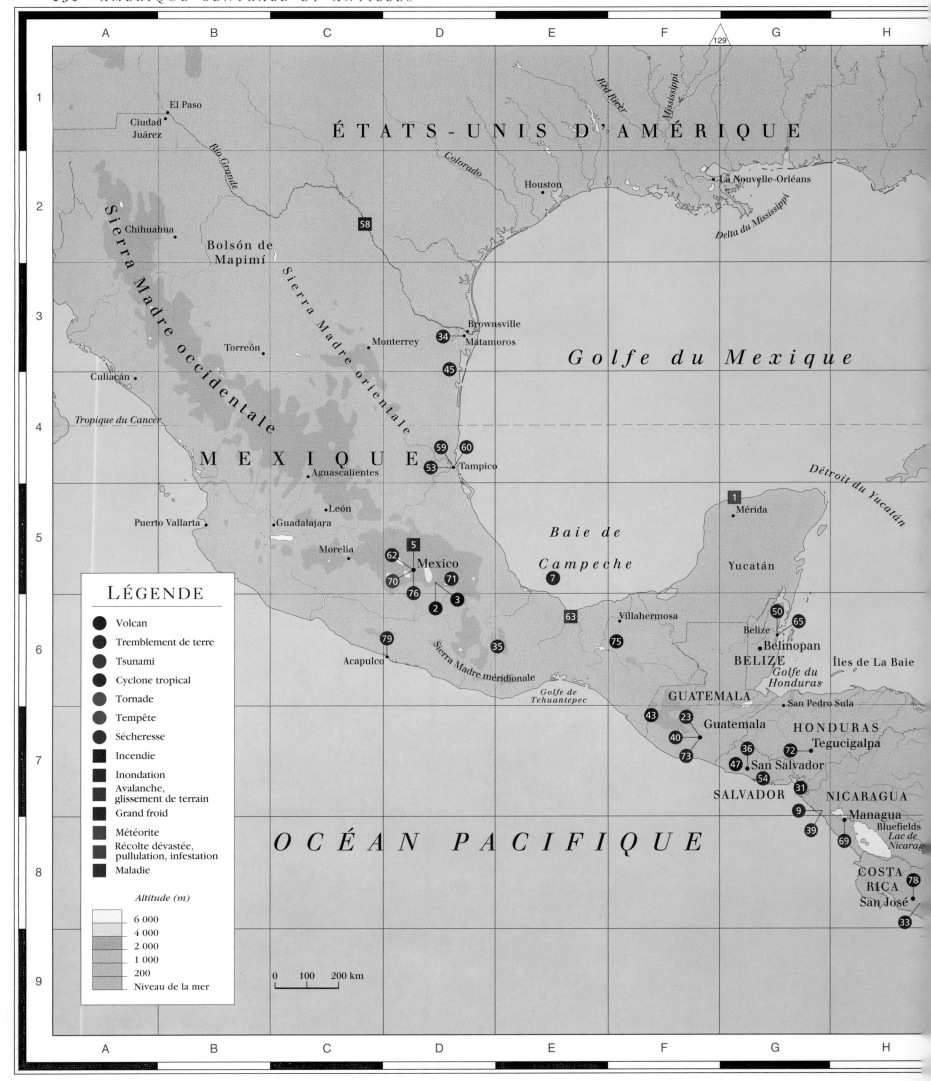

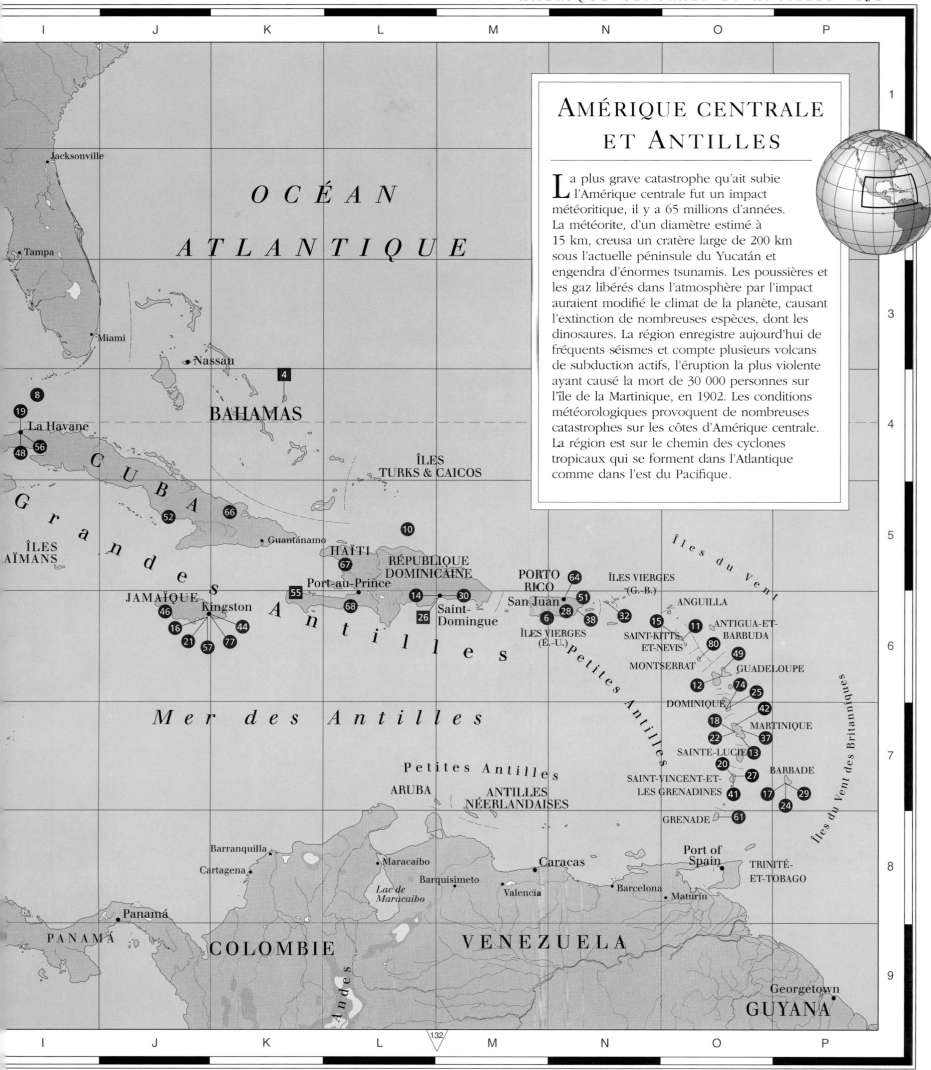

I J K L M N O P

1

AMÉRIQUE CENTRALE ET ANTILLES

La plus grave catastrophe qu'ait subie l'Amérique centrale fut un impact météoritique, il y a 65 millions d'années. La météorite, d'un diamètre estimé à 15 km, creusa un cratère large de 200 km sous l'actuelle péninsule du Yucatán et engendra d'énormes tsunamis. Les poussières et les gaz libérés dans l'atmosphère par l'impact auraient modifié le climat de la planète, causant l'extinction de nombreuses espèces, dont les dinosaures. La région enregistre aujourd'hui de fréquents séismes et compte plusieurs volcans de subduction actifs, l'éruption la plus violente ayant causé la mort de 30 000 personnes sur l'île de la Martinique, en 1902. Les conditions météorologiques provoquent de nombreuses catastrophes sur les côtes d'Amérique centrale. La région est sur le chemin des cyclones tropicaux qui se forment dans l'Atlantique comme dans l'est du Pacifique.

Jacksonville

O C É A N

A T L A N T I Q U E

Tampa

3

Miami

Nassau

BAHAMAS

4

8

19

La Havane

48   56

ÎLES
TURKS & CAICOS

G r a n d e s

CUBA

ÎLES
CAÏMANS

52

66

10

Guantánamo

HAÏTI
67

RÉPUBLIQUE
DOMINICAINE

PORTO
RICO   64   ÎLES VIERGES
(G.-B.)   *Îles du Vent*

5

Port-au-Prince

55

San Juan   51

ANGUILLA

JAMAÏQUE

46

Kingston

14   30

68   Saint-
Domingue   26

ÎLES VIERGES
(É.-U.)

6   28

38   32

15   11

ANTIGUA-ET-
BARBUDA

16

21   57   77   44

A n t i l l e s

SAINT-KITTS-
ET-NEVIS

80

49

MONTSERRAT

GUADELOUPE

12   74   25

6

DOMINIQUE

42

M e r   d e s   A n t i l l e s

18

MARTINIQUE

22   37

SAINTE-LUCIE   13

20

P e t i t e s   A n t i l l e s

27   BARBADE

SAINT-VINCENT-ET-
LES GRENADINES   41   17   29

7

Petites Antilles

ARUBA

ANTILLES
NÉERLANDAISES

24

GRENADE   61

îles du Vent des Britanniques

Barranquilla

Cartagena

Maracaibo

Caracas

Port of
Spain

TRINITÉ-
ET-TOBAGO

8

Barquisimeto

*Lac de
Maracaibo*

Valencia

Barcelona

Maturín

Panamá

PANAMÁ

COLOMBIE

VENEZUELA

Andes

9

Georgetown

GUYANA

I J K L M N O P

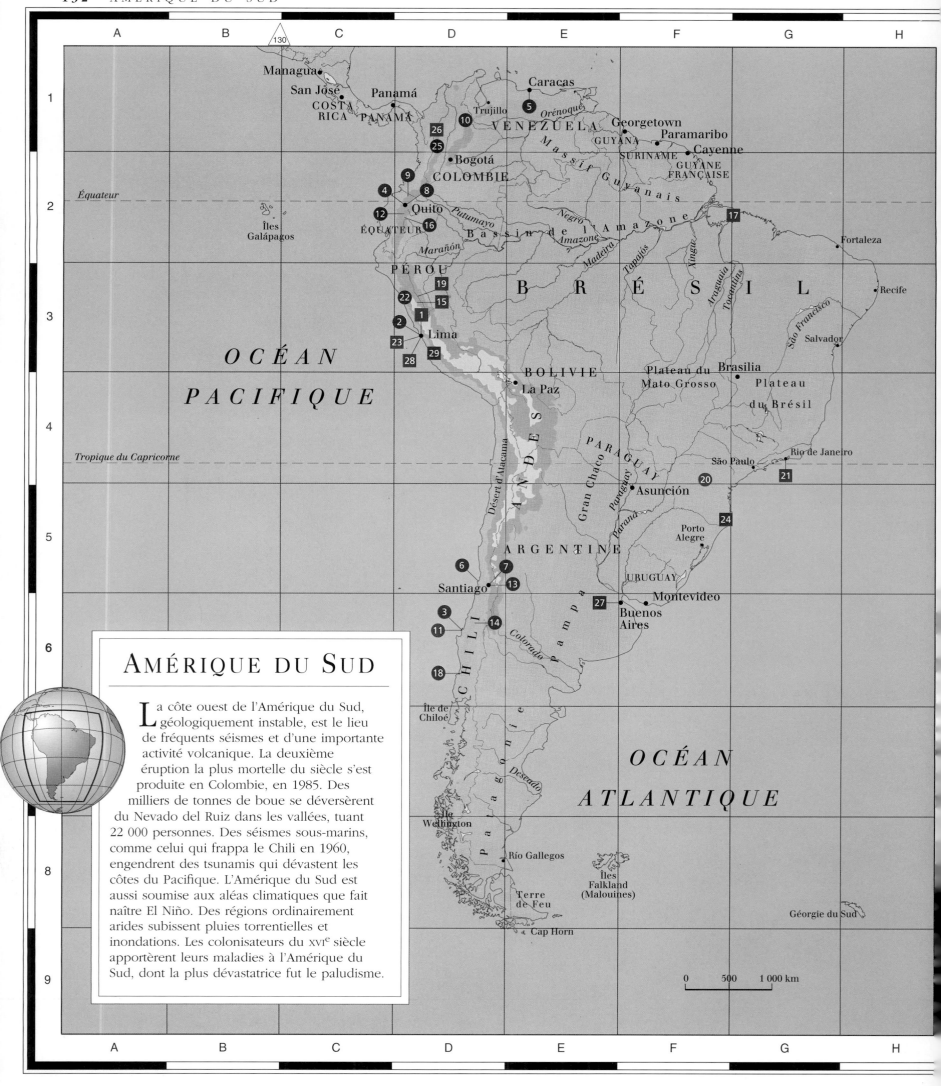

Managua
San José
COSTA
RICA
Panamá
PANAMÁ

Caracas
Trujillo
5
Orénoque
VENEZUELA
Georgetown
GUYANA
Paramaribo
Cayenne
SURINAME
GUYANE
FRANÇAISE
Massif Guyanais

26
25
10
Bogotá
COLOMBIE

9
4
8
Quito
12
ÉQUATEUR
16
Putumayo
Bassin de l'Amazone
Negro
Amazone
17
Madeira

Marañón
PÉROU
19
22
15
2
1
23
Lima
28
29
BRÉSIL
Tapajós
Xingu
Araguaia
Tocantins

Fortaleza
Recife

São Francisco
Salvador

BOLIVIE
La Paz
Plateau du
Mato Grosso
Brasilia
Plateau
du Brésil

OCÉAN

PACIFIQUE

Tropique du Capricorne
Équateur

Îles
Galápagos

Désert d'Atacama
ANDES
PARAGUAY
Gran Chaco
Paraguay
Asunción
Paraná

São Paulo
Rio de Janeiro
21

20
24
Porto
Alegre

ARGENTINE
6
7
Santiago
13
CHILI
3
11
14
Colorado
Pampa
URUGUAY
Montevideo
27
Buenos
Aires

18

Île de
Chiloé

Patagonie
Deseado

OCÉAN

ATLANTIQUE

Île
Wellington

Río Gallegos
Terre
de Feu
Îles
Falkland
(Malouines)

Géorgie du Sud

Cap Horn

AMÉRIQUE DU SUD

La côte ouest de l'Amérique du Sud, géologiquement instable, est le lieu de fréquents séismes et d'une importante activité volcanique. La deuxième éruption la plus mortelle du siècle s'est produite en Colombie, en 1985. Des milliers de tonnes de boue se déversèrent du Nevado del Ruiz dans les vallées, tuant 22 000 personnes. Des séismes sous-marins, comme celui qui frappa le Chili en 1960, engendrent des tsunamis qui dévastent les côtes du Pacifique. L'Amérique du Sud est aussi soumise aux aléas climatiques que fait naître El Niño. Des régions ordinairement arides subissent pluies torrentielles et inondations. Les colonisateurs du XVIe siècle apportèrent leurs maladies à l'Amérique du Sud, dont la plus dévastatrice fut le paludisme.

0   500   1 000 km

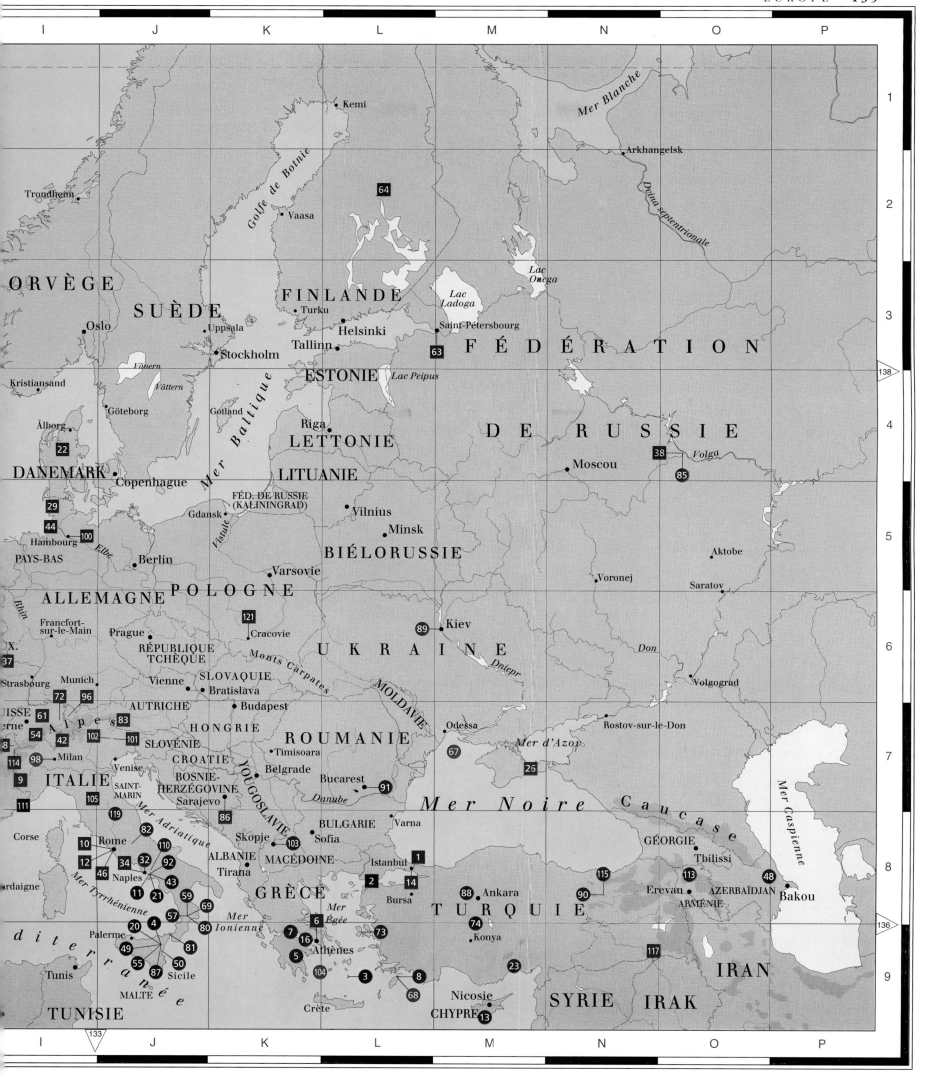

I J K L M N O P

1

Trondheim

Kemi

Mer Blanche

Arkhangelsk

Golfe de Botnie

Dvina septentrionale

2

Vaasa

64

Lac Omega

ORVÈGE

SUÈDE

FINLANDE

Turku

Lac Ladoga

FÉDÉRATION

3

Oslo

Uppsala

Helsinki

Saint-Pétersbourg

138

Stockholm

Tallinn

63

Kristiansand

ESTONIE

Lac Peipus

Vänern

DE RUSSIE

Vättern

Gotland

4

Ålborg

Riga

LETTONIE

Moscou

Göteborg

38 Volga

22

Mer Baltique

LITUANIE

85

DANEMARK

Copenhague

FÉD. DE RUSSIE

Aktobe

29

(KALININGRAD)

Vilnius

5

44

Gdansk

Minsk

100

Vistule

BIÉLORUSSIE

Voronej

Hambourg

Berlin

Saratov

PAYS-BAS

Elbe

Varsovie

ALLEMAGNE

POLOGNE

Rhin

121

6

Francfort-sur-le-Main

Prague

Cracovie

Kiev

Don

JX.

89

37

RÉPUBLIQUE

Monts Carpates

UKRAINE

Dniepr

Volgograd

Strasbourg

Munich

TCHÈQUE

Vienne

SLOVAQUIE

MOLDAVIE

72 96

Bratislava

Odessa

Rostov-sur-le-Don

UISSE

61

AUTRICHE

Budapest

Mer d'Azov

7

erne

83

HONGRIE

ROUMANIE

67

54

42 102

Milan

101

SLOVÉNIE

Timisoara

25

8

98

CROATIE

Belgrade

111

9

ITALIE

Venise

BOSNIE-

YOUGOSLAVIE

Bucarest

114

SAINT-MARIN

HERZÉGOVINE

91

Mer Noire

Caucase

Mer Caspienne

105

Sarajevo

Danube

86

119

Mer Adriatique

BULGARIE

Varna

82

Skopje

Sofia

10 Rome

110

103

GÉORGIE

8

12

34 32 92

ALBANIE

MACÉDOINE

Istanbul

1

Tbilissi

113

46 Naples

43

Tirana

2

14

88 Ankara

115

48

11 21

59

GRÈCE

Bursa

TURQUIE

90

Erevan

AZERBAÏDJAN

57 69

Mer Égée

ARMÉNIE

Bakou

20 4

80 Mer Ionienne

6

74

136

49 81

7

Konya

Palerme

50

16

117

9

55 87

5

Athènes

23

IRAN

Tunis

Sicile

104

3

8

Nicosie

SYRIE

IRAK

MALTE

Crète

68

CHYPRE

13

TUNISIE

I J K L M N O P

133

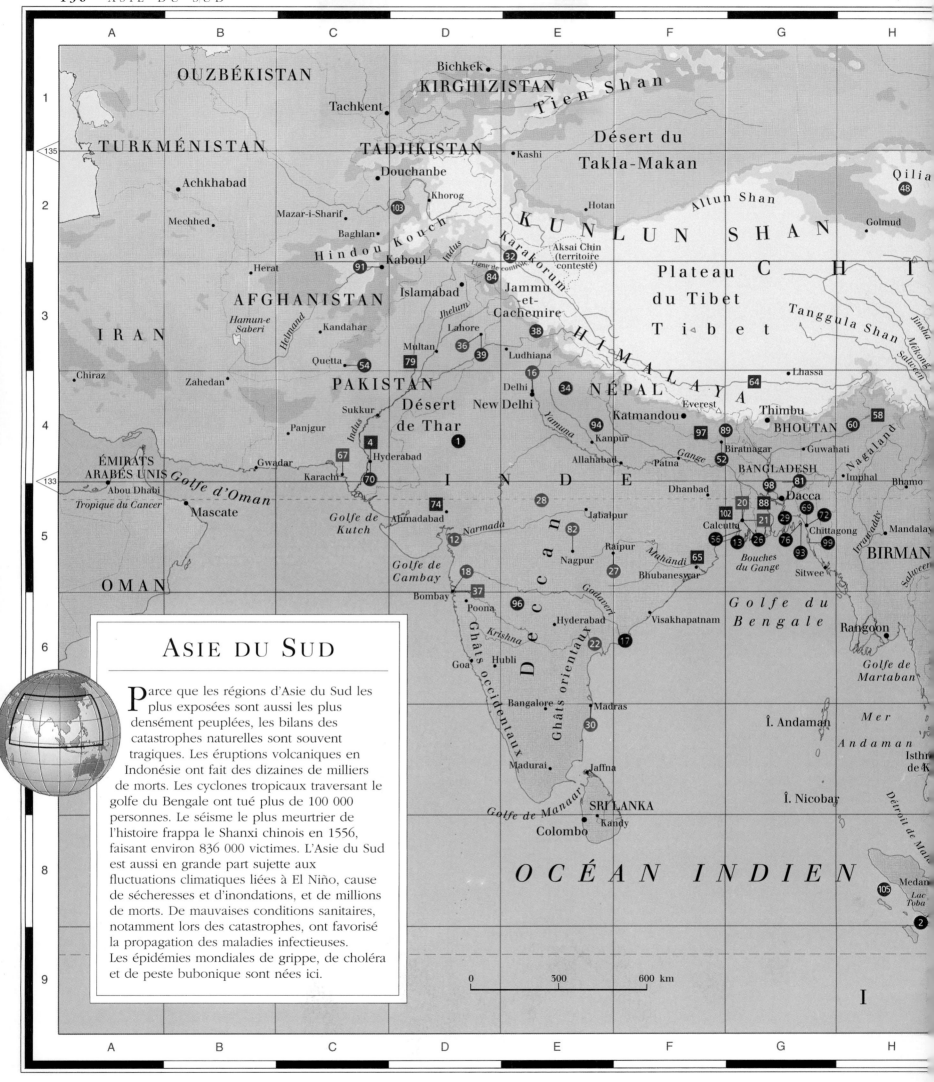

ASIE DU SUD

Parce que les régions d'Asie du Sud les plus exposées sont aussi les plus densément peuplées, les bilans des catastrophes naturelles sont souvent tragiques. Les éruptions volcaniques en Indonésie ont fait des dizaines de milliers de morts. Les cyclones tropicaux traversant le golfe du Bengale ont tué plus de 100 000 personnes. Le séisme le plus meurtrier de l'histoire frappa le Shanxi chinois en 1556, faisant environ 836 000 victimes. L'Asie du Sud est aussi en grande part sujette aux fluctuations climatiques liées à El Niño, cause de sécheresses et d'inondations, et de millions de morts. De mauvaises conditions sanitaires, notamment lors des catastrophes, ont favorisé la propagation des maladies infectieuses. Les épidémies mondiales de grippe, de choléra et de peste bubonique sont nées ici.

OUZBÉKISTAN
KIRGHIZISTAN
Tien Shan
Bichkek
Tachkent
TURKMÉNISTAN
TADJIKISTAN
Désert du
Takla-Makan
Achkhabad
Douchanbe
Kashi
Qilia
48
Mechhed
Mazar-i-Sharif
Khorog
103
KUNLUN SHAN
Hotan
Altun Shan
Golmud
Baghlan
Hindou Kouch
Karakorum
Aksai Chin (territoire contesté)
Plateau
CHI
Herat
91
Kaboul
Indus
32
Ligne de contrôle
du Tibet
Tibet
Hamun-e Saberi
Islamabad
84
Jammu-et-Cachemire
HIMALAYA
Tanggula Shan
Jinsha
IRAN
AFGHANISTAN
Jhelum
Lahore
38
Tangula Shan
Mékong
Salween
Kandahar
36
Ludhiana
Lhassa
Multan
79
39
16
NÉPAL
64
Thimbu
Quetta
54
PAKISTAN
Delhi
34
Everest
BHOUTAN
60
58
Chiraz
Désert de Thar
New Delhi
94
Katmandou
97
89
Guwahati
Nagaland
Zahedan
Sukkur
1
Yamuna
Kanpur
52
Biratnagar
BANGLADESH
81
Imphal
Bhamo
Panjgur
Indus
Gange
Allahabad
Patna
Dhanbad
98
Dacca
ÉMIRATS ARABES UNIS
67
Hyderabad
INDE
20
88
59
72
Abou Dhabi
Golfe d'Oman
4
Karachi
70
28
102
21
29
Chittagong
Mandalay
Tropique du Cancer
Mascate
74
Ahmadabad
Jabalpur
Calcutta
56
13
26
76
99
BIRMAN
Golfe de Kutch
12
Narmada
82
93
Sitwee
Irrawaddy
OMAN
Raipur
Mahanadi
65
Bouches du Gange
Nagpur
27
Bhubaneswar
18
Godavery
Bombay
37
Golfe du Bengale
Golfe de Cambay
96
Hyderabad
Visakhapatnam
Poona
Deccan
Krishna
22
17
Rangoon
Goa
Hubli
Ghats orientaux
Golfe de Martaban
Ghâts occidentaux
Bangalore
Madras
Î. Andaman
Mer
Andaman
30
Isthm
de K
Madurai
Jaffna
Î. Nicobar
Déroit de Mala
Golfe de Manaar
SRI LANKA
Kandy
Colombo
OCÉAN INDIEN
105
Medan
Lac Toba
2

| 0 | 300 | 600 km |

I

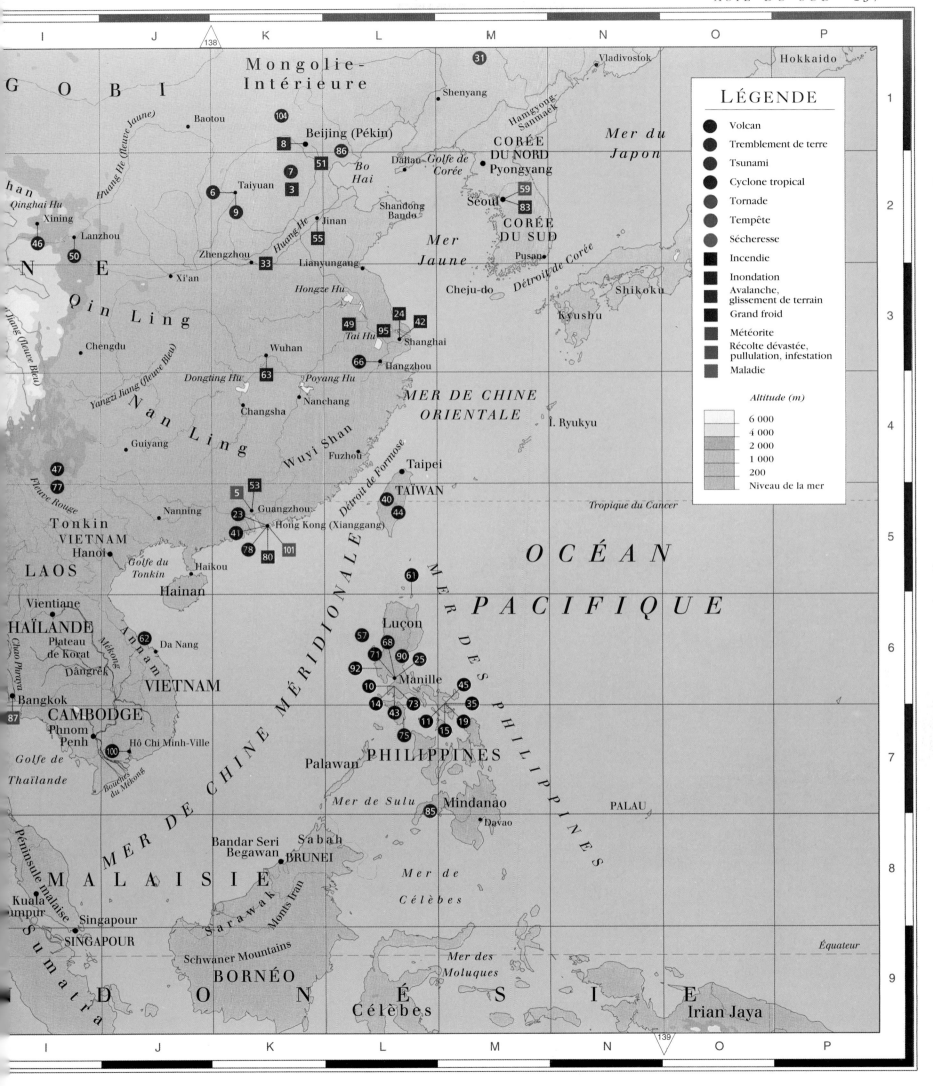

LÉGENDE

- Volcan
- Tremblement de terre
- Tsunami
- Cyclone tropical
- Tornade
- Tempête
- Sécheresse
- Incendie
- Inondation
- Avalanche, glissement de terrain
- Grand froid
- Météorite
- Récolte dévastée, pullulation, infestation
- Maladie

Altitude (m)

- 6 000
- 4 000
- 2 000
- 1 000
- 200
- Niveau de la mer

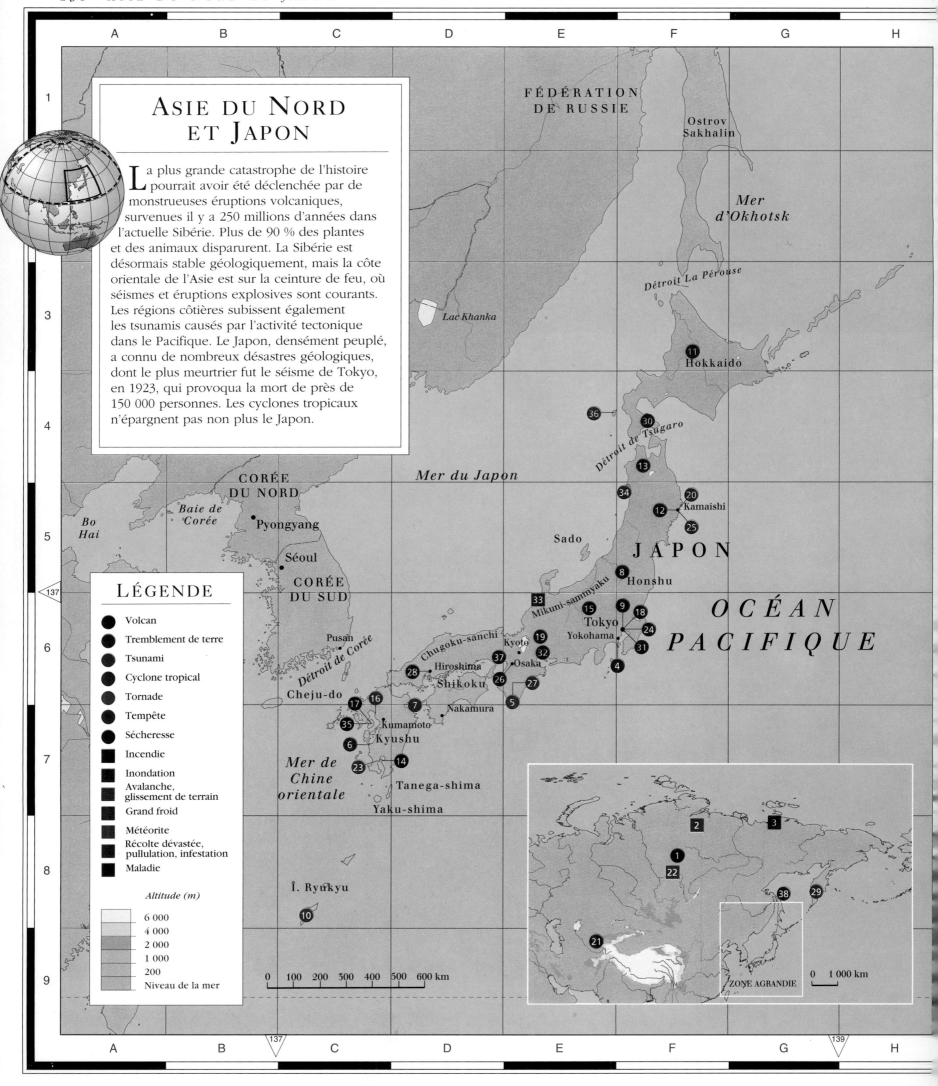

ASIE DU NORD ET JAPON

La plus grande catastrophe de l'histoire pourrait avoir été déclenchée par de monstrueuses éruptions volcaniques, survenues il y a 250 millions d'années dans l'actuelle Sibérie. Plus de 90 % des plantes et des animaux disparurent. La Sibérie est désormais stable géologiquement, mais la côte orientale de l'Asie est sur la ceinture de feu, où séismes et éruptions explosives sont courants. Les régions côtières subissent également les tsunamis causés par l'activité tectonique dans le Pacifique. Le Japon, densément peuplé, a connu de nombreux désastres géologiques, dont le plus meurtrier fut le séisme de Tokyo, en 1923, qui provoqua la mort de près de 150 000 personnes. Les cyclones tropicaux n'épargnent pas non plus le Japon.

LÉGENDE

- ● Volcan
- ● Tremblement de terre
- ● Tsunami
- ● Cyclone tropical
- ● Tornade
- ● Tempête
- ● Sécheresse
- ■ Incendie
- ■ Inondation
- ■ Avalanche, glissement de terrain
- ■ Grand froid
- ■ Météorite
- ■ Récolte dévastée, pullulation, infestation
- ■ Maladie

Altitude (m)
- 6 000
- 4 000
- 2 000
- 1 000
- 200
- Niveau de la mer

FÉDÉRATION DE RUSSIE

Ostrov Sakhalin

Mer d'Okhotsk

Détroit La Pérouse

Lac Khanka

Hokkaidō

Détroit de Tsugaro

Mer du Japon

CORÉE DU NORD

Baie de Corée

Bo Hai

Pyongyang

Séoul

CORÉE DU SUD

Sado

JAPON

Honshu

Pusan

Détroit de Corée

Mikuni-sammyaku

Cheju-do

Chugoku-sanchi

Tokyo

Yokohama

Kyoto

Osaka

Hiroshima

Shikoku

Nakamura

Kumamoto

Kyushu

Mer de Chine orientale

Tanega-shima

Yaku-shima

Î. Ryūkyu

OCÉAN PACIFIQUE

Kamaishi

0 100 200 300 400 500 600 km

ZONE AGRANDIE

0 1 000 km

137

PACIFIQUE SUD

Le Pacifique Sud connaît de temps à autre des années d'intense sécheresse, liées au phénomène climatique El Niño. La région est pour la plus grande part instable géologiquement, et certaines zones sont éprouvées par les cyclones tropicaux nés dans le Pacifique. La Nouvelle-Zélande et de nombreuses îles au nord de l'Australie sont édifiées sur des volcans, parmi les plus explosifs au monde. Le lit du lac Taupo, dans l'île du Nord, en Nouvelle-Zélande, est un cratère creusé par une éruption volcanique qui, il y a près de 2 000 ans, étouffa toute vie sur l'île. En Australie, l'activité tectonique passée a laissé une certaine instabilité qui se manifeste par des séismes occasionnels.

CHINE

OCÉAN PACIFIQUE

JAPON

Îles Ryukyu

Taipei

TAÏWAN

Hanoi
Hongkong
LAOS
Golfe du Tonkin
Hainan
THAÏLANDE
CAMBODGE
VIETNAM
Hô Chi Minh-Ville

Mer de Chine méridionale

MARIANNES DU NORD

Saipan

Manille

GUAM

Mer des Philippines

ÉTATS FÉDÉRÉS DE MICRONÉSIE

Yap

PHILIPPINES

PALAU

Î. Chuuk

SINGAPOUR
BRUNEI
MALAYSIE
Singapour
Bornéo
Célèbes

Mer de Célèbes

INDONÉSIE

MÉLANÉSIE

Sumatra
Djakarta
Mer de Java
Java
Bali
Flores
Sumba
Timor
Mer d'Arafura

PAPOUASIE-NOUV.-GUINÉE

NAURU

TUVALU

Port Moresby

ÎLES SALOMON

WALLIS & FUTUNA

Mer de Timor
Darwin
Terre d'Arnhem
Golfe de Carpentarie
Péninsule du Cap York

Cairns

Mer de Corail

VANUATU
Espiritu Santo

NOUVELLE-CALÉDONIE

Vanua Levu

Viti Levu
FIDJI

Broome
Plateau de Kimberley
Grand Désert de Sable
Monts Macdonnell
Alice Springs
Désert de Simpson

Cordillère australienne

AUSTRALIE

Désert de Gibson

Grand Désert Victoria
Lac Eyre
Brisbane

Î. Norfolk

Perth
Plaine de Nullarbor
L. Torrens
Grande Baie australienne
Darling
Lachlan
Murray
Adélaïde
Melbourne

Sydney
Canberra

Mer de Tasman

Auckland

NOUVELLE-ZÉLANDE

Île du Nord

Wellington

Îles Chatham

Détroit de Bass
Tasmanie
Hobart

Christchurch

Île du Sud

Dunedin

OCÉAN ANTARCTIQUE

0   500   1 000   1 500 km

I J K L M N O P

CATALOGUE DES SITES

Ce catalogue répertorie les sites des cartes p. 128 à 139,
avec les mêmes numéros de référence. Après chaque numéro figurent
les coordonnées alphanumériques du site sur la carte correspondante,
laquelle est indiquée en tête de chaque section.

AMÉRIQUE DU NORD

Carte p. 128–129.

1 N4 LAC COUTURE
MÉTÉORITE 425 MILLIONS D'ANNÉES
LOCALISATION : Québec, Canada
La chute d'une météorite donna naissance
à un cratère de 10 km de diamètre, devenu
le lac Couture. Les pertes survenues
à l'époque parmi les organismes marins,
dont les brachiopodes et les trilobites,
pourraient avoir été en partie causées par
l'impact.

2 N5 QUÉBEC
MÉTÉORITE 210 MILLIONS D'ANNÉES
LOCALISATION : cratère du Manicouagan,
Canada
La chute d'une météorite aurait provoqué
l'extinction de nombreuses espèces marines
et terrestres à la fin du trias. L'impact laissa
un cratère de 100 km de diamètre.

3 N7 BAIE DE CHESAPEAKE
MÉTÉORITE V. 35 MILLIONS D'ANNÉES
LOCALISATION : Maryland/Delaware, É.-U.
Des débris cosmiques furent dispersés
à travers le sud-est des États-Unis et l'impact
laissa un imposant cratère au fond de
la baie. Il aurait provoqué la disparition de
plusieurs espèces d'oiseaux et de
mammifères géants vivant durant l'éocène.

4 J6 YELLOWSTONE
ÉRUPTION VOLCANIQUE 2 MILLIONS D'ANNÉES
LOCALISATION : Wyoming, É.-U.
Cette éruption fut 250 fois plus puissante
que celle du Pinatubo en 1991. Elle pourrait
être à l'origine de l'époque glaciaire
du pléistocène.

5 L6 DES MOINES
GLACIATION 114 000-12 000 ANS AV. J.-C.
LOCALISATION : Iowa, É.-U.
Voir p. 96.

6 J6 SPOKANE
INONDATION V. 8 000 ANS AV. J.-C.
LOCALISATION : État de Washington, É.-U.
Le Montana et les terres érodées de l'État
de Washington furent la proie de graves
inondations lors de la rupture du barrage de
glace qui retenait les eaux du lac Missoula.

7 M8 APALACHEE BAY
CYCLONE TROPICAL 1528
LOCALISATION : golfe du Mexique, É.-U.
Les navires espagnols de l'expédition de
Narvez firent naufrage dans la baie. Seuls
20 des 400 membres d'équipage
survécurent.

8 P5 BELLE ISLE
TEMPÊTE 1711
LOCALISATION : Labrador, Canada
Alors qu'elle faisait route pour attaquer
Québec, une flotte anglaise composée de
61 navires fut prise dans une terrible
tempête. Huit bateaux de transport
s'échouèrent sur les récifs de Belle Isle et
les 1 342 militaires qui se trouvaient à bord
avec leurs familles périrent noyés.

9 M8 DÉTROIT DE FLORIDE
CYCLONE TROPICAL 1715
LOCALISATION : au large de Miami, É.-U.
Dix des onze navires de la flotte espagnole
qui faisaient route de La Havane vers
l'Espagne avec à leur bord une cargaison de
14 millions de pièces d'or et d'argent, des
pierres précieuses et des lingots d'or furent
détruits. Près de 1 000 marins périrent.

10 O5 TERRE-NEUVE
CYCLONE TROPICAL 1775
LOCALISATION : Canada
La tempête qui se forma au-dessus des eaux
chaudes du milieu de l'Atlantique remonta
vers le nord et frappa Terre-Neuve,
provoquant le naufrage de centaines de
bateaux de pêche. On compta 4 000 morts.

11 M8 CHARLESTON
TORNADE 1811
LOCALISATION : Caroline du Sud, É.-U.
Une grande partie de la ville fut détruite et
plus de 500 personnes périrent au cours de
l'une des plus graves tornades jamais
enregistrées aux États-Unis.

12 L7 NEW MADRID
SÉISMES 1811-1812
LOCALISATION : Missouri, É.-U.
Bien que située à plus de 1 600 km
d'une limite de plaque, la région fut secouée
trois fois. Les pertes humaines furent faibles,
mais le cours du Mississippi fut modifié, ce
qui entraîna la destruction de New Madrid.

13 L8 MOBILE
CYCLONE TROPICAL 1819
LOCALISATION : Alabama, É.-U.
Petit par la taille mais néanmoins très
puissant, ce cyclone tropical détruisit
de nombreux bâtiments de la ville et
des environs, fit sombrer plusieurs navires
dans la baie et provoqua la mort de plus
de 200 personnes.

14 M8 ST. SIMONS ISLAND
CYCLONE TROPICAL 1824
LOCALISATION : Géorgie, É.-U.
Les bâtiments furent dévastés et les
plantations de l'île, inondées. Les
83 victimes étaient presque toutes des
esclaves qui travaillaient dans les champs.

15 M9 KEY WEST
CYCLONE TROPICAL 1835
LOCALISATION : Floride, É.-U.
De nombreux villages furent rayés de
la carte et plusieurs navires se fracassèrent
sur les récifs au niveau du cap Canaveral.
Dans cette zone faiblement peuplée,
le bilan exact de la catastrophe fut
impossible à établir : on estima
à une centaine le nombre des victimes.

16 L8 NATCHEZ
TORNADE 1840
LOCALISATION : Mississippi, É.-U.
Plus de 300 morts, près de 100 blessés,
1 million de dollars de dégâts : c'est le bilan
de la tornade la plus destructrice qui ait
jamais frappé les États-Unis.

17 M8 ST. JO
CYCLONE TROPICAL 1841
LOCALISATION : près d'Apalachicola, Floride,
É.-U.
L'essor de la ville fut stoppé, ses
4 000 habitants disparurent lorsque l'eau
déferla à travers le bayou sur lequel
elle était construite. Des prédicateurs
locaux, invoquant le châtiment divin,
avaient depuis longtemps prévu
la disparition de ce « trou de l'enfer ».

18 L8 DERNIÈRES ISLAND
CYCLONE TROPICAL 1856
LOCALISATION : Louisiane, É.-U.
Tous les bâtiments furent détruits et l'on
déplora 137 victimes sur cette île quasiment
rayée dès lors de la carte.

19 N6 BOSTON
CYCLONE TROPICAL 1869
LOCALISATION : Massachusetts, É.-U.
La tempête qui dévasta tout le littoral
nord-est américain frappa surtout
le Massachusetts. De nombreux navires
à l'ancre furent emportés et près
de 50 personnes perdirent la vie.

20 L6 PESHTIGO
INCENDIE 1871
LOCALISATION : Wisconsin, É.-U.
Des feux de bois, attisés par des vents
violents, engendrèrent l'incendie le plus
important de toute l'histoire des États-Unis.
La ville de Peshtigo et presque tous ses
habitants furent la proie des flammes qui
ravagèrent plus de 1,7 million d'hectares.
En tout, 1 500 personnes périrent brûlées.

21 L8 BATON ROUGE
INONDATION 1874
LOCALISATION : Louisiane, É.-U.
La vallée du Mississippi fut inondée lorsque
le fleuve, gonflé par les pluies printanières
et la fonte des neiges, sortit de son lit.
Des dizaines de milliers d'hectares, surtout
des terres cultivées, furent engloutis sous
les eaux et près de 250 personnes périrent
noyées. Cette crue du Mississippi fut
la première enregistrée avec précision.

22 L7 MARSHFIELD
TORNADES 1880
LOCALISATION : Missouri, É.-U.
La série de 24 tornades qui dévasta la ville
et ravagea la région comprise entre
l'Arkansas et le Wisconsin provoqua
2 millions de dollars de dégâts et la mort
de plus de 100 personnes.

23 I6 MONT RAINIER
ÉRUPTION VOLCANIQUE 1882
LOCALISATION : chaîne des Cascades, É.-U.
L'éruption engendra des lahars qui
engloutirent de vastes étendues.
Une nouvelle éruption de ce volcan,
potentiellement le plus dangereux
des Cascades, est prévue. Des villes aussi
éloignées que celles du Puget Sound
risquent d'être ensevelies sous des tonnes
de boue.

24 M8 DAVISBORO
TORNADE 1884
LOCALISATION : Géorgie, É.-U.
Les 60 tornades qui, dans la même journée,
traversèrent les États du Sud, rayèrent
la ville de la carte et causèrent la mort
de 800 personnes.

25 M8 CHARLESTON
SÉISME 1886
LOCALISATION : Caroline du Sud, É.-U.
Ce séisme, ressenti dans plusieurs États
comme jamais auparavant, causa de graves
dommages aux bâtiments de la ville, et
100 personnes périrent. Les secousses
furent perçues jusqu'à New York, au nord,
en Alabama, au sud, au Nebraska, à l'ouest.

26 N7 NEW YORK
TEMPÊTE (BLIZZARD) 1888
LOCALISATION : New York, É.-U.
Les bulletins météorologiques avaient
effectivement prévu un temps « clair et plus
froid », mais le blizzard qui souffla paralysa
la ville, brisant câbles télégraphiques,
conduites d'eau et de gaz, et provoqua
la mort de 400 personnes.

27 M7 JOHNSTOWN
INONDATION 1889
LOCALISATION : Pennsylvanie, É.-U.
La rupture du barrage de retenue de South
Fork, le plus important ouvrage de terre au
monde à l'époque, provoqua le déferlement
d'un mur d'eau de 38 m dans la vallée
de Johnstown. La ville et beaucoup des
agglomérations voisines furent emportées.
On compta au moins 7 000 morts.

28 L8 LA NOUVELLE-ORLÉANS
INONDATION 1890
LOCALISATION : Louisiane, É.-U.
Gonflé par de fortes pluies, le Mississippi
sortit de son lit, faisant plus de 100 morts et
50 000 sans-abri.

29 M6 OIL CITY
INONDATION 1892
LOCALISATION : Pennsylvanie, É.-U.
L'eau qui inonda la ville était couverte
d'une épaisse couche du carburant échappé
des pipelines lors de leur rupture.
Le carburant prit feu et forma une rivière
de flammes, brûlant sur son passage
et tuant 130 personnes, dont beaucoup
s'étaient par malheur réfugiées dans l'eau.

30 M8 CHARLESTON
CYCLONE TROPICAL 1893
LOCALISATION : Caroline du Sud, É.-U.
Les côtes de Géorgie et de Caroline du Sud
subirent de graves dégâts. Plusieurs dizaines
d'îles furent entièrement submergées par les
inondations qui firent plus de 1 000 victimes
et 10 millions de dollars de dégâts matériels.

31 M8 PORT EADS, LA NOUV.-ORLÉANS
CYCLONE TROPICAL 1893
LOCALISATION : Louisiane, É.-U.
La tempête, qui projeta une vague
de 4 m sur la ville, provoquant la mort
de 2 000 personnes, poursuivit son chemin,
causant de graves dégâts dans tout
le sud-est des États-Unis.

32 L7 SAINT LOUIS
TORNADE 1896
LOCALISATION : Missouri, É.-U.
En vingt minutes, la tornade détruisit une
zone densément peuplée de Saint Louis,
faisant au moins 306 morts et 2 500 blessés.

33 L8 GALVESTON
CYCLONE TROPICAL 1900
LOCALISATION : Texas, É.-U.
Voir p. 70.

34 J5 FRANK
GLISSEMENT DE TERRAIN, 1903
LOCALISATION : Alberta, Canada
La ville fut pulvérisée et 70 de ses habitants
furent tués quand un pan de la Turtle
Mountain se déchira et fut précipité
dans la vallée en contrebas.

35 M7 GAINESVILLE

TORNADE 1903
LOCALISATION : Géorgie, É.-U.
La tornade qui balaya la ville fit plus de 200 morts et près de 1 000 blessés. L'effondrement d'une filature de coton provoqua des dizaines de morts parmi les 750 ouvriers.

36 I6 HEPPNER

ORAGE (INONDATION SUBITE) 1903
LOCALISATION : Oregon, É.-U.
Un orage violent et soudain dans les montagnes Bleues provoqua la crue de la rivière Willow. En l'espace d'une heure, un tiers de la ville fut emporté et plus de 325 personnes tuées.

37 M9 FLORIDA KEYS

CYCLONE TROPICAL 1906
LOCALISATION : Floride, É.-U.
L'ouragan frappa lors de la construction d'une nouvelle voie de communication à travers les Florida Keys. L'ouvrage ne fut pas détruit, mais 124 ouvriers furent noyés.

38 I7 SAN FRANCISCO

SÉISME 1906
LOCALISATION : Californie, É.-U.
Voir p. 36-37.

39 L8 BAY CITY

CYCLONE TROPICAL 1909
LOCALISATION : Texas, É.-U.
La tempête frappa les villes du littoral texan, dont Galveston, Velasco et Bay City, faisant au total 41 victimes.

40 M8 WARRINGTON

CYCLONE TROPICAL 1909
LOCALISATION : Floride, É.-U.
La ville fut dévastée lors du passage de la tempête sur quatre États du sud des États-Unis. La rupture des digues à l'embouchure du Mississippi provoqua l'inondation de La Nouvelle-Orléans. Le bilan fit état de 350 morts et 5 millions de dollars de dégâts.

41 I6 WELLINGTON

AVALANCHE 1910
LOCALISATION : chaîne des Cascades, É.-U.
Des tonnes de neige dévalèrent la montagne, engloutissant la gare de Wellington et projetant trois trains de voyageurs dans une gorge profonde de 45 m. Cette avalanche, la pire de toute l'histoire américaine, tua 100 personnes.

42 F4 KATMAI

ÉRUPTION VOLCANIQUE 1912
LOCALISATION : Alaska, É.-U.
L'explosion produite par l'éruption fut entendue à 1 500 km. De nouvelles explosions libérèrent un nuage de cendres si dense que l'Alaska fut plongé dans la nuit durant plus de soixante heures. La mer fut recouverte d'un épais tapis de pierres ponces.

43 M7 DAYTON

INONDATION 1913
LOCALISATION : Ohio, É.-U.
Des pluies prolongées causèrent de graves inondations à travers trois États américains. Parmi les nombreuses villes touchées, Dayton fut englouti sous 4 m d'eau. On compta plus de 500 morts, des centaines de disparus et plus de 47 millions de dollars de dégâts.

44 L8 GALVESTON

CYCLONE TROPICAL 1915
LOCALISATION : Texas, É.-U.
Le mur de protection érigé après le terrible ouragan de 1900 fut entamé par des vagues de 6 m de haut au cours de la tempête. On compta plus de 50 millions de dollars de dégâts et 275 victimes, dont beaucoup n'avaient pas pris les signaux d'alerte au sérieux.

45 M6 MATHESON

INCENDIE 1916
LOCALISATION : nord de l'Ontario, Canada
La ville de Matheson et 184 de ses habitants furent la proie des flammes au cours d'un immense incendie de forêt.

46 N7 NEW YORK

ÉPIDÉMIE (POLIO) 1916
LOCALISATION : New York, É.-U.
Neuf mille New-Yorkais, pour la plupart des enfants, contractèrent la poliomyélite en 1916 ; 2 500 en moururent. Au total, 27 000 Américains (dont 6 000 décédèrent) furent atteints dans l'Est et le Midwest.

47 L6 CLOQUET

INCENDIE 1918
LOCALISATION : Minnesota, É.-U.
Après un été exceptionnellement sec, de vastes zones de broussailles prirent feu, engloutissant 26 villes et villages. Plus de 800 personnes perdirent la vie au cours de ces sinistres.

48 K8 CORPUS CHRISTI

CYCLONE TROPICAL 1919
LOCALISATION : Texas, É.-U.
La ville fut tellement endommagée par la tempête qu'il fallut plusieurs jours pour retrouver les corps des 284 victimes. Le paquebot *Valbanera* sombra dans le détroit de Floride avec 488 personnes à son bord.

49 K7 PUEBLO

ORAGE (INONDATION SUBITE) 1921
LOCALISATION : Colorado, É.-U.
Sous l'effet de pluies importantes, l'Arkansas sortit de son lit et inonda la ville et ses environs. Parmi les nombreuses personnes qui furent surprises par la rapidité de l'inondation, 120 périrent noyées.

50 K8 SAN ANTONIO

INONDATION 1921
LOCALISATION : Texas, É.-U.
Au cours de ce que les Texans considèrent comme la chute de pluie la plus importante de l'histoire américaine, 51 personnes périrent noyées lors de la crue de 9 torrents qui inonda la ville de San Antonio en quelques minutes.

51 I7 BERKELEY

INCENDIE 1923
LOCALISATION : Californie, É.-U.
L'incendie qui débuta sur une pelouse dans les environs de Berkeley se transforma en un véritable brasier sous l'effet de vents puissants. Une grande partie de la ville fut rasée et au moins 24 personnes trouvèrent la mort à leur domicile. Les volontaires luttèrent contre les flammes avec des seaux d'eau, car la compagnie régionale des eaux n'avait pas prévu assez de bouches d'incendie pour faire face à un sinistre d'une telle ampleur.

52 M7 FLORENCE

TORNADES 1924
LOCALISATION : Caroline du Sud, É.-U.
La ville fut dévastée par des vents extrêmement violents durant une série de 22 tornades qui frappa 7 États américains, provoquant d'énormes dégâts et la mort de 115 personnes.

53 L7 ANNAPOLIS

TORNADE DES TROIS ÉTATS 1925
LOCALISATION : Missouri, É.-U.
Voir p. 59.

54 N7 LAC DENMARK

ORAGE (FOUDRE) 1926
LOCALISATION : près de Dover, New Jersey, É.-U.
Les villes et les villages situés autour du dépôt de munitions de la marine américaine furent sérieusement touchés lorsque la foudre s'abattit sur le lieu au cours d'un violent orage. Les cartouches et les balles qui retombèrent au sol tuèrent 30 personnes et firent 400 blessés graves.

55 M8 MIAMI

CYCLONE TROPICAL 1926
LOCALISATION : Floride, É.-U.
Miami, qui avait connu un grand essor l'année précédente, lors du boom de l'immobilier, fut presque entièrement détruite au cours de l'une des tempêtes les plus meurtrières du siècle. Dans toute la Floride, le bilan fit état de 450 morts et plus de 100 millions de dollars de dégâts.

55 L7 CAIRO

INONDATION (MISSISSIPPI) 1927
LOCALISATION : Illinois, É.-U.
La plus importante des crues du fleuve jamais enregistrées à ce jour provoqua l'inondation de 7 millions d'hectares de terres cultivées. Près de 300 personnes périrent noyées.

57 L7 POPLAR BLUFF

TORNADES 1927
LOCALISATION : Missouri, É.-U.
La ville fut entièrement dévastée et 92 personnes perdirent la vie au cours de la série de 36 tornades qui frappa 6 États américains. Le bilan final fit état de 142 morts et 8 millions de dollars de dégâts.

58 M8 LAC OKEECHOBEE

CYCLONE TROPICAL 1928
LOCALISATION : Floride, É.-U.
La tempête dévasta l'État de Floride et toute la côte est des États-Unis. Les digues de boue construites autour du lac furent rasées et plus de 2 500 personnes périrent dans les inondations qui suivirent.

59 P6 BURIN

TSUNAMI 1929
LOCALISATION : péninsule de Burin, Canada
Le tsunami emporta 27 personnes en submergeant la péninsule.

60 M8 MARION

TORNADES 1932
LOCALISATION : Alabama, É.-U.
Une dizaine de tornades s'abattirent sur la « ceinture des tornades », créant une véritable situation de chaos dans 7 États. Marion fut la première ville à avoir été touchée. Le bilan s'éleva à 268 morts et plus de 8 000 sans-abri.

61 I7 LONG BEACH

SÉISME 1933
LOCALISATION : Californie, É.-U.
L'effondrement de bâtiments fragiles lors d'un séisme de magnitude 6,3 provoqua la panique, et 120 personnes périrent.

62 I7 GLENDALE

ORAGE (INONDATION SUBITE) 1934
LOCALISATION : Californie, É.-U.
De fortes pluies provoquèrent la crue de la rivière Verdugo, qui inonda la vallée de La Canada. Cette inondation subite déversa des pierres, de la boue et des débris divers à travers les rues de la ville, détruisant 500 maisons et causant la mort de 40 personnes.

63 K7 DODGE CITY

SÉCHERESSE (« DUST BOWL ») 1932-1940
LOCALISATION : Kansas, É.-U.
Voir p. 81.

64 M8 MATECUMBE KEY

OURAGAN DU 1er MAI 1935
LOCALISATION : Florida Keys, É.-U.
Toute la zone fut dévastée, et les diverses voies de communication construites trente ans tôt à travers les Florida Keys furent détruites. Plus de 400 personnes périrent, parmi lesquelles les 121 militaires qui construisaient une nouvelle route nationale.

65 P5 TERRE-NEUVE

CYCLONE TROPICAL 1935
LOCALISATION : Canada
Le terrible orage qui avait frappé les Antilles sept jours auparavant provoqua la mort de dizaines de personnes à Terre-Neuve, détruisant pratiquement toute la flotte de pêche dans les ports à travers l'île.

66 L7 TUPELO

TORNADE 1936
LOCALISATION : Mississippi, É.-U.
La tornade déchira littéralement un quartier résidentiel de Tupelo, faisant 213 morts et 700 blessés.

67 N7 LONG ISLAND

CYCLONE TROPICAL 1938
LOCALISATION : État de New York, É.-U.
Long Island fut dévastée et 14 000 maisons, détruites. On dénombra 500 morts et 100 disparus. Les dégâts, estimés à 400 millions de dollars, touchèrent tout le littoral est américain.

68 I5 COURTENAY

SÉISME 1946
LOCALISATION : île de Vancouver, Canada
Ce séisme, de magnitude 7,3, fut ressenti jusqu'en Oregon. L'île subit d'importants dommages. Un tsunami fit chavirer un petit bateau, dont les occupants périrent.

69 E5 ÎLE UNIMAK

SÉISME/TSUNAMI 1946
LOCALISATION : îles Aléoutiennes, Alaska, É.-U.
Engendré par un séisme dans le Pacifique Nord, un tsunami détruisit un phare sur l'île Unimak, tuant les 5 opérateurs. D'autres tsunamis se dirigèrent vers le sud, dont l'un submergea la ville d'Hilo, dans l'archipel d'Hawaii, tuant 165 personnes.

70 K7 WOODWARD

TORNADE 1947
LOCALISATION : Oklahoma, É.-U.
La tornade réduisit la ville à l'état de ruines et causa la mort de 95 personnes. Les dégâts furent estimés à plus de 6 millions de dollars.

71 I5 VANCOUVER

INONDATION 1948
LOCALISATION : Colombie-Britannique, Canada
Le dégel printanier causa la crue de la rivière Columbia, qui provoqua de graves inondations à travers la province. Les États américains de Washington et de l'Oregon furent également touchés et au moins 15 personnes périrent.

72 M6 FLINT

TORNADES 1953
LOCALISATION : Michigan, É.-U.
Huit tornades dévastèrent une grande partie de l'Ohio et du Michigan. Dans la seule ville de Flint, 116 personnes trouvèrent la mort, 867 furent blessées et les dégâts dépassèrent 19 millions de dollars.

73 N6 WORCESTER
TORNADE 1953
LOCALISATION : Massachusetts, É.-U.
La plus importante tornade qui se soit
jamais abattue en Nouvelle-Angleterre
tua 62 personnes et en blessa 738 autres,
rien qu'à Worcester. Le bilan matériel
– 52 millions de dollars – est le plus élevé
jamais enregistré pour un cataclysme
de ce type aux États-Unis.

74 N7 NEWPORT
OURAGAN CAROL 1954
LOCALISATION : Rhode Island, É.-U.
Carol, qui toucha 10 États, fit 460 milliards
de dollars de dégâts. La ville de Newport,
avec plus de 200 habitations détruites,
fut la plus atteinte. On dénombra au total
60 morts et des milliers de blessés.

75 M6 TORONTO
OURAGAN HAZEL 1954
LOCALISATION : Canada
Hazel fit rage aux États-Unis et au Canada
(il fit 56 victimes à Toronto). Cet ouragan,
l'un des plus longs jamais enregistrés, fit
411 morts et 1 milliard de dollars de dégâts.

76 N6 PUTNAM
OURAGANS CONNIE ET DIANE 1955
LOCALISATION : Connecticut, É.-U.
Dans le sillage de Connie, l'ouragan Diane,
encore plus puissant, dévasta les usines
de magnésium de la ville. Des fûts
incandescents de magnésium flottaient dans
les rues inondées, explosant et projetant
dans les airs du métal chauffé à blanc. Six
États furent déclarés sinistrés avant que
les ouragans ne finissent par se dissiper.
Le bilan s'éleva à plus de 1,5 milliard
de dollars de dégâts et 310 morts.

77 L8 CAMERON
OURAGAN AUDREY 1957
LOCALISATION : Louisiane, É.-U.
L'ouragan Audrey détruisit la ville et dévasta
toute la côte de la Louisiane. Le bilan
humain élevé – 534 morts – s'explique
par le fait que beaucoup ignorèrent les
avertissements des stations météorologiques
américaines. Audrey frappa en effet
en juin, soit deux mois avant la saison
habituelle des ouragans.

78 N7 ALLENTOWN
TEMPÊTE (BLIZZARD) 1958
LOCALISATION : Pennsylvanie, É.-U.
Tout le nord-est des États-Unis fut touché
par la plus terrible des tempêtes de neige
de l'histoire du pays, qui fit 500 morts et
500 millions de dollars de dégâts.

79 F3 ANCHORAGE
SÉISME 1964
LOCALISATION : baies du Prince-Guillaume,
Alaska
De magnitude 8,6, le plus important séisme
de l'histoire américaine tua 118 personnes.
Les dégâts furent estimés à 500 millions
de dollars. En Californie, où les secousses
furent ressenties, un tsunami de 4 m
emporta 6 personnes à Crescent City.

80 M7 INDIANAPOLIS
TORNADES 1965
LOCALISATION : Indiana, É.-U.
Le même jour, 37 tornades frappèrent le
Midwest. En neuf heures, il y eut 271 morts
et 300 millions de dollars de dégâts.

81 H4 SKEENA MOUNTAINS
AVALANCHE 1965
LOCALISATION : Colombie-Britannique, Canada
Vingt-sept des 154 ouvriers d'une mine
de cuivre périrent lorsqu'une avalanche
dévala Granduc Mountain pour s'abattre
sur la mine.

82 L8 GULFPORT
OURAGAN CAMILLE 1969
LOCALISATION : Mississippi, É.-U.
L'ouragan qui ravagea le Mississippi
et la Louisiane fit près de 300 morts
et des milliers de sans-abri.

83 I7 LOS ANGELES
GLISSEMENTS DE TERRAIN 1969
LOCALISATION : Californie, É.-U.
Un orage subtropical en provenance
d'Hawaï apporta neuf jours de fortes
précipitations qui causèrent d'importants
glissements de terrain. Des centaines de
maisons situées sur les collines environnant
la ville furent emportées, 95 personnes
perdirent la vie.

84 K6 RAPID CITY
ORAGE (INONDATIONS SUBITES) 1972
LOCALISATION : Dakota du Sud, É.-U.
Provoquées par de fortes précipitations,
les inondations subites détruisirent
1 200 maisons et provoquèrent la mort de
236 personnes. Les dégâts furent estimés à
100 millions de dollars. La ville fut déclarée
zone sinistrée.

85 N7 WILMINGTON
OURAGAN AGNÈS 1972
LOCALISATION : Delaware, É.-U.
L'ouragan qui balaya plusieurs États fit plus
de 100 morts, 200 000 sans-abri et plus
de 100 millions de dollars de dégâts.

86 K7 BIG THOMPSON RIVER
INONDATION 1976
LOCALISATION : Colorado, É.-U.
Voir p. 56.

87 M7 JOHNSTOWN
INONDATION 1977
LOCALISATION : Pennsylvanie, É.-U.
Malgré les mesures de grande envergure
qui avaient été prises après la terrible
inondation de 1889, la rupture de plusieurs
petites digues sur la rivière provoqua
une nouvelle inondation de la ville.
Dans la région, le bilan s'éleva
à 200 millions de dollars de dégâts et
80 morts.

88 F9 MAUNA LOA
ÉRUPTION VOLCANIQUE 1984
LOCALISATION : Hawaii
La lave déversée par le plus grand et le plus
actif volcan de la planète s'arrêta à 6 km
à peine de Hilo.

89 I6 MONT SAINT HELENS
ÉRUPTION VOLCANIQUE 1980
LOCALISATION : chaîne des Cascades, É.-U.
Voir p. 18-19.

90 K8 SARAGOSA
TORNADE 1987
LOCALISATION : Texas, É.-U.
La gigantesque tornade qui traversa
le centre de la ville détruisit plus de
100 habitations, fit 31 morts et 121 blessés.

91 J6 YELLOWSTONE
INCENDIE 1988
LOCALISATION : Wyoming, É.-U.
Dans le cadre d'un programme destiné
à contrôler les incendies, on laissa les feux
déclenchés par la foudre se développer.
Mais la situation dégénéra sous l'effet d'un
vent sec suivi de l'été le plus caniculaire
depuis les années 1930. À l'automne, plus
de 610 000 ha de forêts avaient été détruits
par les incendies qui durèrent jusqu'à la
chute des premières neiges, en septembre.

92 I7 SAN FRANCISCO
SÉISME 1989
LOCALISATION : Californie, É.-U.
Le séisme de magnitude 6,9 fit s'écrouler
le pont supérieur d'une autoroute, écrasant
les véhicules roulant au-dessous.
Une centaine de personnes furent tuées,
3 757 furent blessées.

93 N6 MONTRÉAL
TEMPÊTE GÉOMAGNÉTIQUE 1989
LOCALISATION : Québec, Canada
Une tempête solaire plongea 6 millions
de personnes dans l'obscurité neuf heures
durant. Les gaz solaires chargés d'électricité
provoquèrent une panne du réseau
électrique québécois.

94 F9 KILAUEA
ÉRUPTION VOLCANIQUE 1991
LOCALISATION : Hawaii
La lave déversée par l'éruption,
ininterrompue depuis 1983, engloutit
13 km de routes sur la côte sud,
181 maisons et un complexe touristique.

95 M8 CORAL GABLES
OURAGAN ANDREW 1992
LOCALISATION : Floride, É.-U.
Voir p. 64-66.

96 N7 NEW YORK
« TEMPÊTE DU SIÈCLE » 1993
LOCALISATION : New York, É.-U.
Voir p. 73.

97 L7 SAINT LOUIS
INONDATION 1993
LOCALISATION : Missouri, É.-U.
Voir p. 90-91.

98 I7 NORTHRIDGE
SÉISME 1994
LOCALISATION : Los Angeles, Californie, É.-U.
Le premier séisme survenu directement
sous une agglomération fut le plus coûteux
de l'histoire des États-Unis. Neuf autoroutes
aériennes et quelque 11 000 bâtiments
furent détruits en trente secondes.
Ce séisme de magnitude 6,9 tua environ
60 personnes, et l'altitude des montagnes
environnantes augmenta de 30 cm.

99 K7 DENVER
TEMPÊTE (BLIZZARD) 1997
LOCALISATION : Colorado, É.-U.
L'état d'urgence fut proclamé lorsque
la ville, enfouie sous une épaisse couche
de neige, fut complètement paralysée
et que 2 000 personnes se trouvèrent
bloquées dans le nouvel aéroport,
théoriquement équipé pour faire face
à ce type de situation.

100 L8 JARRELL
TORNADE 1997
LOCALISATION : Texas, É.-U.
Voir p. 62.

101 N6 MONTRÉAL
GEL (TEMPÊTE DE NEIGE) 1998
LOCALISATION : Canada
Des températures de – 40 °C fendirent les
arbres et provoquèrent la chute de pylônes
qui privèrent 2 millions de personnes
d'électricité. L'état d'urgence fut proclamé
et au moins 12 000 militaires dépêchés
sur les lieux. Le bilan fit état de 17 morts
et 1 milliard de dollars de dégâts.

102 M8 SANFORD
TORNADES 1998
LOCALISATION : Orlando, Floride, É.-U.
Plusieurs tornades s'abattirent sur la Floride,
faisant plus de 38 morts et 260 blessés.

AMÉRIQUE CENTRALE ET ANTILLES

Carte p. 130-131.

1 G5 CHICXULUB
METÉORITE 65 MILLIONS D'ANNÉES
LOCALISATION : péninsule du Yucatán, Mexique
Voir p. 98.

2 D5 POPOCATÉPETL
ÉRUPTION VOLCANIQUE V. – 400
LOCALISATION : Mexique
Une éruption majeure aurait engendré
des coulées pyroclastiques et des lahars
ayant dévasté une zone de 70 km de rayon.

3 D5 POPOCATÉPETL
ÉRUPTION VOLCANIQUE 822
LOCALISATION : Mexique
Les habitations en bordure du lac furent
temporairement abandonnées, sans doute
parce que des lahars avaient dévasté
les terres cultivables.

4 K4 SAN SALVADOR
ÉPIDÉMIE 1492-1513
LOCALISATION : Bahamas
Les Indiens Lucayes furent éliminés de
l'archipel après l'arrivée de Colomb. Ceux
qui ne succombèrent pas aux maladies
européennes furent emmenés en esclavage.

5 D5 TENOCHTITLÁN
ÉPIDÉMIE (VARIOLE) 1521
LOCALISATION : (auj. Mexico), Mexique
Voir p. 114.

6 M6 PONCE
CYCLONES TROPICAUX 1533
LOCALISATION : Porto Rico, Antilles
Trois cyclones frappèrent les colonies
de peuplement espagnoles, dévastant
les plantations de canne à sucre et
tuant 2 000 des esclaves africains
qui y travaillaient.

7 E5 GOLFE DU MEXIQUE
CYCLONE TROPICAL 1553
LOCALISATION : au large de Veracruz, Mexique
Pris dans la tempête, seuls 2 navires sur
les 20 qui composaient la flotte espagnole
purent atteindre La Havane, où
les membres d'équipage furent décimés
par les autochtones.

8 I4 AU LARGE DE LA HAVANE
CYCLONE TROPICAL 1591
LOCALISATION : détroit de Floride
Au cours d'un ouragan, la flotte espagnole
perdit 12 navires et 500 hommes d'équipage
alors qu'ils faisaient route vers l'Espagne.

9 G7 LÉON
SÉISME 1609
LOCALISATION : Nicaragua
La destruction de l'ancienne capitale
par un séisme coûta la vie à de nombreuses
personnes. L'éruption du Momotombo qui
s'ensuivit noya sous la lave ce qui restait
de la ville.

10 L5 AU LARGE D'HISPANIOLA
CYCLONE TROPICAL 1643
LOCALISATION : Antilles
Durant la terrible tempête, le vaisseau amiral de la flotte espagnole sombra, emportant 324 personnes.

11 O6 BASSETERRE
CYCLONE TROPICAL 1650
LOCALISATION : Saint-Kitts-et-Nevis, Petites Antilles
Des milliers de personnes périrent au cours de la tempête qui dévasta Basseterre et vit sombrer 28 navires dans les eaux littorales.

12 O6 POINTE-À-PITRE
CYCLONE TROPICAL 1666
LOCALISATION : Guadeloupe, Petites Antilles
La tempête, qui n'épargna pas plus la Martinique et Saint-Kitts-et-Nevis, provoqua la mort de milliers de personnes parmi lesquelles les 2 000 marins qui se trouvaient à bord des 17 navires naufragés.

13 O7 BAIE DU CUL-DE-SAC DU MARIN
CYCLONE TROPICAL 1680
LOCALISATION : Martinique, Petites Antilles
La tempête qui ravagea l'île fit des milliers de morts et coula 22 navires dans la baie.

14 M6 SAINT-DOMINGUE
CYCLONE TROPICAL 1680
LOCALISATION : Rép. Dominicaine, Antilles
Tout le pays fut dévasté par l'immense tempête qui provoqua la mort de milliers de personnes, dont toutes celles qui se trouvaient à bord des 25 navires français qui coulèrent dans le port de Saint-Domingue.

15 O6 SAINT-EUSTACHE
SÉISME 1690
LOCALISATION : Petites Antilles
Des centaines de personnes périrent lorsque la ville de Saint-Eustache fut engloutie par un puissant séisme.

16 J6 PORT ROYAL
SÉISME 1692
LOCALISATION : Jamaïque, Grandes Antilles
Près de 2 000 personnes moururent dans ce séisme. Le sol sablonneux se liquéfia, entraînant les bâtiments au fond de la mer.

17 P7 CARLISLE BAY
CYCLONE TROPICAL 1694
LOCALISATION : Barbade, Petites Antilles
La tempête fit sombrer 26 navires britanniques qui mouillaient dans la baie et provoqua la mort de 3 000 personnes.

18 O7 FORT-DE-FRANCE
CYCLONE TROPICAL 1695
LOCALISATION : Martinique, Petites Antilles
La capitale de la Martinique fut ravagée par la tempête qui fit plusieurs milliers de morts. Le naufrage d'une dizaine de navires français fit aussi de nombreuses victimes.

19 I4 LA HAVANE
CYCLONE TROPICAL 1705
LOCALISATION : Cuba
La tempête dévasta la ville, provoquant la mort de centaines de personnes dont les membres d'équipage de 4 navires de guerre espagnols qui sombrèrent dans le port.

20 O7 LA SOUFRIÈRE
ÉRUPTION VOLCANIQUE 1718
LOCALISATION : île de Saint-Vincent, Petites Antilles
La première éruption connue de ce volcan causa la mort de centaines de personnes. Toute la région fut ensevelie sous les cendres.

21 J6 PORT ROYAL
CYCLONE TROPICAL 1722
LOCALISATION : Jamaïque, Antilles
La terrible tempête qui balaya Port Royal provoqua la mort de 400 personnes et fit chavirer 26 navires qui avaient jeté l'ancre dans le port.

22 O7 FORT-DE-FRANCE
SÉISME 1767
LOCALISATION : Martinique, Petites Antilles
En 1658, plutôt que de se rendre aux Français, les Caraïbes se suicidèrent collectivement, jurant que la montagne Pelée les vengerait, ce que le volcan fit 250 ans plus tard. Entre-temps, l'île avait été affectée par de nombreux séismes, dont celui de 1767, au cours duquel 16 000 personnes furent tuées et Fort-de-France gravement endommagée.

23 F7 ANTIGUA GUATEMALA
SÉISME 1773
LOCALISATION : Guatemala
L'ancienne capitale située au pied des volcans Acatenango, Feugo et Agua, fut déménagée et rebaptisée Guatemala, à la suite de ce séisme dévastateur.

24 P7 BRIDGETOWN
CYCLONE TROPICAL 1780
LOCALISATION : Barbade, Petites Antilles
Le « Grand Ouragan » démolit tous les bâtiments de l'île et provoqua le naufrage de la flotte britannique à proximité de Sainte-Lucie, avant de s'abattre sur la Martinique, où il détruisit 20 villes, ainsi que Saint-Vincent, Saint-Eustache et Porto Rico. Au total, on déplora 20 000 morts.

25 O7 ROSEAU
CYCLONE TROPICAL 1806
LOCALISATION : Dominique, îles Sous-le-Vent
La crue de la rivière Roseau provoqua la mort de plus de 100 personnes. La ville fut engloutie sous plusieurs mètres de boue et de sable.

26 M6 MARTINIQUE
ÉPIDÉMIE (FIÈVRE JAUNE) 1806
LOCALISATION : Petites Antilles
Des 33 000 soldats français dépêchés dans l'île pour mater une révolte, près de 95 % moururent en quelques mois de la fièvre jaune. Ces pertes incitèrent Napoléon à revoir ses ambitions dans le Nouveau Monde et à vendre la Louisiane aux États-Unis.

27 O7 LA SOUFRIÈRE
ÉRUPTION VOLCANIQUE 1812
LOCALISATION : île de Saint-Vincent, Petites Antilles
L'île fut plongée dans l'obscurité durant trois jours, tant la fumée était épaisse. Un tapis de cendres couvrait le sol. Des dizaines de villages et des milliers de personnes furent engloutis par les fleuves de lave s'écoulant du volcan.

28 N6 CAYEY
OURAGAN DE SANTA ANA 1825
LOCALISATION : Porto Rico, Antilles
Cet ouragan, l'un des plus violents qui se soient jamais abattus sur l'île, détruisit 7 000 habitations, fit 374 morts et 1 210 blessés.

29 P7 BRIDGETOWN
CYCLONE TROPICAL 1831
LOCALISATION : Barbade, Petites Antilles
Avant de toucher toutes les Antilles et la Louisiane, la tempête la plus terrible du XIXe siècle dévasta la Barbade. Le bilan fit état de 1 500 morts et 7,5 millions de dollars.

30 M6 SAINT-DOMINGUE
CYCLONE TROPICAL 1834
LOCALISATION : Rép. Dominicaine, Antilles
Venue de la Dominique, la tempête provoqua de nombreux dégâts à Saint-Domingue : les forêts et les cultures situées le long de la rivière Ozama furent dévastées et des milliers de personnes trouvèrent la mort.

31 G7 COSEGÜINA
ÉRUPTION VOLCANIQUE 1835
LOCALISATION : Nicaragua
Les pierres et les gaz brûlants projetés par le volcan dont le sommet avait explosé tuèrent 300 personnes vivant en contrebas. À 1 280 km de là, le superintendant de Belize, entendant la conflagration, mobilisa son armée, croyant qu'une invasion se préparait.

32 N6 SAINT THOMAS
CYCLONE TROPICAL/SÉISME 1837
LOCALISATION : îles Vierges, Petites Antilles
Le séisme qui suivit le terrible orage détruisit ce qui restait encore de Saint Thomas. Dans la baie, tous les bateaux furent coulés ; au moins 500 personnes périrent et près de 2 000 furent blessées.

33 H8 CARTAGO
SÉISME 1841
LOCALISATION : Costa Rica
Quelque 4 000 personnes périrent et plus de 4 000 bâtiments, dont les 600 édifices gouvernementaux, furent détruits par le séisme. Les secousses secondaires se prolongèrent durant deux ans.

34 D3 MATAMOROS
CYCLONE TROPICAL 1844
LOCALISATION : Mexique
La tempête qui fit rage dans la région du Rio Grande provoqua la mort de 70 personnes.

35 E6 OAXACA
SÉISME 1870
LOCALISATION : Mexique
La moitié d'Oaxaca fut détruite et plus de 100 personnes furent tuées. Des secousses mineures furent ressenties durant les vingt-quatre heures suivantes.

36 G7 SAN SALVADOR
SÉISME 1878
LOCALISATION : Salvador
Le séisme tua des milliers de gens et dévasta San Salvador, ainsi que Guadeloupe, Incuapa et Santiago de Marie. De nombreux villages autour d'Incuapa disparurent entièrement.

37 O7 LE ROBERT
CYCLONE TROPICAL 1881
LOCALISATION : Martinique, Petites Antilles
La tempête, qui ne dura que quatre heures, provoqua la mort de plus de 700 habitants de l'île et causa 10 millions de dollars de dégâts.

38 N6 HUMACAO
OURAGAN DE SAN CIRIACO 1885
LOCALISATION : Porto Rico, Antilles
L'ouragan qui fit rage sur Porto Rico provoqua la mort de plus de 3 000 personnes et ravagea les plantations de café. Des vagues déchaînées balayèrent le port d'Humacao.

39 G7 LÉON
SÉISME 1885
LOCALISATION : Mexique
La ville, déménagée après le séisme dévastateur de 1609, fut ébranlée par un nouveau séisme très meurtrier de magnitude 7,5.

40 F7 GUATEMALA
SÉISME/ÉRUPTION VOLCANIQUE 1902
LOCALISATION : Guatemala
Le séisme ravagea la ville et détruisit 18 autres cités. Puis le volcan Santa Ana se mit à vomir de la lave. Plus de 12 000 personnes furent tuées, 80 000 laissées sans abri.

41 O7 LA SOUFRIÈRE
ÉRUPTION VOLCANIQUE 1902
LOCALISATION : île de Saint-Vincent, Petites Antilles
Frappés de stupeur par les nuages de cendres et de vapeur s'échappant du volcan, les habitants furent piégés par la lave dans plusieurs villages, et brûlés vifs. On dénombra 3 000 morts au total.

42 O7 MONTAGNE PELÉE
ÉRUPTION VOLCANIQUE 1902
LOCALISATION : Martinique, Petites Antilles
Voir p. 23.

Voir p. 23.

43 F7 TACANA
ÉRUPTION VOLCANIQUE 1902
LOCALISATION : Retalhuleu, Guatemala
Un millier de personnes environ furent tuées quand Tacana fut ensevelie sous la lave et la cendre. La baie de Champanico se couvrit de fragments de ponce.

44 J6 KINGSTON
SÉISME 1907
LOCALISATION : Jamaïque, Grandes Antilles
Une centrale électrique fut détruite et des dizaines de câbles furent jetés à terre. De nombreuses victimes fuyant les incendies furent électrocutées. Plus de 1 400 personnes périrent.

45 D3 MENDEZ
CYCLONE TROPICAL 1909
LOCALISATION : Mexique
Parti des îles Windward, le cyclone frappa Porto Rico, Haïti et Cuba avant de dévaster les provinces du nord-est du Mexique, où il provoqua des crues subites qui firent 1 500 morts.

46 J6 BLACK RIVER
CYCLONE TROPICAL 1912
LOCALISATION : Jamaïque, Petites Antilles
Les énormes vagues de marée balayèrent l'île, provoquant la destruction de Black River et faisant 100 morts, avant que le cyclone ne se dissipât au-dessus de la partie orientale de Cuba.

47 G7 BOQUERON
ÉRUPTION VOLCANIQUE 1917
LOCALISATION : San Salvador, Salvador
L'explosion du volcan répandit des flots de lave et de cendres sur Boqueron. L'eau qui emplissait le cratère se déversa, brûlante, sur 15 villes voisines, où 450 personnes périrent tandis que 100 000 autres étaient laissées sans abri.

48 I4 LA HAVANE
CYCLONE TROPICAL 1926
LOCALISATION : Cuba
La tempête s'abattit sur Cuba, faisant 650 morts et 10 000 sans-abri. À La Havane, 325 bâtiments furent détruits en l'espace d'une heure.

49 O6 PORT-LOUIS
CYCLONE TROPICAL 1928
LOCALISATION : Guadeloupe, Petites Antilles
La tempête déferla sur l'île et provoqua la mort de plus de 600 personnes avant de poursuivre sa route meurtrière sur Porto Rico, faisant 300 victimes supplémentaires.

50 G6 BELIZE

CYCLONE TROPICAL 1931
LOCALISATION : Honduras britannique
(auj. Belize)
La tempête, qui passa sur les Caraïbes
en arrivant de la Barbade, s'abattit sur
Belize avec une telle force qu'en 10 minutes
la ville fut ravagée par des vents en furie et
balayée par une gigantesque vague. Près
de 1 500 personnes périrent.

51 N6 CEIBA

OURAGAN DE SAN CIPRIAN 1932
LOCALISATION : Porto Rico, Grandes Antilles
Le bilan de l'ouragan fit état de 225 morts,
3 000 blessés et 75 000 habitations détruites.

52 J5 SANTA CRUZ DEL SUR

CYCLONE TROPICAL 1932
LOCALISATION : Cuba
La ville fut dévastée et 2 500 à 4 000 de
ses habitants périrent, la plupart noyés
par la gigantesque marée de tempête
qui balaya l'intérieur des terres.

53 D4 TAMPICO

CYCLONE TROPICAL 1933
LOCALISATION : Mexique
Le deuxième cyclone tropical à frapper
Tampico en l'espace de dix jours provoqua
des dégâts considérables et des inondations
massives. Le bilan exact de la catastrophe
demeure inconnu en raison de la présence
en ville de milliers d'immigrants venus
chercher du travail, mais plusieurs centaines
de personnes trouvèrent la mort.

54 G7 RIVIÈRE LEMPA

CYCLONE TROPICAL 1934
LOCALISATION : Salvador
La crue de la rivière fut provoquée par les
pluies torrentielles qu'engendra la tempête.
Dans l'estuaire, de nombreux bateaux
furent coulés. Près de 2 000 personnes
perdirent la vie.

55 K6 JÉRÉMIE

INONDATION 1935
LOCALISATION : Haïti, Grandes Antilles
La crue des rivières Roseau, Voldrogue et
Grande Anse provoqua des inondations qui
coûtèrent la vie à près de 2 000 personnes,
pour la plupart jetées à la mer.

56 I4 LA HAVANE

CYCLONE TROPICAL 1944
LOCALISATION : Cuba
La tempête détruisit des centaines
d'immeubles dans la capitale et causa
la mort de 300 personnes. En dépit des
pénuries liées à la guerre, tous les magasins
de l'artère principale de la ville furent
réouverts aux touristes douze heures après.

57 J6 PORT ROYAL

OURAGAN CHARLIE 1951
LOCALISATION : Jamaïque, Antilles
L'ouragan fit couler des dizaines de bateaux
dans le port et réduisit en miettes toutes les
constructions en bois. Il tua 154 personnes,
en blessa 2 000 autres et fit 50 000 sans-abri
à travers l'île.

58 C2 PIEDRAS NEGRAS

INONDATIONS 1954
LOCALISATION : frontière Mexique/Texas
Les fortes pluies qui provoquèrent la crue
des rivières Pecos et Devil's et firent sortir
le Rio Grande de son lit causèrent la mort
par noyade de 185 personnes.

59 D4 TAMPICO

OURAGAN HILDA 1955
LOCALISATION : Mexique
La rivière Panuco atteignit son niveau
le plus haut depuis trente ans et inonda
la moitié de la ville. On déplora 200 morts.

60 D4 TAMPICO

OURAGAN JANET 1955
LOCALISATION : Mexique
Deuxième à s'abattre sur Tampico en moins
d'un mois, l'ouragan acheva de détruire
ce qui restait de la ville, faisant 300 morts et
60 000 sans-abri.

61 O8 GRENVILLE

CYCLONE TROPICAL 1956
LOCALISATION : Grenade, Petites Antilles
La tempête détruisit 40 000 habitations et
provoqua la mort de 230 personnes. Les
plantations de noix de coco et de noix de
muscade furent entièrement ravagées.

62 D5 MEXICO

SÉISME 1957
LOCALISATION : Mexique
Le séisme tua 70 personnes et affecta la
région s'étendant de Mexico à Acapulco.

63 E6 MINATITLÁN

GLISSEMENTS DE TERRAIN 1959
LOCALISATION : Mexique
Les glissements de terrain provoqués par
de fortes pluies dévastèrent des dizaines
de villes sur la côte pacifique, tuant plus
de 5 000 personnes. À Minatitlán,
200 personnes moururent des piqûres
de scorpions, d'araignées et autres serpents
chassés des montagnes.

64 N6 SAN JUAN

OURAGAN DONNA 1960
LOCALISATION : Porto Rico,
Grandes Antilles
L'ouragan provoqua de graves inondations
qui firent 100 morts et 600 blessés.

65 G6 BELIZE

OURAGAN HATTIE 1961
LOCALISATION : Honduras britannique
(auj. Belize)
Près de 50 % des bâtiments de la ville furent
détruits. On déplora environ 300 morts, un
chiffre considéré comme un moindre mal et
qui s'explique par la présence du système
d'alarme mis en place après qu'un cyclone
eut déjà ravagé Belize trente ans plus tôt.

66 K5 HOLGUIN

OURAGAN FLORA 1963
LOCALISATION : Cuba
Soufflant depuis Tobago, l'ouragan frappa
Haïti avant de s'abattre sur Cuba, détruisant
les plantations de canne à sucre de l'île et
faisant 1 000 morts.

67 L5 GONAÏVES

OURAGAN CLÉO 1964
LOCALISATION : Haïti, Grandes Antilles
Les vents de 160 km/h qui soufflèrent
durant quatre jours déclenchèrent
d'énormes vagues qui balayèrent le littoral
haïtien et provoquèrent la mort de plus
de 100 personnes.

68 L6 JACMEL

OURAGAN INEZ 1966
LOCALISATION : Haïti, Grandes Antilles
Inez balaya les Caraïbes pendant cinq jours.
La Guadeloupe, la République Dominicaine
et Cuba furent touchées, mais c'est à Haïti
que le bilan le plus lourd fut enregistré :
on compta 1 000 morts rien qu'à Jacmel,
et au moins 1 100 cadavres furent retrouvés
dans une gorge profonde, surnommée
depuis lors la Vallée de la mort.

69 H8 MANAGUA

SÉISME 1972
LOCALISATION : Nicaragua
Sept mille habitants de Managua périrent
et 200 000 autres perdirent leur toit au cours
du séisme le plus dévastateur qu'ait connu
le pays.

70 D5 MEXICO

ORAGE 1972
LOCALISATION : Mexique
La rivière San Buenaventura sortit de son lit
sous l'effet de violents orages et inonda
Mexico, qui comptait alors 8 millions
d'habitants. Des vents extrêmement forts,
une coulée de boue et une pluie de grêlons
élevèrent le bilan humain à 37 morts.

71 D5 CIUDAD SERDAN

SÉISME 1973
LOCALISATION : Mexique
Ce puissant séisme, survenant après des
inondations, ravagea la sierra Madre, faisant
des dizaines de milliers de sans-abri et
700 morts.

72 G7 HONDURAS, GUATEMALA, NICARAGUA

OURAGAN FIFI 1974 - OURAGAN MITCH 1998
En 1974, le Honduras fut dévasté par Fifi
et compta 5 000 morts. En 1998, les terribles
inondations et glissements de terrain
provoqués par Mitch ravagèrent ces trois
pays et firent des milliers de victimes et
de sans-abri, mobilisant l'aide humanitaire
internationale.

73 F7 GUATEMALA

SÉISME 1976
LOCALISATION : Guatemala
Le séisme de magnitude 5,7 fit 23 000 morts
et 435 000 sans-abri.

74 O7 ROSEAU

OURAGAN DAVID 1979
LOCALISATION : Dominique, Petites Antilles
David ravagea toutes les bananeraies de
l'île, provoquant une véritable catastrophe
économique. Le bilan s'éleva à plus
de 1 000 morts et 60 000 sans-abri.

75 F6 EL CHICHON

ÉRUPTION VOLCANIQUE 1982
LOCALISATION : Pichucalco, Mexique
Ce volcan, jugé relativement inoffensif,
tua au moins 3 000 personnes quand
il entra en éruption.

76 D5 MEXICO

SÉISME 1985
LOCALISATION : Mexique
Voir p. 33.

77 J6 KINGSTON

OURAGAN GILBERT 1988
LOCALISATION : Jamaïque, Antilles
L'ouragan Gilbert, qui fit rage sur
la Jamaïque durant huit heures, provoqua
de graves dégâts, y compris sur l'aéroport.

78 H8 SAN JOSÉ

SÉISME 1991
LOCALISATION : Costa Rica
San José fut gravement endommagé par
ce séisme de magnitude 7,5, qui emporta
80 personnes.

79 D6 ACAPULCO

OURAGAN PAULINE 1997
LOCALISATION : Mexique
L'ouragan, avec des vents soufflant jusqu'à
193 km/h, dévasta Acapulco et provoqua
de graves inondations dans le sud-ouest
du Mexique. Plus de 400 personnes
périrent, pour la plupart enterrées sous
les coulées de boue et les décombres.

80 O6 SOUFRIÈRE HILLS

ÉRUPTION VOLCANIQUE 1997
LOCALISATION : Montserrat, Petites Antilles
Une série d'éruptions a enseveli Plymouth,
la capitale de Montserrat, et rendu
inhabitables les deux tiers de l'île.
Vingt-trois personnes ont été tuées
et 8 000 autres ont dû quitter l'île.

AMÉRIQUE DU SUD

Carte p. 132.

1 D3 LIMA

ÉPIDÉMIES 1526
LOCALISATION : Pérou
Des maladies européennes emportèrent
le souverain inca et ses héritiers. À la faveur
de la guerre civile qui s'ensuivit,
les Espagnols envahirent le Pérou,
rapidement conquis.

2 D3 LIMA

SÉISME 1746
LOCALISATION : Pérou
La ville et sa voisine Callao furent dévastées
par une violente secousse. Seules 21 des
3 000 maisons demeurèrent debout et
18 000 personnes périrent.

3 D6 CONCEPCIÓN

SÉISME/TSUNAMI 1757
LOCALISATION : Chili
Le séisme engendra un tsunami
qui submergea la ville, emportant
5 000 personnes et en blessant
10 000 autres.

4 D2 QUITO

SÉISME 1797
LOCALISATION : Équateur
En quelques secondes, le paysage
équatorien fut transformé. Les montagnes
furent déplacées et le cours
des rivières modifié. La quasi-totalité
des 40 000 habitants de Quito périrent.

5 E1 CARACAS

SÉISME 1812
LOCALISATION : Venezuela
L'un des plus violents séismes qu'ait jamais
subis le pays détruisit pratiquement la ville
et tua 10 000 personnes. Une faille béante
engloutit tout un régiment. Avec la famine
et la maladie, les pertes s'élevèrent
à 20 000 personnes.

6 D5 VALPARAISO

SÉISME 1822
LOCALISATION : Chili
Le séisme tua 10 000 personnes à
Valparaiso. Des dizaines d'autres villes
et villages furent rayés de la côte orientale,
soulevée par les secousses.

7 D5 SANTIAGO

SÉISME/TSUNAMI 1835
LOCALISATION : Chili
Selon Charles Darwin, présent à Santiago
lors du séisme, une terrifiante muraille
de vagues hautes de 7 m s'écrasa
sur la ville. Cinq mille personnes
environ périrent.

8 D2 QUITO

SÉISME 1859
LOCALISATION : Équateur
En six minutes, plus de 5 000 personnes
furent tuées et la plupart des bâtiments
et des monuments historiques, dont
la grande cathédrale de Quito,
furent détruits.

9 D2 IBARRA

SÉISME 1868

LOCALISATION : Équateur

Ressenti à 2 250 km, le séisme causa la mort de 25 000 personnes. Ibarra fut détruite et la plupart de ses habitants enterrés sous les décombres. Le séisme provoqua d'importantes inondations, et la ville voisine de Cotocachi disparut sous les flots, à l'actuel emplacement du lac du même nom.

10 D1 CUCUTA

SÉISME/ÉRUPTION VOLCANIQUE 1875

LOCALISATION : Colombie

Une pluie de lave s'abattit sur Cucuta après que le séisme eut réveillé un volcan proche. Toute la Colombie fut ébranlée par une secousse de quarante-cinq secondes, et plus de 16 000 personnes périrent.

11 D6 CONCEPCIÓN

TSUNAMI 1877

LOCALISATION : Chili

Une vague de 23 m vint se fracasser sur la côte, ravageant la ville et tuant des milliers de personnes.

12 D2 COTOPAXI

ÉRUPTION VOLCANIQUE 1877

LOCALISATION : Équateur

Plus d'un millier d'habitants furent tués dans les instants suivant l'explosion du flanc du volcan. Les villages des vallées furent bombardés de fragments de roches et engloutis sous la lave.

13 D5 SANTIAGO

SÉISME 1906

LOCALISATION : Chili

Le Chili tout entier ressentit les violentes secousses qui dévastèrent Santiago, tuant 20 000 personnes. À Valparaiso, 1 500 habitants périrent et 100 000 autres furent laissés sans abri.

14 D6 CHILLÁN

SÉISME 1939

LOCALISATION : Chili

En trois minutes, une secousse de magnitude 8,3 avait tué 25 000 habitants de Chillán. Cinquante mille personnes vivant sur la côte occidentale périrent également.

15 D3 HUARAZ

AVALANCHE 1941

LOCALISATION : Pérou

L'avalanche engloutit Huaraz, située au pied des Andes, et 5 000 personnes environ périrent.

16 D2 AMBATO

SÉISME 1949

LOCALISATION : Équateur

Le séisme le plus dévastateur qu'ait connu l'Équateur fit 6 000 morts et 20 000 blessés. Au moins 53 villes et bourgs, sur une ligne de 2 400 km à travers les Andes, furent réduits en ruines.

17 G2 BELÉM

ÉPIDÉMIE (OROPOUCHE) 1951

LOCALISATION : Brésil

Une maladie similaire à la grippe toucha 11 000 personnes à Belém. Les chercheurs découvrirent que le virus responsable de l'épidémie avait été transmis par un paresseux, mort un an auparavant.

18 D6 VALDIVIA

SÉISME/TSUNAMIS 1960

LOCALISATION : Chili

Voir p. 40.

19 D3 HUASCARÁN

GLISSEMENT DE TERRAIN/AVALANCHE 1962

LOCALISATION : Pérou

Lorsque le glacier sommital du Huascarán, un volcan éteint, céda, 6 villages disparurent sous 20 millions de tonnes de glace et de roche, et 4 000 habitants périrent.

20 F4 PARANA

SÉCHERESSE/INCENDIE 1962

LOCALISATION : Brésil

Sept mois de sécheresse provoquèrent un gigantesque incendie qui coûta la vie à 250 personnes, fit 300 000 sans-abri et détruisit une grande partie des plantations de café du pays.

21 G4 RIO DE JANEIRO

GLISSEMENT DE TERRAIN 1966

LOCALISATION : Brésil

De fortes pluies provoquèrent un glissement de terrain et emportèrent les bidonvilles construits sur les pentes abruptes dominant Rio de Janeiro et autrefois couvertes d'arbres ; 239 personnes moururent.

22 D3 CHIMBOTE

SÉISME/GLISSEMENT DE TERRAIN 1970

LOCALISATION : Pérou

Voir p. 39.

23 D3 LIMA

AVALANCHE 1971

LOCALISATION : Pérou

Plus de 600 habitants périrent quand des centaines de tonnes de neige détachées des Andes vinrent s'abattre sur Lima.

24 F5 TUBARAO

INONDATION 1974

LOCALISATION : Brésil

Les pluies automnales firent sortir de son lit la rivière Tubarao, qui inonda entièrement la ville, provoquant la mort de 200 personnes et l'évacuation de 100 000 autres.

25 D1 NEVADO DEL RUIZ

ÉRUPTION VOLCANIQUE 1985

LOCALISATION : Armero, Colombie

Voir p. 20-21.

26 D1 MEDELLÍN

GLISSEMENT DE TERRAIN 1987

LOCALISATION : Colombie

Medellín, nichée dans une vallée dominée par deux massifs montagneux, fut ensevelie sous les tonnes de roches, et 683 habitants furent tués.

27 F6 BUENOS AIRES

INONDATION 1993

LOCALISATION : Argentine

Dans la province de Buenos Aires, près de 4 millions d'hectares furent inondés et la plupart des cultures, détruites.

28 D3 LIMA

ÉPIDÉMIE (CHOLÉRA) 1995

LOCALISATION : Pérou

La première épidémie de choléra affectant l'Amérique du Sud depuis près d'un siècle gagna le Pérou depuis l'Indonésie, où la maladie sévissait depuis trente ans : 1 200 des 170 000 victimes moururent.

29 D3 ICA

INONDATION 1998

LOCALISATION : Pérou

Plus de 100 000 personnes durent être évacuées après qu'une rivière sortit de son lit. Les inondations et les coulées de boues provoquées par El Niño firent 137 morts, 131 blessés et 234 000 sans-abri à travers le pays.

AFRIQUE ET MOYEN-ORIENT

Carte p. 133.

1 I2 ÎLES CANARIES

GLISSEMENTS DE TERRAIN/TSUNAMIS – 13000

LOCALISATION : océan Atlantique

Des éruptions sur les Canaries provoquèrent de gigantesques glissements de terrain, à l'origine de tsunamis qui submergèrent les côtes africaines, américaines et européennes.

2 M2 ALEXANDRIE

SÉCHERESSE/FAMINE – 3500

LOCALISATION : Égypte, Afrique

Cette famine, la première dans les annales de l'histoire, tua des milliers de personnes.

3 O2 UR (AUJ. EILAT)

INONDATION/CYCLONE TROPICAL V. – 3100

LOCALISATION : Mésopotamie (auj. Iraq)

Le récit du Déluge évoqué dans la Bible pourrait être basé sur l'ensevelissement sous la boue de plusieurs villes, dont Ur, provoqué par les crues du Tigre et de l'Euphrate. Des récits antérieurs de cette catastrophe lui donnent pour origine un cyclone tropical qui sévit pendant six jours.

4 M2 LE CAIRE

SÉCHERESSE/FAMINE V. – 2200

LOCALISATION : Égypte, Afrique

Les crues insuffisantes du Nil pendant plusieurs années consécutives provoquèrent une famine et contribuèrent à la chute de la dynastie régnante.

5 N2 SODOME ET GOMORRHE

SÉISME/MÉTÉORITE V. – 2200

LOCALISATION : mer Morte, Israël

Les anciennes cités de Sodome et de Gomorrhe disparurent dans la mer Morte durant le séisme, peut-être provoqué par une averse météoritique.

6 N2 LOUXOR

SÉCHERESSE/FAMINE V. – 1708

LOCALISATION : Égypte, Afrique

Plusieurs milliers de personnes périrent dans cette famine, qui dura sept ans.

7 N2 JÉRICHO

SÉISME V. – 1300

LOCALISATION : Israël

Selon les scientifiques, ce sont des ondes sismiques, non des trompettes, qui mirent à bas les murs de Jéricho, permettant aux Hébreux de prendre la ville.

8 M2 ALEXANDRIE

SÉISME – 217

LOCALISATION : Égypte, Afrique

Le séisme ravagea plus de 100 villes et tua au moins 75 000 personnes.

9 N1 ANTIOCHE (AUJ. HATAY)

SÉISME 115

LOCALISATION : Syrie (auj. Turquie)

La foule était venue rendre hommage à l'empereur romain Trajan lorsque Antioche fut frappée par un séisme. Des milliers de personnes périrent sous les bâtiments effondrés, mais Trajan put s'échapper par une fenêtre.

10 N1 ALEP

ÉPIDÉMIE (PESTE DE GALIEN) 164-180

LOCALISATION : Syrie

Les soldats romains de retour de Syrie ramenèrent une maladie inconnue qui ravagea l'Empire pendant quatorze ans. L'épidémie, que le médecin Galien décrivit, fit 7 millions de victimes en Europe.

11 M2 ALEXANDRIE

SÉISME/TSUNAMI 365

LOCALISATION : Égypte, Afrique

Le séisme détruisit en grande partie Alexandrie, et notamment son phare (la quatrième Merveille du monde). Il tua plus de 50 000 habitants. Le tsunami engendré par les puissantes secousses dévasta la côte crétoise.

12 M2 LE CAIRE

ÉPIDÉMIE (LÈPRE) 500

LOCALISATION : Égypte, Afrique

Des squelettes égyptiens vieux de mille cinq cents ans attestent que la lèpre était, dès cette date, présente dans le monde civilisé. En 500 apr. J.-C., la maladie était probablement répandue en Europe et au-delà.

13 N1 ANTIOCHE (AUJ. HATAY)

SÉISME 526

LOCALISATION : Syrie (auj. Turquie)

Tous les bâtiments de la ville furent détruits, et le séisme tua plus de 250 000 personnes.

14 L4 LAC TCHAD

ÉPIDÉMIE (VARIOLE) V. 800

LOCALISATION : Afrique

De brèves épidémies de variole affectèrent le sud du Sahara à cette époque. La maladie, qui frappait les gens de tous âges, affecta en grande proportion les peuples vivant sur ces terres, et fit de nombreux morts.

15 P1 DAMGHAN

SÉISME 856

LOCALISATION : Perse (auj. Iran)

Damghan, au pied du massif de l'Elbourz, fut détruite par ce séisme, et 200 000 habitants périrent.

16 O1 ARDABIL

SÉISME 893

LOCALISATION : Perse (auj. Iran)

De violentes secousses dévastèrent cette région du nord-ouest de l'Iran, en bordure de la mer Caspienne. Environ 150 000 personnes périrent.

17 O1 TABRIZ

SÉISME 1040

LOCALISATION : Perse (auj. Iran)

Le séisme réduisit la ville en ruines et causa la mort de 50 000 personnes.

18 M2 LE CAIRE

SÉCHERESSE/FAMINE V. 1064-1072

LOCALISATION : Égypte, Afrique

Près de 4 000 morts de faim, des scènes de cannibalisme à travers le pays : voilà le résultat de l'absence prolongée de crue du Nil qui avait provoqué la ruine des cultures.

19 N1 ALEP

SÉISME 1138

LOCALISATION : Syrie

Alep fut en grande partie détruite par ce séisme, qui fit 230 000 morts.

20 M2 LE CAIRE

SÉCHERESSE/FAMINE 1199-1202
LOCALISATION : Égypte, Afrique
L'absence de crue du Nil durant une
période de sécheresse prolongée causa
la destruction des cultures et provoqua
la mort de 100 000 personnes dans ce qui
est considéré comme l'une des plus terribles
famines jamais enregistrées en Égypte.

21 N2 ACRE

SÉISME 1202
LOCALISATION : Liban
De violentes secousses, ressenties dans
presque toute la Méditerranée orientale,
détruisirent les anciennes villes d'Acre
et de Tyr, tuant plus de 100 000 personnes.

22 O1 TABRIZ

SÉISME 1727
LOCALISATION : Perse (auj. Iran)
Le violent séisme qui ravagea Tabriz
causa la mort de 77 000 personnes habitant
la ville et ses environs.

23 N5 ZANZIBAR

CYCLONE TROPICAL 1872
LOCALISATION : (auj. Tanzanie), Afrique
Environ 150 navires coulèrent dans le port
et au moins 200 habitants de l'île périrent.
L'équipe d'Européens partis à la recherche
de l'explorateur britannique D. Livingstone
surmonta à grand-peine la tempête.

24 P2 FARAHZAD

ORAGE 1954
LOCALISATION : Iran
La pluie torrentielle provoqua une crue
subite dans une gorge profonde.
L'inondation emporta un temple, faisant
3 000 morts parmi les fidèles.

25 L5 LÉOPOLDVILLE (AUJ. KINSHASA)

ÉPIDÉMIE (SIDA) 1959
LOCALISATION : Congo belge
(auj. République démocratique du Congo)
Voir p. 121.

26 J2 AGADIR

SÉISME/TSUNAMI 1960
LOCALISATION : Maroc, Afrique
Le séisme, de magnitude 5,7 seulement,
détruisit aux trois quarts cette ville côtière.
Douze mille personnes périrent, dont
beaucoup noyées par le tsunami qui suivit.

27 O1 ISPAHAN

SÉISME 1962
LOCALISATION : nord-ouest de l'Iran
Le séisme ne dura qu'une minute, mais
il affecta 33 000 km², dévastant 31 villages
et tuant 10 000 personnes. Un habitant
sur quatre d'Ispahan disparut.

28 N5 NAIROBI

LOCUSTES 1962
LOCALISATION : Kenya, Afrique
Après une saison chaude et humide, des
nuages de locustes s'abattirent sur l'Afrique,
du Soudan, à l'est, au Cap-Vert, à l'ouest,
décimant des récoltes vitales.

29 L4 BIAFRA

SÉCHERESSE/FAMINE 1967-1970
LOCALISATION : (auj. Nigeria), Afrique
La famine, causée par la sécheresse et
l'exacerbation du conflit politique avec
le Nigeria, affecta 8 millions de personnes
et empêcha le Biafra de conserver
son indépendance.

30 P2 BIRJAND

SÉISME 1968
LOCALISATION : nord-est de l'Iran
Le séisme de magnitude 7 dévasta
le Khorasan, au nord-est de l'Iran, tuant
près de 12 000 personnes.

31 K3 GAO, MALI

SÉCHERESSE/FAMINE 1969-1974.
LOCALISATION : Sahel, Afrique
Une terrible sécheresse provoqua
la disparition de plus d'un million de
personnes, mortes de faim ou de maladies,
comme la tuberculose et la typhoïde.

32 L1 TUNIS

ORAGE 1969
LOCALISATION : Tunisie, Afrique
Les fortes pluies qui arrosèrent la Tunisie
pendant trente-huit jours touchèrent
80 % du pays, tuant 500 personnes et
détruisant 50 000 habitations. Dans la plaine
de Kairouan, un site archéologique romain
d'une valeur inestimable fut mis
au jour grâce à l'action des eaux de pluie.

33 O2 VALLÉE DE QIR

SÉISME 1972
LOCALISATION : Iran
Le séisme détruisit 58 villes et tua plus
de 5 000 personnes.

34 M4 NZARA

ÉPIDÉMIE (ÉBOLA) 1976
LOCALISATION : sud du Soudan, Afrique
Une épidémie de fièvre hémorragique
se propagea à partir de la rivière Ébola,
au Zaïre. Un nouveau virus mortel, le virus
Ébola, fut alors identifié. Sur 318 personnes
infectées, 280 moururent.

35 N2 ASSOUAN

ÉPIDÉMIE (FIÈVRE DE LA RIFT VALLEY) 1977
LOCALISATION : Égypte, Afrique
La construction du barrage d'Assouan a
offert un réservoir propice à la prolifération
des moustiques *Aedes*, vecteurs de la fièvre
de la Rift Valley dont ont été atteintes des
milliers de personnes. Plusieurs centaines
en sont mortes.

36 M5 NYIRAGONGO

ÉRUPTION VOLCANIQUE 1977
LOCALISATION : Goma, Zaïre
(auj. Rép. dém. du Congo), Afrique
En une heure, la lave emplissant le cratère
s'était écoulée à 60 km/h des fissures
entaillant les flancs du volcan. Elle parvint
à moins de 600 m de l'aéroport de Goma,
tuant environ 70 personnes.

37 P1 DEYHÙK

SÉISME 1978
LOCALISATION : nord-est de l'Iran
Une secousse de magnitude 7,7 tua
25 000 habitants du Khorasan.

38 O6 ANTANANARIVO

ÉPIDÉMIE (PALUDISME) ANNÉES 1980
LOCALISATION : région centrale de Madagascar
Dans cette région jusqu'alors préservée,
100 000 personnes furent atteintes
de paludisme, dont 20 000 moururent.

39 M8 LAINGSBURG

ORAGE 1981
LOCALISATION : Karoo, Afrique du Sud
Près de 160 personnes périrent en raison
des fortes pluies qui s'abattirent sur le lit
asséché d'une rivière. Une grande partie de
la ville riveraine de Laingsburg fut emportée
par un gigantesque mur d'eau.

40 O3 SANAA

SÉISME 1982
LOCALISATION : Yémen
Près de 2 800 morts, 1 500 blessés,
700 000 sans-abri, 300 villages détruits par
ce violent séisme.

41 N4 MAQALIÉ

SÉCHERESSE/FAMINE 1984-1985
LOCALISATION : Éthiopie, Afrique
Voir p. 82-83.

42 L4 LAC NIOS

ÉRUPTION VOLCANIQUE 1986
LOCALISATION : Cameroun, Afrique
Des flots de dioxyde de carbone
remontèrent à la surface du lac emplissant
le cratère et s'écoulèrent des flancs
du volcan, asphyxiant 1 700 personnes
et la plupart des animaux.

43 N3 KHARTOUM

INONDATION 1988
LOCALISATION : Khartoum, Soudan
Sous l'effet de fortes précipitations, le Nil
sortit de son lit dans la région de Khartoum,
causant plusieurs milliers de morts et
plus d'un million de sans-abri.

44 L4 N'DJAMENA

ÉPIDÉMIE (MÉNINGITE) 1988
LOCALISATION : Tchad, Afrique
Malgré une campagne de vaccination,
4 500 cas de méningite furent diagnostiqués
au Tchad. Des milliers d'autres cas ne furent
pas enregistrés.

45 O1 RASHT

SÉISME/GLISSEMENTS DE TERRAIN 1990
LOCALISATION : nord de l'Iran
La région bordant la Caspienne fut frappée
par le pire séisme qu'ait subi l'Iran :
40 000 morts, 60 000 blessés, 400 000 sans-
abri. Des glissements de terrain coupèrent
les grandes routes.

46 M7 BULAWAYO

SÉCHERESSE 1992
LOCALISATION : Zimbabwe, Afrique
La sécheresse qui frappa après une année
de mauvaises récoltes et de faibles
précipitations fut à l'origine de pénurie
alimentaire pour plus de 30 millions
d'Africains.

47 J3 KAEDI

LOCUSTES 1997
LOCALISATION : Mauritanie, Afrique
En dépit des efforts pour les contenir
dans leurs régions d'origine, au Sahel,
des essaims de locustes endommagèrent
gravement les récoltes.

48 N5 KISMAAYO

INONDATION 1997
LOCALISATION : Somalie, Afrique
La crue des rivières Shabelle et Juba
provoqua la mort de 1 700 personnes, la
disparition de plusieurs troupeaux et
la perte de nombreuses récoltes.
Des dizaines de villes et de villages furent
touchés par les inondations.

49 P1 QAYEN

SÉISME/GLISSEMENTS DE TERRAIN 1997
LOCALISATION : nord de l'Iran
La secousse de magnitude 7,1 et
les glissements de terrain qu'elle provoqua
tuèrent au moins 1 560 personnes et firent
60 000 sans-abri.

50 N3 TESENEY

INONDATION 1997
LOCALISATION : Érythrée
De fortes pluies provoquèrent la crue du Nil
Bleu et de la rivière Atbara, inondant des
régions cultivées en Éthiopie et au Soudan.
Le bilan s'éleva à 80 morts, 3 000 sans-abri
et 6 000 têtes de bétail perdues.

51 N5 NAIROBI

INONDATION 1998
LOCALISATION : Kenya, Afrique
Déclenchées par de fortes pluies, les
inondations firent des centaines de victimes,
provoquèrent l'effondrement de plusieurs
ponts et endommagèrent sérieusement
l'autoroute qui reliait l'Ouganda
et le Rwanda au littoral.

EUROPE

Carte p. 134-135.

1 L8 BOSPHORE

INONDATION V. – 7000
LOCALISATION : Istanbul, Turquie
À la fin du dernier âge glaciaire, la fonte
des glaces fit monter le niveau des mers de
120 m, provoquant la rupture d'une mince
bande de terre située sur le Bosphore.
L'eau salée de la Méditerranée submergea
une vaste zone et un lac d'eau douce,
devenus l'actuelle mer Noire.

2 L8 TROIE, HELLESPONT

INCENDIE V. – 2200
LOCALISATION : (auj. Dardanelles), Turquie
Tout porte à penser que la ville fut dévastée
et que toute la population disparut dans
un incendie vraisemblablement déclenché
sous l'effet de la même pluie de météorites
qui s'abattit sur Sodome et Gomorrhe.

3 L9 THÍRA (SANTORIN)

ÉRUPTION VOLCANIQUE – 1500
LOCALISATION : Grèce
Une énorme éruption sur l'île engendra
des tsunamis qui auraient submergé,
selon certains, la Crète voisine et provoqué
la disparition de la civilisation minoenne.
Cette catastrophe a été reliée au mythe
de l'Atlantide, ce que contestent des études
récentes.

4 J9 ETNA

ÉRUPTION VOLCANIQUE – 1226
LOCALISATION : Sicile
La première éruption connue du plus grand
volcan européen.

5 K9 SPARTE ET LACONIE

SÉISME – 464
LOCALISATION : Grèce
La Grèce entière fut affectée par ce séisme
cataclysmique qui détruisit Sparte
et sa région. Plus de 20 000 personnes
périrent.

6 K9 ATHÈNES

ÉPIDÉMIE – 430
LOCALISATION : Grèce
La cité était assiégée par les Spartes
lorsqu'une épidémie (peut-être la rougeole
ou la variole) se déclara, emportant
200 000 habitants. Athènes dut se rendre,
ce qui scella la fin de la civilisation
grecque.

7 K9 BURA

SÉISME – 373
LOCALISATION : Grèce
Suite à ce séisme, Bura fut immergée
au fond du golfe de Corinthe. Des milliers
de personnes périrent.

8 L9 RHODES

SÉISME – 224
LOCALISATION : île de Rhodes, Grèce
Le puissant colosse, dont on pense qu'il
se dressait à l'entrée du port de Rhodes,
fut sans doute précipité dans la mer
par ce séisme.

9 I7 COL DE LA TRAVERSETTE
AVALANCHES – 218
LOCALISATION : Alpes italiennes
Pressée de gagner la chaleur des basses terres d'Italie, l'armée d'Hannibal provoqua une série d'avalanches sous lesquelles furent ensevelis 18 000 hommes, 2 000 chevaux et plusieurs éléphants.

10 J8 ROME
ÉPIDÉMIE (paludisme du type *Falciparum*) 79
LOCALISATION : Italie
Le paludisme s'étendit rapidement à travers l'Empire romain, depuis l'Afrique jusqu'à l'Angleterre. Dans la fertile Campagnie, la maladie continua de sévir durant des siècles.

11 J8 VÉSUVE
ÉRUPTION VOLCANIQUE 79
LOCALISATION : Italie
Voir p. 26-27.

12 J8 ROME
ÉPIDÉMIE 251-266
LOCALISATION : Italie
À son paroxysme, l'épidémie, peut-être la variole ou la rougeole, aurait tué chaque jour 5 000 personnes à Rome.

13 M9 KOURION
SÉISME 365
LOCALISATION : Chypre
La ville fut abandonnée après que la quasi-totalité de sa population eut été décimée par un séisme et par un tsunami qui ravagea la Méditerranée orientale.

14 L8 CONSTANTINOPLE (AUJ. ISTANBUL)
ÉPIDÉMIE (PESTE DE JUSTINIEN) 542
LOCALISATION : Turquie
De Constantinople où elle s'était déclarée, tuant près de 10 000 personnes chaque jour, l'épidémie se propagea à travers l'Europe. L'empereur Justinien ne put rétablir l'Empire romain d'Occident. Des témoignages de l'époque suggèrent que ce fut la première épidémie de peste bubonique en Europe.

15 G6 SALISBURY
COMÈTE 550
LOCALISATION : Wiltshire, sud de l'Angleterre
Des incendies dévastèrent de vastes surfaces au début des temps obscurs. Ils pourraient avoir été déclenchés par l'explosion de débris de comètes. La famine qui s'ensuivit provoqua une émigration en masse vers la France.

16 K9 CORINTHE
SÉISME 856
LOCALISATION : Grèce
Corinthe fut réduite en ruines par ce séisme, qui tua 45 000 habitants.

17 G5 DURHAM
SÉCHERESSE 1069
LOCALISATION : Angleterre
Trois ans après la conquête de l'île par les Normands, les cultures de la région furent ruinées en raison de faibles précipitations. Près de 50 000 personnes moururent de la faim et des milliers d'autres en furent réduites à se vendre comme esclaves pour survivre.

18 H6 LONDRES
TORNADE 1091
LOCALISATION : Angleterre
La tornade détruisit 600 habitations et tua deux fidèles dans l'église St. Mary le Bow.

19 H5 BOSTON
INONDATION (MER DU NORD) 1099
LOCALISATION : Angleterre
L'inondation qui toucha cette zone à l'est de l'Angleterre provoqua la mort de plusieurs milliers de personnes.

20 J9 ETNA
ÉRUPTION VOLCANIQUE/SÉISME 1169
LOCALISATION : Sicile
L'éruption fut suivie d'un violent séisme. Plusieurs centaines des 15 000 morts périrent dans la cathédrale de Catane.

21 J8 VÉSUVE
ÉRUPTION VOLCANIQUE 1198
LOCALISATION : Italie
Cette violente éruption du Vésuve réactiva la zone de la Solfatare.

22 I4 JUTLAND
INONDATION (MER DU NORD) 1219
LOCALISATION : nord du Danemark
Des milliers de personnes trouvèrent la mort lorsque les eaux de la mer du Nord envahirent la péninsule du Jutland.

23 M9 SILIFKE (AUJ. IÇEL)
SÉISME 1268
LOCALISATION : Asie Mineure (auj. Turquie)
L'ancienne province de Cieilia fut dévastée par ce séisme, qui fit environ 60 000 morts.

24 H5 DUNWICH
INONDATION (MER DU NORD) 1287
LOCALISATION : East Anglia, Angleterre
Environ 500 personnes périrent lorsque les eaux de la mer du Nord inondèrent une grande partie de l'East Anglia.

25 G5 BELFAST
GEL 1315-1317
LOCALISATION : Irlande
Une série d'hivers glaciaux ruina les cultures et causa une famine qui fit des milliers de victimes en Irlande et à travers l'Europe.

26 M7 KAFFA (AUJ. FEODOSIYA)
ÉPIDÉMIE (PESTE NOIRE) 1346-1352
LOCALISATION : Crimée
Voir p. 112.

27 H6 CHARTRES
ORAGE (GRÊLE) 1359
LOCALISATION : France
Les grêlons du terrible orage qui s'abattit sur l'armée d'Édouard III causa la mort de 1 000 soldats et de 6 000 chevaux.

28 E2 ÖRAEFA JÖKULL
ÉRUPTION VOLCANIQUE 1362
LOCALISATION : Islande
L'explosion du volcan fit fondre la glace du sommet. Deux cents personnes environ furent tuées par les inondations, une quarantaine de fermes et leurs troupeaux furent emportés par les flots.

29 I5 SCHLESWIG
INONDATION (MER DU NORD) 1362
LOCALISATION : Allemagne
Environ 30 000 personnes furent noyées lorsque les eaux de la mer du Nord inondèrent la côte marécageuse du Schleswig.

30 H5 DORT
INONDATION (MER DU NORD) 1421
LOCALISATION : Pays-Bas
Malgré l'existence d'un vaste système de digues, le pays connut l'une des pires inondations de son histoire. Sur les 72 villages qui avaient été envahis par les eaux, 20 disparurent à tout jamais. Plus de 100 000 personnes périrent noyées.

31 H5 ROTTERDAM
GEL (PETIT ÂGE GLACIAIRE) 1431
LOCALISATION : Pays-Bas
Canaux et rivières glacés, cultures fruitières et céréalières détruites dans toute l'Europe du Nord engendrèrent une famine.

32 J8 NAPLES
SÉISME 1456
LOCALISATION : Italie
Ce séisme tua plus de 35 000 personnes et réduisit Naples en ruines.

33 G9 GRENADE
ÉPIDÉMIE (TYPHUS) 1489
LOCALISATION : Espagne
Des 20 000 soldats espagnols qui assiégeaient la ville tenue par les musulmans, 17 000 moururent du typhus.

34 J8 NAPLES
ÉPIDÉMIE (SYPHILIS) 1495
LOCALISATION : Italie
La chute de la ville, qu'assiégeaient le roi de France Charles VIII et une armée de mercenaires européens, ouvrit une période de débauche. Les soldats, en rentrant dans leurs pays natals, propagèrent la maladie. Certains auraient fait partie de l'expédition de Colomb, qui rapporta la syphilis d'Amérique.

35 H6 LONDRES
ÉPIDÉMIE (PESTE) 1499
LOCALISATION : Angleterre
Henri VII et sa cour se réfugièrent à Calais durant cette épidémie de peste qui tua près de 30 000 personnes.

36 F8 LISBONNE
SÉISME 1531
LOCALISATION : Portugal
De violentes secousses tuèrent 30 000 personnes et détruisirent 1 500 habitations.

37 I6 METZ
ÉPIDÉMIE (TYPHUS) 1552
LOCALISATION : Allemagne (auj. France)
L'épidémie de typhus emporta plus de 30 000 personnes, dont la moitié de l'armée impériale de Charles Quint.

38 O4 GORKI
GEL/FAMINE 1557
LOCALISATION : région de la Volga, Russie
Des milliers de personnes moururent en raison de la famine dont les effets furent décuplés par des pluies et des températures extrêmement basses.

39 H5 LEYDE
ORAGE 1574
LOCALISATION : Pays-Bas
Durant le siège de Leyde par l'armée espagnole, de fortes précipitations provoquèrent la rupture de plusieurs digues. Près de 20 000 soldats de l'armée d'occupation périrent noyés dans les inondations qui suivirent.

40 G3 AU LARGE DE FAIR
TEMPÊTE 1588
LOCALISATION : îles Shetland, Écosse
Au cours d'une tentative d'invasion des îles Britanniques, les navires de l'Invincible Armada essuyèrent une terrible tempête. De nombreux vaisseaux firent naufrage au large des îles Shetland ; on estime que de 4 000 à 10 000 marins disparurent.

41 G5 GLOUCESTER
INONDATION 1606
LOCALISATION : vallée de la Severn, Angleterre
La Severn, qui sortit de son lit, provoqua l'inondation de la ville et causa au moins 2 000 morts. Cette catastrophe est l'une des plus importantes du genre qui se soient jamais produites dans le pays.

42 I7 CHIAVENNA
GLISSEMENT DE TERRAIN 1618
Des pans de la montagne s'abattirent sur les villes situées dans la vallée de Chiavenna. Au total, 2 427 personnes périrent ensevelies. Trois rescapés parvinrent à se dégager.

43 J8 VÉSUVE
ÉRUPTION VOLCANIQUE 1631
LOCALISATION : Italie
L'éruption engendra des lahars et des coulées de lave qui engloutirent de nombreux villages, tuant 18 000 personnes.

44 I5 CUXHAVEN
INONDATION 1634
LOCALISATION : Allemagne
Les eaux de la mer du Nord envahirent toute la région, causant la mort de plus de 6 000 personnes et la destruction de près de 1 000 habitations.

45 G6 WIDECOMBE-IN-THE-MOOR
TORNADE 1638
LOCALISATION : Angleterre
La tornade et la foudre qui l'accompagnait provoquèrent une immense explosion qui détruisit l'église, tuant 50 membres de la congrégation, soit quasiment toute la population du village.

46 J8 ROME
ÉPIDÉMIE (PESTE)/FAMINE 1656
LOCALISATION : Italie
La famine puis la peste emportèrent 400 000 personnes. En six mois, les convois militaires avaient propagé l'épidémie de la Sardaigne à Naples.

47 H5 LONDRES
ÉPIDÉMIE (PESTE) 1664-1666
LOCALISATION : Angleterre
La peste tua environ 16 000 personnes avant d'être stoppée – disent les historiens – par le Grand Incendie de 1666, lequel détruisit Londres en grande partie.

48 P8 SHEMAKHA
SÉISME 1667
LOCALISATION : Caucase (auj. Azerbaïdjan)
La ville, au pied des montagnes du Caucase, fut ébranlée par de puissantes secousses et 80 000 de ses habitants périrent.

49 J9 ETNA
ÉRUPTION VOLCANIQUE/SÉISME 1669
LOCALISATION : Sicile
Des secousses ébranlèrent l'île tout entière, provoquant l'éruption de l'Etna. Les coulées de lave submergèrent Catane, tuant 20 000 personnes.

50 J9 CATANE
SÉISME 1693
LOCALISATION : Sicile
Catane et de nombreuses autres villes furent détruites par ce séisme qui aurait tué 60 000 personnes.

51 F5 ATHLONE
ORAGE (FOUDRE) 1697
LOCALISATION : Irlande
La foudre qui s'abattit sur le château d'Athlone déclencha l'explosion de 260 barrils de poudre à canon qui détruisit le bâtiment et la cité.

52 G6 PLYMOUTH
« GRANDE TEMPÊTE » 1703
LOCALISATION : Angleterre
La flotte anglaise subit de sérieux dommages dans tous les grands ports du pays. Près de 300 navires et 30 000 marins furent perdus.

53 H5 LA HAYE
INONDATION 1717
LOCALISATION : Pays-Bas
Tout le littoral fut dévasté par l'une des inondations les plus terribles jamais enregistrées en mer du Nord. On dénombra 11 000 morts par noyade, 2 000 rien que pour les Pays-Bas.

54 I7 LEUKERBAD
AVALANCHE 1718
LOCALISATION : Suisse
Une gigantesque avalanche détruisit Leukerbad, tuant 50 personnes.

55 J9 ETNA
ÉRUPTION VOLCANIQUE/SÉISME 1755
LOCALISATION : Sicile
L'éruption fut précédée d'un violent séisme qui affecta une zone de 8 000 km de diamètre et fut ressenti jusqu'à Lisbonne, la capitale portugaise.

56 F8 LISBONNE
SÉISME/TSUNAMI 1755
LOCALISATION : Portugal
Voir p. 45.

57 J8 CALABRE
SÉISME 1783
LOCALISATION : Italie
Cinq séismes en deux mois ravagèrent la partie ouest de l'Italie du Sud, détruisant 181 villes et tuant 30 000 personnes.

58 E2 LAKI
ÉRUPTION VOLCANIQUE 1783
LOCALISATION : Islande
Durant six mois, le volcan émit de grandes quantités de lave et de gaz toxiques. La lave recouvrit 50 000 hectares de terres, anéantissant les récoltes, et les nuages de gaz empêchèrent les bateaux de pêche de jeter l'ancre. Dix mille personnes environ moururent de faim.

59 J8 CALABRE
SÉISME 1797
LOCALISATION : Italie
De nombreuses villes de Calabre furent détruites par ce séisme qui tua 50 000 habitants.

60 G5 MANCHESTER
ÉPIDÉMIE (TUBERCULOSE) 1800
LOCALISATION : Angleterre
Au paroxysme de l'épidémie, la tuberculose emporta 20 % de la population de Manchester.

61 I7 VALLÉE DE GOLDAU
GLISSEMENT DE TERRAIN 1806
LOCALISATION : Suisse
L'effondrement du Rossberg, qui s'abattit sur la vallée en contrebas, provoqua des incendies, par la friction des roches. Quatre villages furent ensevelis et 800 personnes tuées.

62 F5 CORK
RÉCOLTES DÉVASTÉES 1817
LOCALISATION : Irlande
Les mauvaises récoltes de pommes de terre dans toute l'Irlande provoquèrent une famine qui fit 70 000 victimes.

63 M3 SAINT-PÉTERSBOURG
INONDATION 1824
LOCALISATION : Russie
La crue la plus dévastatrice de la Néva inonda Saint-Pétersbourg et la ville voisine de Cronstadt dans laquelle un grand navire vint s'échouer au beau milieu de la place du marché. Au total, on enregistra 10 000 morts.

64 L2 IISALMI
GEL (PETIT ÂGE GLACIAIRE) 1835-1850
LOCALISATION : Finlande
Cette résurgence du dernier âge glaciaire causa la mort de 137 000 personnes.

65 F5 GALWAY
RÉCOLTES DÉVASTÉES/FAMINE 1845-1848
LOCALISATION : Irlande
Voir p. 109.

66 H6 SOHO
ÉPIDÉMIE (CHOLÉRA) 1853-1863
LOCALISATION : Londres, Angleterre
La troisième pandémie de choléra du siècle fit des milliers de victimes. À Soho, 700 personnes périrent en deux semaines.

67 M7 AU LARGE DE BALACLAVA
TEMPÊTE 1854
LOCALISATION : mer Noire
La tempête qu'essuya le bateau à vapeur *Prince* au large de la Crimée coûta la vie à 143 personnes.

68 L9 RHODES
ORAGE (FOUDRE) 1856
LOCALISATION : Rhodes, Grèce
La foudre qui frappa l'église Saint-Jean au cours d'un orage provoqua l'explosion d'un dépôt de poudre à canon situé à proximité, tuant 400 personnes.

69 J8 CALABRE
SÉISME 1857
LOCALISATION : Italie
Dans la seule Calabre, 10 000 personnes moururent. Dans les régions voisines, des fissures béantes engloutirent de nombreux villages et leurs habitants.

70 G6 AU LARGE DE BREST
TEMPÊTE 1870
LOCALISATION : France
Au cours de la tempête, la *Gorgone* sombra avec 122 passagers à son bord.

71 G4 PONT SUR LA TAY
ORAGE 1879
LOCALISATION : Écosse
D'après un témoin, des vents extrêmement violents envoyèrent une trombe d'eau sur le pont ferroviaire de la Tay, ouvert depuis peu, provoquant son effondrement. Un train fut précipité dans la rivière ; il n'y eut aucun survivant parmi les 75 passagers.

72 I7 ELM
GLISSEMENT DE TERRAIN 1881
LOCALISATION : Suisse
Quelque 150 personnes périrent quand le village et une grande partie de la vallée furent ensevelis sous les roches.

73 L9 SCIO (AUJ. CHIOS)
SÉISME 1881
LOCALISATION : Turquie (auj. est de la Grèce)
Un quart des 80 000 habitants de l'île furent blessés, 7 000 furent tués durant le séisme qui détruisit 44 villes et villages.

74 M9 ANATOLIE
SÉISME 1883
LOCALISATION : Asie Mineure (auj. Turquie)
Une seule secousse de quelques secondes tua un millier de personnes et fit 20 000 sans-abri.

75 G9 MALAGA
SÉISME 1884
LOCALISATION : Andalousie, Espagne
Le séisme, survenu le jour de Noël, fit 745 morts et 1 253 blessés.

76 G9 GRENADE
SÉISME 1885
LOCALISATION : Espagne
Le séisme dévasta Grenade et les villes d'Alhama et de Periana, tuant 1 000 personnes.

77 G6 AU LARGE DE LAND'S END
TEMPÊTE 1886
LOCALISATION : Cornouailles, Angleterre
La disparition du bateau à vapeur anglais *London,* lors d'une tempête à 320 km des côtes de Cornouailles, fit 220 victimes.

78 I7 LE FAYET/SAINT-GERVAIS
AVALANCHE 1892
LOCALISATION : France
Les deux villes thermales, au pied du mont Blanc, furent détruites lorsque le glacier de Tête Rousse s'effondra et fondit. Quelque 140 personnes furent tuées.

79 F8 AU LARGE DE PENICHE
TEMPÊTE 1892
LOCALISATION : Portugal
En route pour l'Inde, le bateau à vapeur anglais *Roumania* sombra au large du Portugal, faisant 113 morts.

80 J8 CALABRE
SÉISME 1905
LOCALISATION : Italie
Une série de secousses, réparties sur cinq jours, tuèrent 5 000 personnes dont 2 000 dans le village de Martirano, qui fut détruit. Le séisme fut ressenti jusqu'à Naples et Florence, au nord.

81 J9 MESSINE
SÉISME/TSUNAMI 1908
LOCALISATION : Sicile
Plusieurs séismes et un tsunami frappèrent Messine et les villes voisines. Quelque 160 000 personnes moururent, dont 80 000 des 147 000 habitants de Messine.

82 J8 AVEZZANO
SÉISME 1915
LOCALISATION : Italie
Ce séisme de magnitude 7,5 dévasta la ville et tua environ 30 000 personnes.

83 J7 MARMOLADA
AVALANCHE 1916
LOCALISATION : Tyrol, Italie
L'avalanche submergea la ville, tuant 253 soldats autrichiens dans leur caserne.

84 H6 FLANDRES
PANDÉMIE (GRIPPE ESPAGNOLE) 1918-1920
LOCALISATION : France/Belgique
Voir p. 118.

85 O4 GORKI
SÉCHERESSE 1921-1922
LOCALISATION : région de la Volga, Russie
La sécheresse qui dévasta toute la région entraîna une terrible famine : plus de 20 millions de personnes furent touchées, parmi lesquelles plusieurs millions moururent.

86 K7 SARAJEVO
GLISSEMENT DE TERRAIN 1926
LOCALISATION : Bosnie
Le glissement de terrain causa la mort de 117 personnes, tuées à la périphérie de la ville dans le train qui les emportait.

87 J9 ETNA
ÉRUPTION VOLCANIQUE 1928
LOCALISATION : Sicile
L'éruption détruisit la voie ferrée Messine-Catane, ainsi que la ville de Mascate et le village de Nunziata. Des dizaines de personnes périrent.

88 M8 NORD DE L'ANATOLIE
SÉISME/GLISSEMENTS DE TERRAIN 1929
LOCALISATION : Turquie
Le séisme et les glissements de terrain dévastèrent la région et firent 1 000 morts.

89 M6 KIEV
SÉCHERESSE/FAMINE 1932-1933
LOCALISATION : URSS (auj. Ukraine)
Les réformes économiques radicales décidées par Staline, ajoutées à la sécheresse et à la famine qui sévissaient dans la région de la Volga et en Ukraine, provoquèrent la mort de près de 5 millions de paysans. Ne voulant pas reconnaître la réalité de la situation, l'URSS refusa l'aide étrangère.

90 N8 ERZINCAN
SÉISME 1939
LOCALISATION : Turquie
Des dizaines de milliers de maisons furent détruites et 50 000 personnes tuées.

91 L7 BUCAREST
SÉISME 1940
LOCALISATION : Roumanie
Un millier de personnes furent tuées et la ville subit de graves dégâts.

92 J8 VÉSUVE
ÉRUPTION VOLCANIQUE 1944
LOCALISATION : Italie
L'éruption interrompit les combats opposant des dizaines de milliers de soldats alliés et allemands dans la région. On dénombra près de 100 morts.

93 D2 HEKLA
ÉRUPTION VOLCANIQUE 1947
LOCALISATION : Islande
Le panache de fumée et de vapeur d'eau libéré par l'éruption s'éleva à plus de 30 000 mètres d'altitude.

94 H6 LONDRES
TEMPÊTE (SMOG) 1952
LOCALISATION : Angleterre
Le terrible smog qui stagna au-dessus de la ville pendant plusieurs semaines provoqua la mort de milliers de personnes.

95 H6 OUDE-TONGE
INONDATION (MER DU NORD) 1953
LOCALISATION : Zélande, Pays-Bas
Voir p. 92.

96 I7 DALAAS TAL
AVALANCHE 1954
LOCALISATION : Vorarlberg, Autriche
Trois jours durant, les avalanches se succédèrent, ensevelissant des villes et des villages en Autriche, en Allemagne, en Italie et en Suisse, tuant 411 personnes.

97 H6 PARIS
TEMPÊTE (BLIZZARD) 1956
LOCALISATION : France
Près de 1 000 personnes périrent en raison du temps glacial qui paralysa l'Europe, de l'Angleterre à la Sibérie.

98 I7 MILAN
ORAGE (FOUDRE) 1959
LOCALISATION : Italie
Frappé par la foudre au cours d'un orage, un avion de passagers explosa, provoquant la mort de 68 personnes.

99 H8 BARCELONE
ORAGE (CRUE SUBITE) 1962
LOCALISATION : Espagne
Barcelone fut inondée, 445 personnes périrent et 10 000 se trouvèrent sans abri au cours de l'une des crues subites les plus terribles jamais enregistrées en Espagne.

9 I7 COL DE LA TRAVERSETTE
AVALANCHES - 218
LOCALISATION : Alpes italiennes
Pressée de gagner la chaleur des basses
terres d'Italie, l'armée d'Hannibal provoqua
une série d'avalanches sous lesquelles
furent ensevelis 18 000 hommes,
2 000 chevaux et plusieurs éléphants.

10 J8 ROME
ÉPIDÉMIE (paludisme du type *Falciparum*) 79
LOCALISATION : Italie
Le paludisme s'étendit rapidement à travers
l'Empire romain, depuis l'Afrique jusqu'à
l'Angleterre. Dans la fertile Campagnie,
la maladie continua de sévir durant
des siècles.

11 J8 VÉSUVE
ÉRUPTION VOLCANIQUE 79
LOCALISATION : Italie
Voir p. 26-27.

12 J8 ROME
ÉPIDÉMIE 251-266
LOCALISATION : Italie
À son paroxysme, l'épidémie, peut-être
la variole ou la rougeole, aurait tué
chaque jour 5 000 personnes à Rome.

13 M9 KOURION
SÉISME 365
LOCALISATION : Chypre
La ville fut abandonnée après que
la quasi-totalité de sa population eut été
décimée par un séisme et par un tsunami
qui ravagea la Méditerranée orientale.

**14 L8 CONSTANTINOPLE
(AUJ. ISTANBUL)**
ÉPIDÉMIE (PESTE DE JUSTINIEN) 542
LOCALISATION : Turquie
De Constantinople où elle s'était déclarée,
tuant près de 10 000 personnes chaque jour,
l'épidémie se propagea à travers l'Europe.
L'empereur Justinien ne put rétablir l'Empire
romain d'Occident. Des témoignages de
l'époque suggèrent que ce fut la première
épidémie de peste bubonique en Europe.

15 G6 SALISBURY
COMÈTE 550
LOCALISATION : Wiltshire, sud de l'Angleterre
Des incendies dévastèrent de vastes
surfaces au début des temps obscurs.
Ils pourraient avoir été déclenchés par
l'explosion de débris de comètes. La famine
qui s'ensuivit provoqua une émigration
en masse vers la France.

16 K9 CORINTHE
SÉISME 856
LOCALISATION : Grèce
Corinthe fut réduite en ruines par
ce séisme, qui tua 45 000 habitants.

17 G5 DURHAM
SÉCHERESSE 1069
LOCALISATION : Angleterre
Trois ans après la conquête de l'île par les
Normands, les cultures de la région furent
ruinées en raison de faibles précipitations.
Près de 50 000 personnes moururent
de la faim et des milliers d'autres en furent
réduites à se vendre comme esclaves
pour survivre.

18 H6 LONDRES
TORNADE 1091
LOCALISATION : Angleterre
La tornade détruisit 600 habitations et tua
deux fidèles dans l'église St. Mary le Bow.

19 H5 BOSTON
INONDATION (MER DU NORD) 1099
LOCALISATION : Angleterre
L'inondation qui toucha cette zone à l'est de
l'Angleterre provoqua la mort de plusieurs
milliers de personnes.

20 J9 ETNA
ÉRUPTION VOLCANIQUE/SÉISME 1169
LOCALISATION : Sicile
L'éruption fut suivie d'un violent séisme.
Plusieurs centaines des 15 000 morts
périrent dans la cathédrale de Catane.

21 J8 VÉSUVE
ÉRUPTION VOLCANIQUE 1198
LOCALISATION : Italie
Cette violente éruption du Vésuve réactiva
la zone de la Solfatare.

22 I4 JUTLAND
INONDATION (MER DU NORD) 1219
LOCALISATION : nord du Danemark
Des milliers de personnes trouvèrent
la mort lorsque les eaux de la mer du Nord
envahirent la péninsule du Jutland.

23 M9 SILIFKE (AUJ. IÇEL)
SÉISME 1268
LOCALISATION : Asie Mineure (auj. Turquie)
L'ancienne province de Cieilia fut dévastée
par ce séisme, qui fit environ 60 000 morts.

24 H5 DUNWICH
INONDATION (MER DU NORD) 1287
LOCALISATION : East Anglia, Angleterre
Environ 500 personnes périrent lorsque
les eaux de la mer du Nord inondèrent
une grande partie de l'East Anglia.

25 G5 BELFAST
GEL 1315-1317
LOCALISATION : Irlande
Une série d'hivers glaciaux ruina les
cultures et causa une famine qui fit
des milliers de victimes en Irlande
et à travers l'Europe.

26 M7 KAFFA (AUJ. FEODOSIYA)
ÉPIDÉMIE (PESTE NOIRE) 1346-1352
LOCALISATION : Crimée
Voir p. 112.

27 H6 CHARTRES
ORAGE (GRÊLE) 1359
LOCALISATION : France
Les grêlons du terrible orage qui s'abattit
sur l'armée d'Édouard III causa la mort de
1 000 soldats et de 6 000 chevaux.

28 E2 ÖRAEFA JÖKULL
ÉRUPTION VOLCANIQUE 1362
LOCALISATION : Islande
L'explosion du volcan fit fondre la glace
du sommet. Deux cents personnes environ
furent tuées par les inondations, une
quarantaine de fermes et leurs troupeaux
furent emportés par les flots.

29 I5 SCHLESWIG
INONDATION (MER DU NORD) 1362
LOCALISATION : Allemagne
Environ 30 000 personnes furent noyées
lorsque les eaux de la mer du Nord
inondèrent la côte marécageuse
du Schleswig.

30 H5 DORT
INONDATION (MER DU NORD) 1421
LOCALISATION : Pays-Bas
Malgré l'existence d'un vaste système de
digues, le pays connut l'une des pires
inondations de son histoire. Sur les
72 villages qui avaient été envahis par
les eaux, 20 disparurent à tout jamais. Plus
de 100 000 personnes périrent noyées.

31 H5 ROTTERDAM
GEL (PETIT ÂGE GLACIAIRE) 1431
LOCALISATION : Pays-Bas
Canaux et rivières glacés, cultures fruitières
et céréalières détruites dans toute l'Europe
du Nord engendrèrent une famine.

32 J8 NAPLES
SÉISME 1456
LOCALISATION : Italie
Ce séisme tua plus de 35 000 personnes
et réduisit Naples en ruines.

33 G9 GRENADE
ÉPIDÉMIE (TYPHUS) 1489
LOCALISATION : Espagne
Des 20 000 soldats espagnols qui
assiégeaient la ville tenue par les
musulmans, 17 000 moururent
du typhus.

34 J8 NAPLES
ÉPIDÉMIE (SYPHILIS) 1495
LOCALISATION : Italie
La chute de la ville, qu'assiégeaient le roi
de France Charles VIII et une armée
de mercenaires européens, ouvrit une
période de débauche. Les soldats, en
rentrant dans leurs pays natals, propagèrent
la maladie. Certains auraient fait partie
de l'expédition de Colomb, qui rapporta
la syphilis d'Amérique.

35 H6 LONDRES
ÉPIDÉMIE (PESTE) 1499
LOCALISATION : Angleterre
Henri VII et sa cour se réfugièrent à Calais
durant cette épidémie de peste qui tua près
de 30 000 personnes.

36 F8 LISBONNE
SÉISME 1531
LOCALISATION : Portugal
De violentes secousses tuèrent 30 000
personnes et détruisirent 1 500 habitations.

37 I6 METZ
ÉPIDÉMIE (TYPHUS) 1552
LOCALISATION : Allemagne (auj. France)
L'épidémie de typhus emporta plus de
30 000 personnes, dont la moitié de l'armée
impériale de Charles Quint.

38 O4 GORKI
GEL/FAMINE 1557
LOCALISATION : région de la Volga, Russie
Des milliers de personnes moururent en
raison de la famine dont les effets furent
décuplés par des pluies et des températures
extrêmement basses.

39 H5 LEYDE
ORAGE 1574
LOCALISATION : Pays-Bas
Durant le siège de Leyde par l'armée
espagnole, de fortes précipitations
provoquèrent la rupture de plusieurs
digues. Près de 20 000 soldats de l'armée
d'occupation périrent noyés dans
les inondations qui suivirent.

40 G3 AU LARGE DE FAIR
TEMPÊTE 1588
LOCALISATION : îles Shetland, Écosse
Au cours d'une tentative d'invasion des îles
Britanniques, les navires de l'Invincible
Armada essuyèrent une terrible tempête.
De nombreux vaisseaux firent naufrage
au large des îles Shetland ; on estime que
de 4 000 à 10 000 marins disparurent.

41 G5 GLOUCESTER
INONDATION 1606
LOCALISATION : vallée de la Severn, Angleterre
La Severn, qui sortit de son lit, provoqua
l'inondation de la ville et causa au moins
2 000 morts. Cette catastrophe est l'une
des plus importantes du genre qui
se soient jamais produites dans le pays.

42 I7 CHIAVENNA
GLISSEMENT DE TERRAIN 1618
LOCALISATION : Italie
Des pans de la montagne s'abattirent
sur les villes situées dans la vallée de
Chiavenna. Au total, 2 427 personnes
périrent ensevelies. Trois rescapés
parvinrent à se dégager.

43 J8 VÉSUVE
ÉRUPTION VOLCANIQUE 1631
LOCALISATION : Italie
L'éruption engendra des lahars et
des coulées de lave qui engloutirent de
nombreux villages, tuant 18 000 personnes.

44 I5 CUXHAVEN
INONDATION 1634
LOCALISATION : Allemagne
Les eaux de la mer du Nord envahirent
toute la région, causant la mort de plus
de 6 000 personnes et la destruction
de près de 1 000 habitations.

45 G6 WIDECOMBE-IN-THE-MOOR
TORNADE 1638
LOCALISATION : Angleterre
La tornade et la foudre qui l'accompagnait
provoquèrent une immense explosion
qui détruisit l'église, tuant 50 membres
de la congrégation, soit quasiment toute
la population du village.

46 J8 ROME
ÉPIDÉMIE (PESTE)/FAMINE 1656
LOCALISATION : Italie
La famine puis la peste emportèrent
400 000 personnes. En six mois, les convois
militaires avaient propagé l'épidémie
de la Sardaigne à Naples.

47 H5 LONDRES
ÉPIDÉMIE (PESTE) 1664-1666
LOCALISATION : Angleterre
La peste tua environ 16 000 personnes avant
d'être stoppée – disent les historiens – par
le Grand Incendie de 1666, lequel détruisit
Londres en grande partie.

48 P8 SHEMAKHA
SÉISME 1667
LOCALISATION : Caucase (auj. Azerbaïdjan)
La ville, au pied des montagnes du Caucase,
fut ébranlée par de puissantes secousses
et 80 000 de ses habitants périrent.

49 J9 ETNA
ÉRUPTION VOLCANIQUE/SÉISME 1669
LOCALISATION : Sicile
Des secousses ébranlèrent l'île tout entière,
provoquant l'éruption de l'Etna.
Les coulées de lave submergèrent Catane,
tuant 20 000 personnes.

50 J9 CATANE
SÉISME 1693
LOCALISATION : Sicile
Catane et de nombreuses autres villes
furent détruites par ce séisme qui aurait tué
60 000 personnes.

51 F5 ATHLONE
ORAGE (FOUDRE) 1697
LOCALISATION : Irlande
La foudre qui s'abattit sur le château
d'Athlone déclencha l'explosion de
260 barrils de poudre à canon qui détruisit
le bâtiment et la cité.

52 G6 PLYMOUTH
« GRANDE TEMPÊTE » 1703
LOCALISATION : Angleterre
La flotte anglaise subit de sérieux
dommages dans les grands ports
du pays. Près de 300 navires et
30 000 marins furent perdus.

53 H5 LA HAYE

INONDATION 1717

Tout le littoral fut dévasté par l'une des inondations les plus terribles jamais enregistrées en mer du Nord. On dénombra 11 000 morts par noyade, 2 000 rien que pour les Pays-Bas.

54 I7 LEUKERBAD

AVALANCHE 1718

LOCALISATION : Suisse

Une gigantesque avalanche détruisit Leukerbad, tuant 50 personnes.

55 J9 ETNA

ÉRUPTION VOLCANIQUE/SÉISME 1755

LOCALISATION : Sicile

L'éruption fut précédée d'un violent séisme qui affecta une zone de 8 000 km de diamètre et fut ressenti jusqu'à Lisbonne, la capitale portugaise.

56 F8 LISBONNE

SÉISME/TSUNAMI 1755

LOCALISATION : Portugal

Voir p. 45.

57 J8 CALABRE

SÉISME 1783

LOCALISATION : Italie

Cinq séismes en deux mois ravagèrent la partie ouest de l'Italie du Sud, détruisant 181 villes et tuant 30 000 personnes.

58 E2 LAKI

ÉRUPTION VOLCANIQUE 1783

LOCALISATION : Islande

Durant six mois, le volcan émit de grandes quantités de lave et de gaz toxiques. La lave recouvrit 50 000 hectares de terres, anéantissant les récoltes, et les nuages de gaz empêchèrent les bateaux de pêche de jeter l'ancre. Dix mille personnes environ moururent de faim.

59 J8 CALABRE

SÉISME 1797

LOCALISATION : Italie

De nombreuses villes de Calabre furent détruites par ce séisme qui tua 50 000 habitants.

60 G5 MANCHESTER

ÉPIDÉMIE (TUBERCULOSE) 1800

LOCALISATION : Angleterre

Au paroxysme de l'épidémie, la tuberculose emporta 20 % de la population de Manchester.

61 I7 VALLÉE DE GOLDAU

GLISSEMENT DE TERRAIN 1806

LOCALISATION : Suisse

L'effondrement du Rossberg, qui s'abattit sur la vallée en contrebas, provoqua des incendies, par la friction des roches. Quatre villages furent ensevelis et 800 personnes tuées.

62 F5 CORK

RÉCOLTES DÉVASTÉES 1817

LOCALISATION : Irlande

Les mauvaises récoltes de pommes de terre dans toute l'Irlande provoquèrent une famine qui fit 70 000 victimes.

63 M3 SAINT-PÉTERSBOURG

INONDATION 1824

LOCALISATION : Russie

La crue la plus dévastatrice de la Néva inonda Saint-Pétersbourg et la ville voisine de Cronstadt dans laquelle un grand navire vint s'échouer au beau milieu de la place du marché. Au total, on enregistra 10 000 morts.

64 L2 IISALMI

GEL (PETIT ÂGE GLACIAIRE) 1835-1850

LOCALISATION : Finlande

Cette résurgence du dernier âge glaciaire causa la mort de 137 000 personnes.

65 F5 GALWAY

RÉCOLTES DÉVASTÉES/FAMINE 1845-1848

LOCALISATION : Irlande

Voir p. 109.

66 H6 SOHO

ÉPIDÉMIE (CHOLÉRA) 1853-1863

LOCALISATION : Londres, Angleterre

La troisième pandémie de choléra du siècle fit des milliers de victimes. À Soho, 700 personnes périrent en deux semaines.

67 M7 AU LARGE DE BALACLAVA

TEMPÊTE 1854

LOCALISATION : mer Noire

La tempête qu'essuya le bateau à vapeur Prince au large de la Crimée coûta la vie à 143 personnes.

68 L9 RHODES

ORAGE (FOUDRE) 1856

LOCALISATION : Rhodes, Grèce

La foudre qui frappa l'église Saint-Jean au cours d'un orage provoqua l'explosion d'un dépôt de poudre à canon situé à proximité, tuant 400 personnes.

69 J8 CALABRE

SÉISME 1857

LOCALISATION : Italie

Dans la seule Calabre, 10 000 personnes moururent. Dans les régions voisines, des fissures béantes engloutirent de nombreux villages et leurs habitants.

70 G6 AU LARGE DE BREST

TEMPÊTE 1870

LOCALISATION : France

Au cours de la tempête, la Gorgone sombra avec 122 passagers à son bord.

71 G4 PONT SUR LA TAY

ORAGE 1879

LOCALISATION : Écosse

D'après un témoin, des vents extrêmement violents envoyèrent une trombe d'eau sur le pont ferroviaire de la Tay, ouvert depuis peu, provoquant son effondrement. Un train fut précipité dans la rivière ; il n'y eut aucun survivant parmi les 75 passagers.

72 I7 ELM

GLISSEMENT DE TERRAIN 1881

LOCALISATION : Suisse

Quelque 150 personnes périrent quand le village et une grande partie de la vallée furent ensevelis sous les roches.

73 L9 SCIO (AUJ. CHIOS)

SÉISME 1881

LOCALISATION : Turquie (auj. est de la Grèce)

Un quart des 80 000 habitants de l'île furent blessés, 7 000 furent tués durant le séisme qui détruisit 44 villes et villages.

74 M9 ANATOLIE

SÉISME 1883

LOCALISATION : Asie Mineure (auj. Turquie)

Une seule secousse de quelques secondes tua un millier de personnes et fit 20 000 sans-abri.

75 G9 MALAGA

SÉISME 1884

LOCALISATION : Andalousie, Espagne

Le séisme, survenu le jour de Noël, fit 745 morts et 1 253 blessés.

76 G9 GRENADE

SÉISME 1885

LOCALISATION : Espagne

Le séisme dévasta Grenade et les villes d'Alhama et de Periana, tuant 1 000 personnes.

77 G6 AU LARGE DE LAND'S END

TEMPÊTE 1886

LOCALISATION : Cornouailles, Angleterre

La disparition du bateau à vapeur anglais London, lors d'une tempête à 320 km des côtes de Cornouailles, fit 220 victimes.

78 I7 LE FAYET/SAINT-GERVAIS

AVALANCHE 1892

LOCALISATION : France

Les deux villes thermales, au pied du mont Blanc, furent détruites lorsque le glacier de Tête Rousse s'effondra et fondit. Quelque 140 personnes furent tuées.

79 F8 AU LARGE DE PENICHE

TEMPÊTE 1892

LOCALISATION : Portugal

En route pour l'Inde, le bateau à vapeur anglais Roumania sombra au large du Portugal, faisant 113 morts.

80 J8 CALABRE

SÉISME 1905

LOCALISATION : Italie

Une série de secousses, réparties sur cinq jours, tuèrent 5 000 personnes dont 2 000 dans le village de Martirano, qui fut détruit. Le séisme fut ressenti jusqu'à Naples et Florence, au nord.

81 J9 MESSINE

SÉISME/TSUNAMI 1908

LOCALISATION : Sicile

Plusieurs séismes et un tsunami frappèrent Messine et les villes voisines. Quelque 160 000 personnes moururent, dont 80 000 des 147 000 habitants de Messine.

82 J8 AVEZZANO

SÉISME 1915

LOCALISATION : Italie

Ce séisme de magnitude 7,5 dévasta la ville et tua environ 30 000 personnes.

83 J7 MARMOLADA

AVALANCHE 1916

LOCALISATION : Tyrol, Italie

L'avalanche submergea la ville, tuant 253 soldats autrichiens dans leur caserne.

84 H6 FLANDRES

PANDÉMIE (GRIPPE ESPAGNOLE) 1918-1920

LOCALISATION : France/Belgique

Voir p. 118.

85 O4 GORKI

SÉCHERESSE 1921-1922

LOCALISATION : région de la Volga, Russie

La sécheresse qui dévasta toute la région entraîna une terrible famine : plus de 20 millions de personnes furent touchées, parmi lesquelles plusieurs millions moururent.

86 K7 SARAJEVO

GLISSEMENT DE TERRAIN 1926

LOCALISATION : Bosnie

Le glissement de terrain causa la mort de 117 personnes, tuées à la périphérie de la ville dans le train qui les emportait.

87 J9 ETNA

ÉRUPTION VOLCANIQUE 1928

LOCALISATION : Sicile

L'éruption détruisit la voie ferrée Messine-Catane, ainsi que la ville de Mascate et le village de Nunziata. Des dizaines de personnes périrent.

88 M8 NORD DE L'ANATOLIE

SÉISME/GLISSEMENTS DE TERRAIN 1929

LOCALISATION : Turquie

Le séisme et les glissements de terrain dévastèrent la région et firent 1 000 morts.

89 M6 KIEV

SÉCHERESSE/FAMINE 1932-1933

LOCALISATION : URSS (auj. Ukraine)

Les réformes économiques radicales décidées par Staline, ajoutées à la sécheresse et à la famine qui sévissaient dans la région de la Volga et en Ukraine, provoquèrent la mort de près de 5 millions de paysans. Ne voulant pas reconnaître la réalité de la situation, l'URSS refusa l'aide étrangère.

90 N8 ERZINCAN

SÉISME 1939

LOCALISATION : Turquie

Des dizaines de milliers de maisons furent détruites et 50 000 personnes tuées.

91 L7 BUCAREST

SÉISME 1940

LOCALISATION : Roumanie

Un millier de personnes furent tuées et la ville subit de graves dégâts.

92 J8 VÉSUVE

ÉRUPTION VOLCANIQUE 1944

LOCALISATION : Italie

L'éruption interrompit les combats opposant des dizaines de milliers de soldats alliés et allemands dans la région. On dénombra près de 100 morts.

93 D2 HEKLA

ÉRUPTION VOLCANIQUE 1947

LOCALISATION : Islande

Le panache de fumée et de vapeur d'eau libéré par l'éruption s'éleva à plus de 30 000 mètres d'altitude.

94 H6 LONDRES

TEMPÊTE (SMOG) 1952

LOCALISATION : Angleterre

Le terrible smog qui stagna au-dessus de la ville pendant plusieurs semaines provoqua la mort de milliers de personnes.

95 H6 OUDE-TONGE

INONDATION (MER DU NORD) 1953

LOCALISATION : Zélande, Pays-Bas

Voir p. 92.

96 I7 DALAAS TAL

AVALANCHE 1954

LOCALISATION : Vorarlberg, Autriche

Trois jours durant, les avalanches se succédèrent, ensevelissant des villes et des villages en Autriche, en Allemagne, en Italie et en Suisse, tuant 411 personnes.

97 H6 PARIS

TEMPÊTE (BLIZZARD) 1956

LOCALISATION : France

Près de 1 000 personnes périrent en raison du temps glacial qui paralysa l'Europe, de l'Angleterre à la Sibérie.

98 I7 MILAN

ORAGE (FOUDRE) 1959

LOCALISATION : Italie

Frappé par la foudre au cours d'un orage, un avion de passagers explosa, provoquant la mort de 68 personnes.

99 H8 BARCELONE

ORAGE (CRUE SUBITE) 1962

LOCALISATION : Espagne

Barcelone fut inondée, 445 personnes périrent et 10 000 se trouvèrent sans abri au cours de l'une des crues subites les plus terribles jamais enregistrées en Espagne.

100 I5 HAMBOURG
INONDATION (RUPTURE DE DIGUES) 1962
LOCALISATION : Allemagne
Les inondations provoquées sur
le littoral de la mer du Nord rompirent
plusieurs digues. À Hambourg, sur
l'Elbe, on dénombra 281 morts et
500 000 sans-abri.

101 J7 BELLUNO
GLISSEMENT DE TERRAIN 1963
LOCALISATION : Italie
De fortes pluies inondèrent la vallée
de la Piave et provoquèrent un glissement
de terrain dévastateur.

102 J7 LONGARONE
GLISSEMENT DE TERRAIN 1963
LOCALISATION : Italie
À la suite d'un séisme, une partie du mont
Toc s'effondra dans la retenue d'eau
du nouveau barrage de Vaiont. Une vague
se forma qui submergea la digue du barrage
et détruisit Longarone, tuant environ
2 000 personnes.

103 K8 SKOPJE
SÉISME 1963
LOCALISATION : Yougoslavie (auj. Macédoine)
Le séisme causa de graves dégâts.
La destruction de plus de 15 000 habitations
laissa les trois quarts de la population
sans abri. Au moins 1 000 personnes
furent tuées et 3 700 blessées.

104 L9 MER ÉGÉE
TEMPÊTE 1966
LOCALISATION : entre Le Pirée et la Crète.
La disparition du ferry grec *Heraklion*
au cours d'une tempête coûta la vie
à 230 personnes.

105 I7 FLORENCE
INONDATION 1966
LOCALISATION : Italie
Au cours des inondations qui touchèrent
également Rome, Naples et Venise,
113 Florentins perdirent la vie. De
nombreux chefs-d'œuvre d'une valeur
inestimable furent détruits ou endommagés.

106 D2 SURTSEY
ÉRUPTION VOLCANIQUE 1967
LOCALISATION : Islande
L'île de Surtsey est née de la lave éjectée du
rift fracturant le fond de l'Atlantique Nord.

107 G4 GLASGOW
TEMPÊTE (« VENT DU SIÈCLE ») 1968
LOCALISATION : Écosse
Des vents extrêmement violents,
soufflant jusqu'à 200 km/h, détruisirent
70 000 logements à Glasgow et
provoquèrent la mort de 16 personnes.
L'effet des blizzards, comparables
à de véritables ouragans, se fit sentir
jusqu'en Iran.

108 D2 HEIMAEY
ÉRUPTION VOLCANIQUE 1973
LOCALISATION : Islande
Voir p. 17.

109 G6 MANCHE
TEMPÊTE 1974
LOCALISATION : entre l'Angleterre et la France
Le vent extrêmement violent provoqua
le naufrage de plusieurs navires et la mort
de 35 personnes.

110 J8 ALTAVILLA IRPINIA
SÉISME 1980
LOCALISATION : Italie
Le séisme, dans la région montagneuse
à l'est de Naples, causa la mort
de 3 144 personnes.

111 I7 CÔTE D'AZUR
INCENDIE 1985
LOCALISATION : sud de la France
Voir p. 87.

112 H6 SEVENOAKS
« GRANDE TEMPÊTE » 1987
LOCALISATION : Kent, Angleterre
La tempête dévasta le sud de l'Angleterre
et le nord de la France, déracinant
des centaines d'arbres pluricentenaires
et modifiant les paysages du sud-est
de l'Angleterre de façon irréversible.
Le bilan humain se chiffra à 19 morts.

113 O8 SPITAK
SÉISME 1988
LOCALISATION : Arménie
Voir p. 34.

114 I7 MONT BLANC
AVALANCHE/SÉISME 1991
LOCALISATION : Alpes, France
Neuf personnes furent tuées
lorsqu'un séisme déclencha
une avalanche.

115 N8 ERZINCAN
SÉISME 1992
LOCALISATION : Turquie
Le séisme de magnitude 6,7 fut suivi
par de violents contrechocs. Près
de 500 personnes furent tuées
et 2 200 blessées.

116 H7 VAISON-LA-ROMAINE
ORAGE 1992
LOCALISATION : sud de la France
Les orages déclenchèrent des pluies
torrentielles qui provoquèrent la crue
de la rivière Ouvèze. Un mur d'eau haut
de 15 m déferla à travers la ville,
emportant 38 personnes.

117 N9 GÖMEÇ
AVALANCHES 1992
LOCALISATION : est de la Turquie
Voir p. 95.

118 E2 GLACIER DE VATNAJÖKULL
ÉRUPTION VOLCANIQUE 1996
LOCALISATION : Islande
La lave, expulsée d'une fissure sous
le Vatnajökull, fit fondre la partie inférieure
du glacier, provoquant la plus importante
inondation depuis soixante ans. Les routes,
les pipelines et les lignes électriques
furent gravement endommagés.

119 J8 ASSISE
SÉISME 1997
LOCALISATION : Ombrie, Italie
Le séisme fit s'effondrer la coupole
de la magnifique cathédrale d'Assise, tuant
11 personnes et endommageant
des fresques majeures dans l'histoire
de l'art. Dans toute l'Ombrie, des milliers
de personnes se retrouvèrent sans abri.

120 G9 BADAJOS
INONDATION 1997
LOCALISATION : Estrémadure, Espagne
De fortes pluies et des vents violents
provoquèrent la crue de la rivière Guadiana,
qui inonda la ville, causant la mort
d'au moins 31 personnes.

121 K6 CRACOVIE
INONDATION 1997
LOCALISATION : Pologne
La crue de plusieurs rivières, parmi
lesquelles l'Oder, inonda une zone de
5 180 km² sur 4 pays. En Pologne,
on enregistra 60 décès ; en République
tchèque, 40.

ASIE DU SUD

Carte p. 136-137.

1 D4 TRAPS DU DECCAN
ÉRUPTION 65 MILLIONS D'ANNÉES
LOCALISATION : Jodhpur, Inde
Voir p. 98.

2 H8 TOBA
ÉRUPTION VOLCANIQUE V. 70 000 ANS AV. J-C
LOCALISATION : Sumatra, Indonésie
L'éruption créa une vaste caldeira et déposa
au fond de l'océan Indien des millions
de tonnes de cendres, sur 2 080 km
de distance.

3 K2 GAOCHENG
INONDATION (FLEUVE JAUNE) V. - 2200
LOCALISATION : province du Hunan, Chine
Les nombreuses inondations qui affectaient
la Chine furent maîtrisées grâce à l'action
d'un certain Yu. Cette victoire sur la nature
lui valut de fonder la première dynastie
héréditaire du pays, les Xia.

4 C4 HYDERABAD
INONDATION V. - 2200
LOCALISATION : vallée de l'Indus, Inde
On pense que les inondations massives qui
se produisirent à cette époque auraient été
provoquées par une pluie de météorites.

5 K5 CANTON (AUJ. GUANGZHOU)
ÉPIDÉMIE (PESTE) 610
LOCALISATION : Chine
La peste affecta de manière récurrente
les provinces du Sud et de la côte durant
deux cents ans. Le nombre de morts,
inconnu, fut sans doute très important.

6 K2 TAIYUAN
SÉISME 1038
LOCALISATION : province de Shanxi, Chine
Toute la province fut affectée par ce séisme
qui endommagea gravement Taiyuan et
fit 23 000 morts.

7 K2 CHIHLI (AUJ. BO HAI)
SÉISME 1290
LOCALISATION : Chine
Le séisme ensevelit la ville et causa la mort
de 100 000 personnes.

8 K1 PÉKIN (AUJ. BEIJING)
INONDATION/FAMINE 1332-1333
LOCALISATION : Chine
L'inondation et la famine qui suivit firent
6 millions de morts. Les perturbations
qu'elles causèrent pourraient être à l'origine
de la diffusion de la Peste noire.

9 K2 TAIYUAN
SÉISME 1556
LOCALISATION : province de Shanxi, Chine
Le plus dévastateur de tous les séismes
frappa également les provinces de Shaanxi
et de Henan, faisant environ 830 000 morts.

10 L6 TAAL
ÉRUPTION VOLCANIQUE 1591
LOCALISATION : Luçon, Philippines
La première éruption majeure du Taal fut
enregistrée en 1591. Les panaches sortant
du sommet et du flanc du volcan
asphyxièrent plusieurs milliers d'habitants
de Luçon.

11 M6 MAYON
ÉRUPTION VOLCANIQUE 1616
LOCALISATION : Luçon, Philippines
Durant la première éruption connue
du Mayon, des dizaines de villes et
de villages furent bombardés de roches
et engloutis par des fleuves de lave.
Des milliers de personnes périrent.

12 D5 SURAT
SÉCHERESSE/FAMINE 1669-1670
LOCALISATION : Inde
La première grande famine du pays à
l'époque moderne provoqua la mort
de près de 3 millions de personnes.

13 G5 EMBOUCHURE DE L'HUGLI
CYCLONE TROPICAL 1737
LOCALISATION : golfe du Bengale, Inde
Le cyclone généra une vague de 12 m
qui détruisit 20 000 navires et fit
300 000 morts dans les villes côtières.

14 L6 TAAL
ÉRUPTION VOLCANIQUE 1754
LOCALISATION : Luçon, Philippines
Quatre villages et des centaines d'habitants
disparurent durant les sept mois d'éruption
du Taal.

15 M6 MAYON
ÉRUPTION VOLCANIQUE 1766
LOCALISATION : Luçon, Philippines
Des centaines de personnes périrent
noyées dans les inondations provoquées
par l'éruption ou furent emportées
par la lave.

16 E4 DELHI
SÉCHERESSE/FAMINE 1769-1770
LOCALISATION : Inde
La sécheresse qui sévit durant dix-huit mois
provoqua la mort d'environ 3 millions
de personnes, soit un tiers des habitants
de la région.

17 F6 CORINGA
CYCLONE TROPICAL 1789
LOCALISATION : Andhra Pradesh, Inde
Plus de 20 000 personnes trouvèrent
la mort dans cette catastrophe.
Le cyclone engendra la formation de trois
énormes vagues qui détruisirent la ville
et provoquèrent la formation de bouchons
de boue à l'embouchure de la rivière
Godavari.

18 D5 BOMBAY (AUJ. MUMBAI)
SÉCHERESSE/« FAMINE DES CRÂNES » 1790-1791
LOCALISATION : Inde
Le manque de précipitations provoqua
la mort de plusieurs milliers de personnes
au cours de la terrible famine baptisée
Poji Bara, ou Famine des crânes,
en raison des scènes de cannibalisme
qui eurent lieu.

19 M6 MAYON
ÉRUPTION VOLCANIQUE 1814
LOCALISATION : Luçon, Philippines
Quatre villes disparurent sous 9 m
de roches projetées par le Mayon, et
2 200 personnes furent tuées.

20 G5 CALCUTTA
ÉPIDÉMIE (CHOLÉRA) 1817
LOCALISATION : Inde
La première pandémie de choléra emporta
5 000 soldats britanniques à Calcutta
avant de ravager l'Asie, le Proche-Orient
et l'Afrique durant six mois. Sa propagation
fut stoppée avant qu'elle n'atteigne
l'Europe.

21 G5 CALCUTTA
PANDÉMIE (CHOLÉRA) 1826-1834
LOCALISATION : Inde
Voir p. 117.

22 E6 GUNTUR
SÉCHERESSE/FAMINE 1833
LOCALISATION : Inde
La sécheresse détruisit les cultures et près de 200 000 personnes moururent de faim.

23 K5 PORT DE HONGKONG
CYCLONE TROPICAL 1841
LOCALISATION : mer de Chine méridionale
S'il épargna les navires de la marine britannique qui mouillaient dans le port, le cyclone qui sévit durant quatre heures coula tous les sampans et toutes les jonques, faisant des milliers de morts.

24 L3 SHANGHAI
INONDATIONS 1851-1866
LOCALISATION : Chine
En quinze ans, 40 à 50 millions de personnes périrent noyées dans la zone comprise entre le Huang He (anc. fleuve Jaune) et le Yangzi Jiang (anc. fleuve Bleu), qui, avec nombre d'autres cours d'eau de la région, connurent des crues dévastatrices.

25 L6 MANILLE
SÉISME 1863
LOCALISATION : Philippines
Deux secousses dévastèrent la ville, jetant bas les entrepôts de tabac. Au moins un millier de personnes périrent.

26 G5 CALCUTTA
CYCLONE TROPICAL 1864
LOCALISATION : Inde
La ville fut dévastée par une vague de 13 m de haut. Plus de 50 000 personnes trouvèrent la mort, 200 navires sombrèrent.

27 E5 RAIPUR
SÉCHERESSE/FAMINE 1866
LOCALISATION : Inde
Un million et demi de personnes moururent de faim ou de maladie lors de la sécheresse qui frappa le Bengale, l'Orissa et le Bihar.

28 E5 BHOPAL
SÉCHERESSE/FAMINE 1868
LOCALISATION : Inde
Plusieurs années consécutives de mauvaises récoltes provoquèrent une famine qui coûta la vie à plusieurs milliers de personnes dans le centre et le nord-ouest du pays.

29 G5 BARISAL
CYCLONE TROPICAL 1876
LOCALISATION : Inde (auj. Bangladesh)
Une gigantesque marée de tempête inonda Barisal et submergea toutes les îles situées à l'embouchure de la rivière Meghna. Plus de 100 000 personnes périrent noyées en quelques minutes.

30 E7 MADRAS
SÉCHERESSE/FAMINE/ÉPIDÉMIE 1876-1877
LOCALISATION : Inde
Au cours de la plus longue famine jamais enregistrée, 3 millions de personnes moururent de faim, et autant en raison de l'épidémie de choléra qui suivit. Au total, près de 36 millions d'individus furent touchés par la catastrophe.

31 M1 CHANGCHUN
SÉCHERESSE/FAMINE 1877-1878
LOCALISATION : Mandchourie, Chine
Trois années sans pluie dans le nord et le centre de la Chine déclenchèrent la plus terrible famine de l'histoire du pays. On estime à 13 millions le nombre de morts ; des scènes de cannibalisme eurent même lieu. Ironie du sort, au même moment les récoltes étaient ravagées par les inondations dans la province méridionale de Guangdong.

32 E2 CACHEMIRE
SÉISME 1885
LOCALISATION : Inde
De nombreuses villes et villages furent détruits et plus de 3 000 personnes tuées par les dizaines de secousses qui ébranlèrent, un mois durant, le Cachemire.

33 K3 KAIFENG
INONDATION 1887
LOCALISATION : province du Henan, Chine
Comme plusieurs centaines de villes et de villages, Kaifeng fut complètement recouvert par une couche limoneuse. Un million et demi de personnes périrent lors de la rupture des digues du Huang He (fleuve Jaune) qui provoqua l'inondation d'une zone de 78 000 km².

34 E4 MORADABAD
ORAGE (GRÊLE) 1888
LOCALISATION : Inde
Des grêlons de la taille d'une orange s'abattirent sur les fenêtres et les toits de maisons, et frappèrent mortellement 230 ouvriers agricoles qui travaillaient dans les champs.

35 M6 MAYON
ÉRUPTION VOLCANIQUE 1897
LOCALISATION : Luçon, Philippines
Durant la plus longue éruption du Mayon, qui dura quatre jours, une pluie de cendres et de pierres brûlantes s'abattit sur la ville de Tobaco, tuant 400 personnes.

36 D3 LAHORE
SÉCHERESSE/FAMINE 1898
LOCALISATION : Inde (auj. Pendjab, Pakistan)
Près d'un million de personnes périrent en raison de la sécheresse et de la famine qui suivit dans une grande partie du Pendjab, ainsi que dans le sud et l'ouest de l'Inde. Plus de 61 millions de personnes furent touchées par cette catastrophe.

37 D5 BOMBAY (AUJ. MUMBAY)
ÉPIDÉMIE (PESTE) 1904-1908
LOCALISATION : Inde
À Bombay et dans les provinces du nord-ouest, 18 000 personnes mouraient de la peste chaque jour. L'épidémie tua plus de 3 millions de personnes en Inde.

38 E3 KANGRA
SÉISME 1905
LOCALISATION : Inde
Ce séisme de magnitude 8,7 dévasta Kangra et causa la mort de 19 000 personnes.

39 D3 LAHORE
SÉISMES 1905
LOCALISATION : Inde (auj. Pendjab, Pakistan)
Une série de séismes ébranla plusieurs villes, tuant des centaines d'habitants et détruisant de nombreux monuments. Les minarets de la grande mosquée de Lahore s'écroulèrent.

40 L5 KAGI (AUJ. CHIAI)
SÉISME 1906
LOCALISATION : Formose, Japon (auj. Taïwan)
Ce violent séisme dévasta la ville, tuant plus de 1 000 personnes et en blessant au moins 2 000. Plus de 5 000 maisons furent détruites.

41 K5 KOWLOON
CYCLONE TROPICAL/MARÉE DE TEMPÊTE 1906
LOCALISATION : Hong Kong, mer de Chine méridionale
De nombreux bâtiments s'effondrèrent et au moins 10 000 personnes trouvèrent

42 L3 SHANGHAI
INONDATION 1911
LOCALISATION : Chine
Le Yangzi Jiang qui sortit de son lit inonda Shanghai et ravagea 4 provinces. Sur les 2 millions de personnes qui furent touchées par la catastrophe, 100 000 périrent immédiatement noyées, 100 000 autres moururent de faim au cours des semaines suivantes.

43 L6 TAAL
ÉRUPTION VOLCANIQUE 1911
LOCALISATION : Luçon, Philippines
La boue et la vapeur expulsées par le Taal détruisirent 13 villes et villages. Un tourbillon de cendres et de dioxyde de soufre balaya l'île. La plupart des 1 355 victimes périrent asphyxiées.

44 L5 TAITO (AUJ. T'AITUNG)
CYCLONE TROPICAL 1912
LOCALISATION : Formose (auj. Taïwan)
Ce cyclone, l'un des plus importants jamais enregistrés, fit 107 morts et 293 blessés. Les vents soufflant à plus de 300 km/h balayèrent au moins 200 000 habitations.

45 M6 MAYON
ÉRUPTION VOLCANIQUE 1914
LOCALISATION : Luçon, Philippines
L'éruption ravagea la ville de Cagsauga, tuant des centaines de personnes.

46 I2 XINING
SÉISME 1920
LOCALISATION : province du Qinghai, Chine
Ce séisme de magnitude 8,6 ravagea toute la province et tua plus de 180 000 personnes.

47 I4 KUNMING
SÉISME 1925
LOCALISATION : province du Yunnan, Chine
Le séisme, ressenti dans toute la province, tua plus de 6 000 personnes et détruisit presque entièrement la ville de Kunming.

48 H2 TSINGHAI (AUJ. QINGHAI)
SÉISME 1927
LOCALISATION : Chine
Ce séisme de magnitude 8,3 fut ressenti dans toute la province et tua environ 200 000 personnes qui vivaient au pied du massif de Nanshan.

49 L3 NANJING
INONDATION/MARÉE DE TEMPÊTE 1931
LOCALISATION : province d'Anhui, Chine
Des pluies de mousson fortes et ininterrompues firent déborder le bassin du Yangzi Jiang. Les six énormes vagues qui balayèrent les rives du fleuves firent sauter les digues et inondèrent une zone de 91 000 m². Plus de 40 millions de personnes furent touchées par ce drame dans lequel plusieurs millions de Chinois perdirent la vie.

50 I2 LANZHOU
SÉISME 1932
LOCALISATION : Chine
Le séisme laissa la province en ruines et tua 70 000 personnes.

51 K2 TIANJIN
INONDATION 1933
LOCALISATION : Chine
La rupture des digues du Huang He (fleuve Jaune) causa la mort de 18 000 personnes. Plus de 3 millions de Chinois furent touchés par les inondations qui dévastèrent plus de 3 000 villes et villages.

52 F4 BIRATNAGAR
SÉISME 1934
LOCALISATION : Népal
Le pays tout entier fut ébranlé par ce séisme de magnitude 8,4 qui secoua l'Himalaya et tua environ 10 700 personnes.

53 K5 CANTON (AUJ. GUANGZHOU)
GLISSEMENTS DE TERRAIN 1934
LOCALISATION : Guangdong, Chine
Durant deux jours, des glissements de terrain bouleversèrent la province et tuèrent plus de 500 personnes.

54 C3 QUETTA
SÉISME 1935
LOCALISATION : Pakistan
Quelque 60 000 victimes périrent quand ce séisme de magnitude 7,5 détruisit Quetta.

55 K2 JINAN
INONDATION/FAMINE 1939
LOCALISATION : Chine
La rupture des digues du Huang He (fleuve Jaune) entraîna la destruction des cultures de céréales et de riz. En l'espace de trois mois, 200 000 personnes étaient mortes de faim et 25 millions sans ressources.

56 G5 DIAMOND HARBOUR
CYCLONE TROPICAL 1942
LOCALISATION : Inde (auj. Bangladesh)
Des vents atteignant 225 km/h balayèrent les villages du littoral et provoquèrent la mort de plus de 40 000 personnes.

57 L6 MER DE CHINE MÉRIDIONALE
CYCLONE TROPICAL 1944
LOCALISATION : au large de Luçon, Philippines
Le cyclone fit rage durant deux jours, provoquant le naufrage des destroyers de la marine américaine *Hull, Spence* et *Monahan*, avec 800 hommes d'équipage à leur bord. La mer était tellement déchaînée que beaucoup de ceux qui avaient échappé au naufrage périrent noyés, leur gilet de sauvetage ayant été arraché par les vagues.

58 H4 DIBRUGARH
GLISSEMENT DE TERRAIN 1949
LOCALISATION : nord de l'Assam, Inde
Plusieurs villes furent ensevelies et environ 500 personnes furent tuées.

59 M2 SÉOUL
ÉPIDÉMIE (HANTAVIRUS) ANNÉES 1950
LOCALISATION : Corée du Sud
Durant la guerre de Corée, des centaines de soldats furent victimes du virus de Séoul, appartenant au groupe des hantavirus qui affectent chaque année 200 000 personnes environ, dont au moins 20 000 décèdent.

60 H4 ASSAM
SÉISME/GLISSEMENTS DE TERRAIN 1950
LOCALISATION : Inde
Les glissements de terrain provoqués par un séisme dans l'Himalaya bloquèrent le cours de la rivière Subabsiri et rompirent un barrage sur le Brahmapoutre. Les inondations tuèrent 1 500 personnes.

61 L5 HIBOK-HIBOK
ÉRUPTION VOLCANIQUE 1951
LOCALISATION : île de Camiguin, Philippines
L'éruption ébranla cette petite île au large de Luçon. Trois villages furent évacués et 84 personnes périrent.

62 J6 HUE
CYCLONE TROPICAL 1953
LOCALISATION : Vietnam
La tempête endommagea gravement l'ancienne capitale et fit 1 300 morts dans le centre du pays. Les rizières furent dévastées, et les milliers de cabanes

en roseaux qui disparurent intégralement laissèrent 100 000 sans-abri.

63 K3 WUHAN
INONDATION 1954
LOCALISATION : province de Hubei, Chine
Des pluies de mousson fortes et ininterrompues provoquèrent la crue de plusieurs cours d'eau dont le Yangzi Jiang, transformant le bassin du fleuve en un vaste lac. Les niveaux des eaux dépassèrent de 1,5 m ceux atteints en 1931. Les systèmes de protection mis en place n'empêchèrent pas la mort de 40 000 personnes.

64 G4 XIGAZÊ
INONDATION 1954
LOCALISATION : Tibet
La crue de la rivière Nyang Chu fit déborder le lac Takri Tsoma. Des torrents d'eau se déversèrent sur la ville, emportant 750 personnes, pour la plupart des moines bouddhistes.

65 F5 CUTTACK
INONDATION (MOUSSON) 1955
LOCALISATION : État d'Orissa, Inde
Les fortes précipitations liées à la mousson provoquèrent de graves inondations qui submergèrent 10 000 villages et causèrent la mort de 1 700 personnes.

66 L3 HANGZHOU
TYPHON WANDA 1956
LOCALISATION : Chine
Le typhon frappa les provinces d'Anhui, de Jiangsu et de Zhejiang, détruisant les cultures de riz et de coton, ainsi que 38 000 habitations. On compta 2 000 morts.

67 C4 KARACHI
ÉPIDÉMIE (CHOLÉRA/VARIOLE) 1958
LOCALISATION : Pakistan
L'épidémie de choléra dura sept mois et tua 16 000 personnes.

68 L6 MANILLE
TYPHON LUCILLE 1960
LOCALISATION : Philippines
Lucille causa de graves inondations et près de 100 personnes trouvèrent la mort, parmi lesquelles beaucoup venaient d'échapper au tsunami provoqué par des séismes au Chili.

69 G5 CHITTAGONG
CYCLONE TROPICAL 1963
LOCALISATION : Pakistan (auj. Bangladesh)
D'énormes vagues balayèrent des millions d'habitations en torchis dans la baie du Bengale, faisant 22 000 morts. Quatre bateaux de croisière furent projetés à 1 km à l'intérieur des terres.

70 C4 HYDERABAD
ORAGE/INONDATION 1964
LOCALISATION : Pakistan
L'orage inhabituel qui s'abattit sur le district, jusqu'en bordure du désert du Thar, provoqua la mort de centaines de personnes dont les maisons furent emportées dans les inondations.

71 L6 MANILLE
TYPHON WINNIE 1964
LOCALISATION : Philippines
En déferlant sur les Philippines, Winnie ravagea Luçon et laissa derrière lui 300 000 sans-abri et 48 morts.

72 G5 CHITTAGONG
CYCLONE TROPICAL 1965
LOCALISATION : est du Pakistan (auj. Bangladesh)
Les immenses vagues qui balayèrent le delta du Gange sur plus de 200 km causèrent la mort de 2 000 personnes et l'inondation de Dacca.

73 L6 TAAL
ÉRUPTION VOLCANIQUE 1965
LOCALISATION : Luçon, Philippines
En percolant à travers le magma, l'eau que contenait le cratère se transforma en vapeur. Sous la pression, le volcan explosa. Quelques heures plus tôt, les experts avaient refusé l'évacuation. On compta 200 victimes.

74 D5 GUJERAT
INONDATION 1968
LOCALISATION : Inde
Les fortes pluies qui firent sortir la rivière Tapti de son lit provoquèrent de graves dégâts dans toute la région et la mort par noyade de 1 000 personnes.

75 L7 ROXAS
CYCLONES TROPICAUX 1970
LOCALISATION : Panay, Philippines
À dix jours d'intervalle, deux cyclones dévastèrent 24 provinces philippines. On enregistra 1 500 morts.

76 G5 ÎLE DE SANDWIP
CYCLONE TROPICAL 1970
LOCALISATION : est du Pakistan (auj. Bangladesh)
La vague de 15 m de hauteur qui s'abattit sur la côte et sur les îles du delta du Gange causa la mort de près de 500 000 personnes. Dans les semaines qui suivirent, plusieurs milliers d'autres moururent d'épidémies.

77 I5 TONGHAI
SÉISME 1970
LOCALISATION : province du Yunnan, Chine
Ce séisme de magnitude 7,5 fit 10 000 morts.

78 K5 HONGKONG
TYPHON ROSE 1971
LOCALISATION : mer de Chine méridionale
Le typhon provoqua le naufrage de nombreux bateaux dans le port, parmi lesquels un ferry dont 80 passagers furent noyés. Douze autres personnes moururent emportées par les coulées de boue provoquées par les vagues qui déferlèrent sur le rivage.

79 D3 DERA GHAZI KHAN
INONDATION 1972
LOCALISATION : Pendjab, Pakistan
La crue de l'Indus inonda toute la région. Environ 3 000 personnes périrent noyées, et autant de villages furent rayés de la carte.

80 K5 HONGKONG
GLISSEMENTS DE TERRAIN 1972
LOCALISATION : mer de Chine méridionale
Au troisième jour d'une pluie diluvienne, deux glissements de terrain se produisirent. On dénombra 160 morts.

81 G5 MYMENSINGH
TORNADES 1972
LOCALISATION : Bangladesh
La série de tornades qui s'abattit sur une zone de 2 070 km^2 provoqua la mort de 200 personnes et fit 25 000 sans-abri.

82 E5 NAGPUR
SÉCHERESSE 1972
LOCALISATION : Inde
Durant près d'un mois, 50 millions d'Indiens, à travers 14 États du pays, vécurent dans des conditions de sécheresse dramatiques, subissant des températures atteignant jusqu'à 43 °C. Les cultures furent anéanties et 800 personnes périrent de faim.

83 M2 SÉOUL
INONDATION 1972
LOCALISATION : Corée du Sud
Des pluies torrentielles furent à l'origine d'inondations dans trois provinces du pays, faisant 450 morts et 100 000 sans-abri. Des glissements de terrain à Séoul provoquèrent la disparition de 175 autres personnes.

84 D3 SRINAGAR
SÉISME 1974
LOCALISATION : Cachemire, Inde
Le séisme ébranla la province tout entière, tuant plus de 5 000 personnes.

85 L7 ALICIA
TSUNAMI 1976
LOCALISATION : Mindanao, Philippines
Engendrée par un séisme sous-marin en mer de Célèbes, la vague s'abattit sur le sud-ouest des Philippines. Alicia fut dévastée et 8 000 personnes périrent.

86 L2 TANGSHAN
SÉISME 1976
LOCALISATION : Chine
Voir p. 42-43.

87 I6 BANGKOK
ÉPIDÉMIE (TUBERCULOSE) 1985
LOCALISATION : Thaïlande
La tuberculose, en recrudescence parmi les populations pauvres, se propage, en même temps que le sida, à travers l'Asie, où le phénomène a pris l'ampleur d'une épidémie.

88 G5 DACCA
INONDATION (MOUSSON) 1988
LOCALISATION : Bangladesh
Les deux tiers du pays furent inondés par la pire des moussons de son histoire. Environ 2 000 personnes périrent noyées, 160 000 autres furent affectées par diverses maladies et 28 millions de Bangladais se retrouvèrent sans ressources.

89 G4 DHANKUTA
SÉISME 1988
LOCALISATION : Népal
Près de 1 000 personnes furent tuées et 6 500 blessées dans la région frontalière avec l'Inde. Environ 65 000 maisons furent détruites dans l'est du Népal.

90 L6 CABANATUAN
SÉISME 1990
LOCALISATION : Luçon, Philippines
La secousse de magnitude 7,7 ravagea la ville et tua 1 653 habitants.

91 C3 KABOUL
SÉISME 1991
LOCALISATION : Hindu Kuch, Afghanistan
Le séisme, ressenti jusqu'à Delhi, dévasta trois provinces et tua plus de 300 personnes.

92 L6 PINATUBO
ÉRUPTION VOLCANIQUE 1991
LOCALISATION : Philippines
Voir p. 28-31.

93 G5 ÎLE DE SANDWIP
CYCLONE TROPICAL 1991
LOCALISATION : Bangladesh
Voir p. 71.

94 E4 UTTAR PRADESH
SÉISME 1991
LOCALISATION : Inde
Ce séisme de magnitude 6,1 fit un millier de morts dans l'État d'Uttar Pradesh.

95 L3 SHANGHAI
INONDATION 1991
LOCALISATION : Chine
Voir p. 88.

96 E6 OSMANABAD
SÉISME 1993
LOCALISATION : Inde
Ce séisme dévastateur tua 9 748 personnes et en blessa plus de 30 000 autres.

97 F4 PLAINE DE TARAI, KATMANDOU
INONDATION 1993
LOCALISATION : Népal
Les plus fortes pluies jamais enregistrées au Népal causèrent la crue de la rivière Bagmati. La plupart des villages situés sur sa rive orientale furent inondés et 687 personnes périrent noyées.

98 G5 TANGAIL
TORNADE 1996
LOCALISATION : Dacca, Bangladesh
Avec des vents soufflant jusqu'à 200 km/h, la tornade tua plus de 500 personnes, en blessa 50 000 autres, et détruisit 10 000 habitations.

99 G5 COX'S BAZAAR
CYCLONE TROPICAL 1997
LOCALISATION : Bangladesh
Le cyclone tropical qui s'abattit sur l'île provoqua la destruction de milliers d'habitations. On enregistra 67 décès, un chiffre peu élevé qui s'explique par l'évacuation rapide de plus de 500 000 personnes, la présence de centaines d'abris, et une marée inhabituellement faible.

100 J7 HÔ CHI MINH-VILLE
TYPHON LINDA 1997
LOCALISATION : Vietnam
Le typhon Linda, l'un des plus violents qui aient jamais frappé l'Asie du Sud-Est, dévasta de nombreux villages du littoral et détruisit les cultures. On compta 265 morts, dont 235 étaient des pêcheurs qui périrent noyés à bord de leurs embarcations, et plus de 150 000 sans-abri.

101 K5 HONGKONG
ÉPIDÉMIE (GRIPPE) 1997
LOCALISATION : mer de Chine méridionale
À la source de cette épidémie de grippe, dont moururent plusieurs personnes, se trouvaient sans doute les poulets importés du continent chinois. Afin de contenir le virus, les autorités firent abattre tous les poulets de Hongkong.

102 G5 MIDNAPORE
INONDATION 1997
LOCALISATION : Bengale-Occidental, Inde
Des pluies de mousson particulièrement longues inondèrent le district, provoquant la destruction de 16 000 maisons et faisant 100 000 sans-abri. Les réserves d'eau potable furent contaminées et les cultures, ravagées.

103 D2 ROSTAQ
SÉISME 1998
LOCALISATION : Afghanistan
La ville et plusieurs villages de cette région du Nord furent dévastés par un séisme de magnitude 6,1. L'effondrement des collines donna naissance à un imposant cratère. Plus de 4 000 personnes furent tuées ; 15 000 autres se retrouvèrent sans abri en plein hiver.

104 K1 ZHANGBEI
SÉISME 1998
LOCALISATION : Chine
Ce séisme de magnitude 6,2 affecta des dizaines de villages des montagnes Yan. Au moins 50 personnes périrent et des dizaines de milliers se trouvèrent exposées aux rigueurs de l'hiver.

105 H8 OCÉAN INDIEN
TSUNAMI 2004
LOCALISATION : océan Indien
Voir p. 48-51.

ASIE DU NORD ET JAPON

Carte p. 138.

1 CARTOUCHE TURA
ÉRUPTION 250 MILLIONS D'ANNÉES
LOCALISATION : Sibérie, Russie
Voir p. 101.

2 CARTOUCHE POPIGAI
MÉTÉORITE 39 MILLIONS D'ANNÉES
LOCALISATION : Sibérie, Russie
La chute d'une météorite creusa un cratère de 100 km qui recouvrit une vaste zone de débris cosmiques. L'impact, qui se produisit à la fin de l'éocène, semble être à l'origine de la disparition de certaines espèces d'oiseaux géants et de mammifères.

3 CARTOUCHE IAKOUTIE (AUJ. SAKHA)
GLACIATION 10 000 ANS AV. J.-C.
LOCALISATION : Sibérie
La mort massive des mammouths en Sibérie demeure le plus grand mystère de la fin de la dernière glaciation. Le déplacement de la croûte terrestre, qui aurait fait dévier la Russie en direction du pôle Nord et l'Amérique en direction du sud, fait partie des nombreuses hypothèses avancées pour expliquer le phénomène. Une autre met en avant un mouvement de la Terre par rapport à son axe qui aurait provoqué le déplacement du pôle Nord depuis la baie d'Hudson jusqu'à sa situation actuelle.

4 F6 KAMAKURA
SÉISME 1293
LOCALISATION : Honshu, Japon
Kamakura fut dévastée et 30 000 personnes trouvèrent la mort dans ce violent séisme.

5 E6 KII
TSUNAMI 1498
LOCALISATION : Honshu, Japon
Un millier de personnes furent tuées par le tsunami consécutif à un séisme sur la côte de Kii.

6 C7 IZUMI
SÉISME 1596
LOCALISATION : Kyushu, Japon
Izumi fut ravagée par ce séisme, qui détruisit le château de Fushimi. Environ 2 000 personnes furent tuées.

7 D7 URYA-JIMA
TSUNAMI 1596
LOCALISATION : Japon
Un mur d'eau de 15 m submergea la petite île, emportant 700 des 5 000 habitants. Puis l'île coula par 55 mètres de fond et ne refit jamais surface. Les rescapés purent rallier le continent avec les bateaux de pêche.

8 F5 INAWASHIRO
SÉISME/TSUNAMI 1611
LOCALISATION : Honshu, Japon
La ville fut détruite par le séisme, qui tua 3 700 personnes. Le tsunami qui suivit submergea toute la zone, transformée en lac.

9 F6 EDO (AUJ. TOKYO)
SÉISME 1703
LOCALISATION : Honshu, Japon
L'ancienne capitale fut détruite et environ 200 000 personnes trouvèrent la mort dans le séisme et le tsunami qui suivit.

10 C8 OKINAWA
TSUNAMI 1703
LOCALISATION : Japon
Plus de 100 000 personnes périrent dans ce qui fut sans doute le tsunami le plus dévastateur de l'histoire.

11 F3 KAMIKAWA
SÉISME 1730
LOCALISATION : Hokkaido, Japon
De nombreux villages et villes d'Hokkaido subirent de graves dégâts, et 137 000 personnes périrent.

12 F5 KAMAISHI
SÉISME 1737
LOCALISATION : nord-est de Honshu, Japon
Des milliers de personnes furent tuées dans le séisme et le tsunami qui suivit, et Kamaishi fut détruite.

13 F4 HIROSAKI
SÉISME/TSUNAMIS 1766
LOCALISATION : nord de Honshu, Japon
Le séisme engendra une série de tsunamis qui emportèrent plus de 1 000 personnes. Environ 7 500 bâtiments furent détruits.

14 C7 ONTAKE
ÉRUPTION VOLCANIQUE 1779-1780
LOCALISATION : Sakurajima, au large de Kyushu, Japon
Une pluie volcanique s'abattit sur Sakurajima et Kyushu, ensevelissant une vingtaine de villages. Environ 300 personnes furent tuées.

15 E6 ASAMAYAMA
ÉRUPTION VOLCANIQUE 1783
LOCALISATION : Honshu, Japon
Lors de l'éruption de ce volcan, l'un des plus actifs du Japon, des bombes de lave, semblables à des météorites, réduisirent 48 villages en poussière, tuant 5 000 habitants. Une énorme roche tomba dans la rivière, donnant naissance à une nouvelle île.

16 C7 OMUTA
TSUNAMI 1792
LOCALISATION : Kyushu, Japon
Une vague de 9 m née dans la mer d'Ariake détruisit la ville et tua près de 10 000 personnes.

17 C7 UNZEN
ÉRUPTION VOLCANIQUE 1792
LOCALISATION : Kyushu, Japon
L'éruption, parmi les plus dévastatrices qu'ait connues le Japon, raya de la carte les villes d'Higo et de Shimabara, et 15 000 habitants furent tués.

18 F6 TOKYO
SÉISME 1857
LOCALISATION : Honshu, Japon
De violentes secousses dévastèrent Tokyo et ses environs. Des vents de 96 km/h propagèrent à travers la ville les incendies, responsables de la majorité des 107 000 décès enregistrés.

19 E6 MINO
SÉISME 1891
LOCALISATION : Honshu, Japon
Le séisme se répercuta sur les trois cinquièmes du Japon. En six secondes à peine, 20 000 bâtiments s'effondrèrent et 6 000 personnes furent tuées. Un millier de victimes moururent des suites de leurs blessures.

20 F5 KAMAISHI
TSUNAMIS 1896
LOCALISATION : nord-est de Honshu, Japon
Une série de tsunamis s'abattit sur la côte de Sanriku, sur Honshu. La première vague submergea Kamaishi, à l'intérieur, et tua 4 700 de ses 6 557 habitants. Le bilan atteignit 28 000 morts, des dizaines d'autres villes et villages ayant été inondés.

21 CARTOUCHE NAMANGAN
SÉISME 1902
LOCALISATION : est de l'Ouzbékistan
Ce séisme de magnitude 6,4 causa d'importants dégâts dans la région et tua 4 500 personnes.

22 CARTOUCHE TUNGUSKA
MÉTÉORITE 1908
LOCALISATION : Sibérie, Russie
Une météorite assez importante se désintégra au-dessus d'une zone faiblement peuplée, créant une boule de feu qui ravagea 2 000 km² de forêts. L'onde de choc fut ressentie jusqu'à 4 000 km des lieux du sinistre, et le ciel embrasé fut visible jusqu'en Europe et en Amérique du Nord.

23 C7 KAGOSHIMA
TSUNAMI 1914
LOCALISATION : Kyushu, Japon
Des dizaines d'habitants, fuyant un séisme, furent piégés dans les rues étroites du front de mer par une vague de 5 m. Le bilan s'éleva à 35 morts et 21 disparus.

24 F6 TOKYO
SÉISME/INCENDIES 1923
LOCALISATION : Honshu, Japon
Ce séisme de magnitude 8,3 ébranla toute la grande plaine orientale, détruisant 600 000 habitations. La plupart des 143 000 victimes périrent dans les incendies qui ravagèrent Tokyo et le port voisin de Yokohama.

25 F5 KAMAISHI
TSUNAMI 1933
LOCALISATION : nord-est de Honshu, Japon
Après un important séisme sous-marin, la côte de Sanriku fut assaillie par une vague que faisait briller les milliers de créatures phosphorescentes qu'elle avait entraînées. La légende locale rapporte qu'un dragon de mer énorme et luisant tua 3 000 personnes et dévasta 10 000 habitations.

26 E6 OSAKA
CYCLONE TROPICAL 1934
LOCALISATION : Honshu, Japon
La plupart des bâtiments d'Osaka étaient construits en bois, et 87 écoles, incapables de résister aux vents qui soufflaient à 200 km/h, se désintégrèrent, causant la mort de 420 enfants. Le secteur textile de la ville fut véritablement ruiné du fait de la destruction de 3 082 usines et ateliers où 4 000 personnes perdirent la vie.

27 E6 KII
TSUNAMI 1944
LOCALISATION : Honshu, Japon
Une vague de 8 m balaya Kii, provoquant de très importants dégâts et tuant un millier de personnes.

28 D6 HIROSHIMA
SÉISME/TSUNAMIS 1946
LOCALISATION : Honshu, Japon
Un séime sous-marin fit s'écrouler 25 bâtiments récents à Hiroshima. Les tsunamis qu'il engendra ravagèrent 50 villes et causèrent la mort de 2 000 personnes. Plus de 40 000 habitations furent détruites.

29 CARTOUCHE KAMTCHATKA
TSUNAMI 1952
LOCALISATION : URSS (auj. est de la Russie)
Engendrés par un séisme au large du Kamtchatka, des tsunamis parcourant le Pacifique dévastèrent la côte russe et causèrent d'importants dégâts sur l'île de Midway, 3 000 km au sud, et à Hawaii.

30 F4 HAKODATE
TYPHON MARIE 1954
LOCALISATION : Hokkaido, Japon
Le typhon dévasta l'île entière, entraînant la paralysie des moyens de communication routiers et ferroviaires, et la mort de centaines de personnes. Mille autres périrent dans le naufrage du *Toya Maru*, au large d'Hakodate.

31 F6 TOKYO
TYPHON IDA 1958
LOCALISATION : Honshu, Japon
De fortes pluies et des vents violents ravagèrent la péninsule d'Izu, provoquant des inondations massives et près de 2 000 glissements de terrain. Plus d'un millier d'habitations, dans des dizaines de villages, furent entièrement détruites ; on dénombra 600 morts. La zone rizicole fut anéantie : 48 600 hectares de cultures avaient été noyés sous les flots.

32 E6 NAGOYA
TYPHON VERA 1959
LOCALISATION : Honshu, Japon
Le typhon le plus meurtrier de l'histoire du Japon ravagea plusieurs provinces de l'île. Plus de 5 000 personnes périrent, principalement à Nagoya. La ville fut balayée par des vagues de 5 m de haut qui détruisirent près de 6 000 habitations en quelques minutes.

33 E6 ISHIKAWA
INONDATION 1964
LOCALISATION : Honshu, Japon
Des pluies torrentielles provoquèrent de graves inondations dans cinq provinces de l'île. Les rivières en crue rompirent les digues à plus de 200 endroits, 150 ponts s'effondrèrent et les glissement de terrain rayèrent de la carte de nombreux villages. Au total, on dénombra 108 morts et plus de 44 000 sans-abri.

34 F5 PÉNINSULE D'OGA
TSUNAMI 1983
LOCALISATION : Honshu, Japon
Née d'un séisme dans la mer du Japon, une vague de 15 m submergea Oga, tuant 107 personnes.

35 C7 UNZEN
ÉRUPTION VOLCANIQUE 1991
LOCALISATION : Kyushu, Japon
Une soudaine coulée pyroclastique, dévalant la montagne, tua 42 scientifiques et journalistes qui surveillaient l'éruption.

36 E4 OKUSHIRI
TSUNAMI 1993
LOCALISATION : île d'Okushiri, Japon
La ville, bâtie sur un promontoire, fut assaillie sur ses deux flancs par une vague de 11 m. Tous les bâtiments furent pulvérisés et 240 personnes périrent.

37 D6 KOBE
SÉISME 1995
LOCALISATION : Honshu, Japon
Voir p. 46-49.

38 CARTOUCHE PAROMAY
SÉISME 1995
LOCALISATION : île de Sakhaline, Russie
Le séisme de magnitude 7,5 causa de graves dégâts dans toute l'île et tua 2 000 personnes.

PACIFIQUE SUD

Carte p. 139.

1 P8 TAUPO
ÉRUPTION VOLCANIQUE V. 150
LOCALISATION : île du Nord, Nouvelle-Zélande
Cette éruption, probablement la plus
puissante des deux mille dernières années,
aurait transformé l'île du Nord en un désert
de cendres. Il n'en subsiste qu'une caldeira,
le lac Taupo.

2 O9 TAPANUI
MÉTÉORITE 1200
LOCALISATION : île du Sud, Nouvelle-Zélande
Les mythes et les légendes des Maoris
évoquent des chutes du ciel, des
bouleversements sur la Terre et d'étranges
incendies destructeurs dans l'espace.
On pense de toute évidence à la chute
d'une météorite qui aurait creusé
un gigantesque cratère et provoqué
des incendies considérables.

3 I4 PAPANDAYAN
ÉRUPTION VOLCANIQUE 1772
LOCALISATION : Java
D'une altitude de 2 652 m, la montagne
fut réduite à 1 212 m lorsqu'elle s'enfonça
telle une pierre dans une mer de lave,
emportant avec elle 3 000 personnes
et 40 villes et villages.

4 J4 MIYI-YAMA
ÉRUPTION VOLCANIQUE 1793
LOCALISATION : Kiousiou, Java
Entré en éruption, le volcan explosa,
déversant des tonnes de boue et d'eau
sur les plaines environnantes. Environ
53 000 personnes furent tuées.

5 K5 MAUMÈRE
TSUNAMI 1800
LOCALISATION : île de Florès, Indonésie
En s'abattant sur l'île, la vague balaya
la ville de Maumère, tuant 500 habitants
environ.

6 J5 TAMBORA
ÉRUPTION VOLCANIQUE 1815
LOCALISATION : Sumbawa, Indonésie
Les 12 000 habitants, sauf 26, périrent,
pour la plupart dans des tourbillons de gaz
et de cendres. Un administrateur
britannique, sir Thomas Raffles, décrivit
le volcan comme un corps de feu liquide
dont la lueur ne s'éteignit qu'avec
l'obscurité créée par l'éruption. Le climat
de la planète en fut affecté. Des quantités
de cendres se déposèrent sur les terres
cultivées et dans les pêcheries.
Avec la famine, le bilan s'éleva
à plus de 90 000 morts.

7 J4 GALUNGGUNG
ÉRUPTION VOLCANIQUE 1822
LOCALISATION : Java
L'éruption projeta des cendres et des roches
à 65 km de distance. Des torrents de boue
brûlante engloutirent des dizaines
de villages, tuant un millier de personnes.
Une seconde éruption, quatre jours
plus tard, en tua 4 000 autres.

8 P8 AUCKLAND
ÉPIDÉMIE 1840-1860
LOCALISATION : île du Nord, Nouvelle-Zélande
Dans les vingt années qui suivirent
l'arrivée des Européens, coqueluche,
variole, rougeole et grippe se propagèrent
parmi les Maoris, dont le nombre tomba
de 100 000 à 40 000.

9 L7 ADÉLAÏDE
RÉCOLTES DÉVASTÉES (LAPINS) 1859
LOCALISATION : Australie
En l'absence de prédateurs naturels,
les lapins, introduits par des colons
en 1859, proliférèrent et se répandirent
à travers le continent australien.
Dévorant les pâturages des moutons,
ils devinrent un véritable fléau.
En 1950, les hommes intervinrent
en introduisant le virus de la myxomatose,
apparenté au virus de la variole
humaine, parmi les lapins. Leur
nombre décrut considérablement,
au grand contentement des fermiers.

10 P5 FIDJI
ÉPIDÉMIE (ROUGEOLE) 1874
LOCALISATION : Polynésie
La maladie, importée en Polynésie
par les Européens, gagna Fidji
où elle tua 10 % de la population
indigène.

11 I4 KRAKATOA
ÉRUPTION VOLCANIQUE 1883
LOCALISATION : détroit de la Sonde, Indonésie
Voir p. 25.

12 P8 TARAWERA
ÉRUPTION VOLCANIQUE 1886
LOCALISATION : île du Nord, Nouvelle-Zélande
L'éruption projeta à 10 km d'altitude
une énorme colonne de cendres qui affecta
le temps sur la moitié de la planète.
Une pluie de cendres et de roches s'abattit
sur trois villages au nord de l'île,
tuant 150 personnes.

13 J4 KELUD
ÉRUPTION VOLCANIQUE 1919
LOCALISATION : Java
Lorsque le Kelud entra en éruption,
son cratère se vida, formant d'imposants
lahars qui dévastèrent les vallées
environnantes et tuèrent
5 500 personnes.

14 J5 MERAPI
ÉRUPTION VOLCANIQUE 1931
LOCALISATION : Java
Durant les trois semaines qui suivirent
l'éruption, une rivière de lave profonde
de 24 m et large de 182 m s'écoula
de la montagne, causant la mort
de plus de 1 300 personnes.

15 P8 NAPIER
SÉISME 1931
LOCALISATION : île du Nord, Nouvelle-Zélande
Le séisme le plus important qu'ait enregistré
la Nouvelle-Zélande causa la mort
de 256 personnes. La moitié
du centre-ville de Napier fut démolie
par les ondes sismiques, et les incendies
dévastèrent le quartier commerçant.
Un soulèvement de terrain de 2 m
modifia le cours des rivières.

16 M8 MELBOURNE
INCENDIE 1937
LOCALISATION : Victoria, Australie
L'État de Victoria fut tout entier la proie
des flammes qui provoquèrent la mort
de 71 personnes.

17 M4 RABAUL
ÉRUPTION VOLCANIQUE 1937
LOCALISATION : Papouasie-Nouvelle-Guinée
Au moins 441 personnes furent tuées
par une violente explosion de vapeur, par
des scories et des coulées pyroclastiques.

18 M5 LAMINGTON
ÉRUPTION VOLCANIQUE 1951
LOCALISATION : Papouasie-Nouvelle-Guinée
Des coulées de cendres causèrent la mort
de 6 000 personnes : toute la population
de la côte septentrionale de l'île.

19 P8 RAUPEHU
ÉRUPTION VOLCANIQUE 1953
LOCALISATION : île du Nord, Nouvelle-Zélande
L'éruption engendra un lahar qui emporta
le pont de chemin de fer enjambant
la rivière Tongariro. Le train
Wellington-Auckland plongea dans l'eau,
tuant 155 personnes.

20 M7 MAITLAND
INONDATION 1955
LOCALISATION : Nouvelle-Galles du Sud,
Australie
Un cyclone provoqua la crue de 7 rivières
qui causa des inondations dans 20 villes.
On comptabilisa 22 morts et près
de 10 000 maisons sérieusement
endommagées.

21 J5 AGUNG
ÉRUPTION VOLCANIQUE 1963
LOCALISATION : Bali, Indonésie
Le nuage noir toxique libéré par le volcan
Agung tua des centaines de personnes qui
priaient en dehors du temple de Besakih,
édifié pour chasser les mauvais esprits.
Durant les cinq jours suivants, la lave
se déversa sur 3 villages, portant le bilan
à 1 200 morts.

22 P8 HAMILTON
INCENDIE 1967
LOCALISATION : Tasmanie, Australie
Des températures inhabituellement élevées,
un taux d'humidité faible et des vents
orientés nord-ouest particulièrement forts
transformèrent plusieurs incendies localisés
en un véritable brasier qui toucha le sud
de la Tasmanie, y compris les banlieues
au nord et à l'ouest d'Hobart. Ce fléau,
le plus important qui frappa jamais
l'Australie en termes de bilan humain
et matériel, coûta la vie à 62 personnes
et détruisit 1 300 habitations.

23 M6 TOWNSVILLE
CYCLONE ALTHEA 1971
LOCALISATION : Queensland, Australie
Le cyclone Althea, qui fit souffler des vents
allant jusqu'à 196 km/h, dévasta Townsville,
provoquant d'importants dégâts matériels
et la mort de plusieurs personnes.
Un système d'alerte fut mis en place
après son passage.

24 K5 DARWIN
CYCLONE TRACY 1974
LOCALISATION : Territoire du Nord, Australie
Voir p. 68.

25 M7 MACEDON
INCENDIE (MERCREDI DES CENDRES) 1983
LOCALISATION : Victoria, Australie
Voir p. 84.

26 P8 RUAPEHU
ÉRUPTION VOLCANIQUE 1986
LOCALISATION : île du Nord, Nouvelle-Zélande
L'éruption provoqua une énorme explosion
de vapeur. L'eau brûlante et très acide
du cratère se déversa, faisant fondre
la neige et la glace couvrant les flancs
du volcan. Un lahar se forma, menaçant
les skieurs sur les pentes voisines.

27 M7 NEWCASTLE
SÉISME 1989
LOCALISATION : Nouvelle-Galles du Sud,
Australie
Ce séisme de magnitude 5,6 endommagea
gravement Newcastle, la sixième ville du
pays, tuant 13 personnes. Jamais auparavant
un séisme n'avait frappé une zone urbaine.

28 M6 QUEENSLAND
INONDATION 1990
LOCALISATION : Queensland, Australie
Les pluies torrentielles qui suivirent une
période de sécheresse provoquèrent
de très graves inondations dans plus
d'un tiers de l'État. De nombreuses villes
furent dévastées lors de cette catastrophe,
l'une des pires inondations du siècle.

29 M4 MARKHAM VALLEY
SÉISME 1993
LOCALISATION : Papouasie-Nouvelle-Guinée
Le séisme provoqua des glissements de
terrain qui obstruèrent la rivière Ume.
Soixante personnes furent tuées, dont
beaucoup noyées dans les inondations.

30 M7 GRAFTON
DROUGHT 1994
LOCALISATION : Nouvelle-Galles du Sud,
Australie
La présence d'El Niño dans l'océan
Pacifique eut pour conséquence une
sécheresse dans l'Est australien, affectant
les États de Nouvelle-Galles du Sud
et du Queensland. Après six mois,
lorsque cette phase de sécheresse s'acheva,
93 % de la Nouvelle-Galles du Sud avaient
été sérieusement touchés et les cultures de
blé de l'État, détruites à 90 %.

31 M7 SYDNEY
INCENDIES 1994
LOCALISATION : Australie
Plus de 100 maisons furent réduites
en poussière et 4 personnes périrent lors
de ces incendies qui touchèrent tout l'État.
Les plages de la ville furent recouvertes
d'une couche de cendres.

32 M7 LITHGOW
INCENDIE 1997
LOCALISATION : Nouvelle-Galles du Sud,
Australie
Deux pompiers perdirent la vie au cours du
plus terrible incendie qui ravagea l'État de
Nouvelle-Galles du Sud au cours des trente
dernières années. Les flammes menacèrent
la banlieue de Sydney, obligeant plusieurs
centaines de personnes à quitter la zone.

33 M5 PORT MORESBY
SÉCHERESSE/GEL 1997
LOCALISATION : Papouasie-Nouvelle-Guinée
Au moins 60 personnes périrent en raison
des périodes de gel répétées qui ruinèrent
les cultures d'altitude de patates douces et
de l'assèchement de la Fly River, deux
phénomènes qui ne furent pas sans
conséquence sur le produit alimentaire de
base et la principale voie de ravitaillement
en combustible du pays. En tout, près de
700 000 personnes furent touchées.

34 M8 THREDBO
GLISSEMENT DE TERRAIN/AVALANCHE 1997
LOCALISATION : Nouvelle-Galles du Sud,
Australie
Un glissement de terrain survenu dans la
première station de ski du pays ensevelit
2 chalets abritant 20 personnes. Le seul
survivant fut dégagé trois jours plus tard.

35 M6 TOWNSVILLE
INONDATION 1998
LOCALISATION : Queensland, Australie
Les flots inondèrent la ville, emportèrent
voitures et débris de maisons vers l'océan.
Une personne se noya en tombant d'un
pont, une autre disparut dans les eaux
boueuses déchaînées d'une rivière voisine.

GLOSSAIRE

ÂGE
Période de l'évolution de la Terre.

ÂGE GLACIAIRE
Phase d'une époque glaciaire durant laquelle les températures ont été particulièrement basses et les calottes glaciaires se sont « étalées » depuis les pôles. Au plus fort du dernier âge glaciaire, il y a environ 18 000 ans, les glaciers recouvraient près de la moitié de l'Amérique du Nord et de vastes zones de l'Eurasie et de l'Amérique du Sud.

AMPLITUDE D'UNE ONDE SISMIQUE
Mesure en microns des oscillations périodiques qui affectent la surface terrestre durant un séisme. Cette valeur permet de déterminer la magnitude du séisme et sa force sur l'échelle de Richter.

ANTIBIOTIQUES
Les antibiotiques, dont le nom signifie « destructeurs de la vie », sont des substances chimiques, hautement toxiques pour les bactéries, utilisées pour le traitement des infections bactériennes.

ANTICORPS
Molécules spécifiques produites par le système immunitaire en réponse à la présence d'un antigène. En s'attachant aux antigènes des organismes infectieux, les anticorps sont capables de les neutraliser ou de les détruire.

ANTICYCLONE
Zone de haute pression atmosphérique.

ANTIGÈNE
Substance produite par l'organisme qui stimule la production d'anticorps.

ASTÉROÏDE
Corps minéral ou métallique se déplaçant, comme les planètes, en orbite autour du Soleil. La plupart de ces orbites passent entre Mars et Jupiter, mais quelque 100 000 astéroïdes ont une trajectoire qui passe entre la Terre et Mars, et il arrive que certains subissent l'attraction terrestre. Les astéroïdes sont, d'après les scientifiques, les fragments d'une planète qui aurait explosé durant la formation du système solaire, ou des matériaux qui n'auraient pu, à cette époque, s'agréger en planète.

ATMOSPHÈRE
Enveloppe gazeuse qui entoure la Terre. Constituée principalement d'oxygène et d'azote, elle compte plusieurs couches distinctes dont la densité décroît à mesure que l'on s'élève.

BACTÉRIES
Micro-organismes unicellulaires, abondants et divers, qui se multiplient communément par division cellulaire. Les bactéries sont les premières formes de vie apparues sur Terre. Certaines vivent sur la peau ou dans le corps humain, notamment dans les intestins, mais sont inoffensives. D'autres, en revanche, peuvent causer des maladies infectieuses et développer une résistance aux antibiotiques.

BAROMÈTRE
Instrument qui mesure la pression atmosphérique. Le plus courant est le baromètre à mercure, qui mesure la pression de l'air en enregistrant l'élévation du métal dans un tube de verre.

CALOTTE GLACIAIRE
Épaisse couche de glace qui recouvre une vaste zone de terre ou de mer. L'actuelle position des continents a provoqué la formation d'une calotte glaciaire au pôle Nord, sur l'océan Arctique, et au pôle Sud, sur le continent antarctique.

CAMBRIEN
Première période (de 570 à 510 millions d'années avant notre ère) de l'ère paléozoïque durant laquelle émergèrent des formes complexes de vie, dont plusieurs types de brachiopodes, d'arthropodes et de mollusques.

CENDRES VOLCANIQUES
Petits fragments de roche formés par la solidification de gouttelettes de lave. Expulsées très haut dans l'atmosphère lors d'une éruption, elles obscurcissent le ciel avant de retomber sur terre.

CHAMPIGNONS
Organismes vivants qui vivent majoritairement en décomposant la matière organique. Le groupe inclut des organismes unicellulaires comme les levures, et des organismes pluricellulaires, comme les champignons que nous consommons. Beaucoup vivent en relation étroite avec une espèce végétale. Cette relation peut être mutuellement bénéfique mais, dans certains cas, la plante se dégrade ou meurt. La plupart des maladies des plantes sont causées par des champignons. Quelques-uns sont responsables de maladies humaines et animales.

COMÈTE
Corps de forme irrégulière, constitué de glaces et de poussières, qui se déplace autour du système solaire et passe périodiquement près du Soleil. Lorsqu'une comète s'approche du Soleil, les glaces se subliment en formant une traîne gazeuse visible appelée « queue » de la comète.

CONTRE-CHOCS
Secousses secondaires qui se manifestent après un séisme et peuvent se prolonger durant plusieurs jours ou semaines.

CORIOLIS *voir* Effet ou force de Coriolis.

COULÉE PYROCLASTIQUE OU NUÉE ARDENTE
Nuage rougeoyant très chaud formé par les gaz toxiques et les gouttelettes de roche en fusion libérés par l'éruption d'un volcan de subduction. Plus lourdes que l'air, ces coulées s'engouffrent dans les ravines comme des rivières. Lorsque la proportion de gaz est élevée, on parle de nuée ardente.

COUPE-FEU
Espace ouvert, caractérisé par la faiblesse, voire l'absence de couverture végétale ou de tout autre matériau combustible, destiné à arrêter la propagation du feu.

CRÉTACÉ
Dernière période (de 146 à 66 millions d'années avant notre ère) de l'ère mésozoïque et ultime époque de la prédominance des dinosaures. Durant le crétacé, le continent américain se détacha de l'Europe et de l'Afrique, ce qui entraîna une baisse des températures. L'extinction de masse qui se produisit à la fin de la période provoqua la disparition de 75 % des espèces animales, dont les dinosaures.

CYCLONE TROPICAL
Violent ouragan de plusieurs centaines de kilomètres de diamètre et de quelques kilomètres de hauteur, qui tourne autour d'un œil central et génère des vents supérieurs à 200 km/h. Les cyclones se forment uniquement au-dessus des eaux océaniques tropicales, lorsque la température de l'eau excède 24 °C. Dans l'hémisphère Nord, ils tournent, sous l'effet de la force de Coriolis, dans le sens inverse des aiguilles d'une montre – contrairement à ceux qui se forment dans l'hémisphère Sud. Également appelés hurricanes, typhons ou willy-willies, selon l'endroit où ils prennent naissance, les cyclones se déplacent à une vitesse comprise entre 16 et 60 km/h et provoquent des ravages lorsqu'ils atteignent les côtes.

DÉPRESSION
Zone de basse pression atmosphérique.

DÉVONIEN
Quatrième période (de 408 à 362 millions d'années avant notre ère) de l'ère paléozoïque. Durant cette période de climat chaud, la surface de la Terre était en grande partie recouverte de marais peu profonds. De nouvelles espèces de poissons se développèrent, dont certaines caractérisées par des nageoires en os, qui furent les premières à se risquer hors de l'eau. Plusieurs extinctions de masse eurent également lieu : la plus grave provoqua la disparition de plus de 70 % des espèces animales.

DIGUE
Ouvrage construit sur les zones littorales ou le long des rivières, destiné à protéger les terres des inondations en cas d'élévation du niveau des eaux.

DIOXYDE DE SOUFRE
Gaz libéré lors des violentes éruptions volcaniques et provoquant un refroidissement global de la planète. Expulsé très haut dans l'atmosphère, où il demeure plusieurs mois, ce gaz forme un écran solaire qui absorbe une partie du rayonnement solaire pour le renvoyer vers l'espace.

ÉCHELLE MACROSISMIQUE EMS
Échelle graduée de I à XII, qui définit l'intensité d'une secousse sismique par l'importance des dégâts provoqués. Lorsqu'une secousse n'est détectable que par les sismographes, son intensité est de I. À partir de VI, le séisme provoque de légers dégâts. Si toutes les structures sur et dans le sol sont détruites, la secousse est dite « catastrophique » et son intensité est évaluée à XII. L'échelle EMS est l'échelle européenne qui a remplacé, en 1992, l'échelle de Mercalli, encore utilisée en Amérique.

ÉCHELLE DE RICHTER
Échelle de magnitude proposée en 1935 par le sismologue américain Charles Richter pour mesurer l'énergie libérée au foyer d'une secousse sismique. Cette échelle logarithmique n'a pas de limites : les plus forts séismes enregistrés au XXᵉ siècle ont des magnitudes voisines de 8,5, et on suppose que le séisme de Lisbonne de 1755 devait avoir une magnitude voisine de 9.

EFFET OU FORCE DE CORIOLIS
Effet de la rotation de la Terre sur la trajectoire d'un fluide, notamment sur le mouvement de l'air et de l'eau. Les vents et les courants océaniques se déplaçant en direction de l'équateur sont déviés vers la droite dans l'hémisphère Nord, et vers la gauche dans l'hémisphère Sud. La force de Coriolis provoque également les mouvements tourbillonnaires ascendants ou descendants de l'air.

EFFET DE SERRE
Accumulation de chaleur dans la couche inférieure de l'atmosphère, provoquée par l'accumulation de gaz, dont le méthane et le dioxyde de carbone. L'énergie calorifique qui se dégage de la surface de la Terre est réfléchie par ces gaz, de telle sorte que, plus ils sont concentrés dans l'atmosphère, plus la chaleur augmente.

EL NIÑO
Nom donné à l'inversion des courants tropicaux dans l'océan Pacifique, qui se manifeste tous les trois à cinq ans aux environs de Noël, d'où son nom – l'Enfant Jésus en espagnol – que lui ont donné les pêcheurs péruviens. El Niño modifie profondément la climatologie des terres que baignent les eaux équatoriales de l'océan Pacifique. À l'est, les pays subissent des précipitations inhabituelles, tandis que les pluies se raréfient à l'ouest.

ENSO
Acronyme désignant la relation qui existe entre El Niño et les variations de pression atmosphériques *(Southern Oscillation)* observées au-dessus du Pacifique Sud et de l'Asie du Sud.

ÉPICENTRE
Point de la surface terrestre situé à la verticale du foyer – ou hypocentre – d'un séisme. À l'épicentre, l'amplitude des ondes sismiques est maximale, et les dégâts y sont généralement les plus importants.

ÉPOQUE
Division du temps géologique, généralement utilisée pour décrire la subdivision de deux périodes de l'ère cénozoïque qui a débuté il y a 65 millions d'années.

ÉPOQUE GLACIAIRE
Période de l'histoire de la Terre durant laquelle une calotte glaciaire a recouvert les zones polaires et la moyenne des températures a été inférieure à la normale.

FAILLE
Fracture provoquée dans une formation rocheuse par un mouvement de l'écorce terrestre dû aux forces tectoniques.

FOYER
Point intérieur du globe – entre la surface et 720 km de profondeur – où se produit un déplacement brutal qui engendre des secousses sismiques.

GALAXIE
Vaste ensemble d'étoiles dont la cohésion est due à la gravitation. Connue

sous le nom de Voie lactée, notre Galaxie a une forme de spirale et compte près de 500 000 millions d'étoiles.

GLACIER
Masse de glace persistante animée d'un mouvement dû à l'effet de la gravitation. Les glaciers résultent des chutes de neige sur les montagnes ou dans les régions polaires, là où il tombe plus de neige qu'il n'en fond.

HANTAVIRUS
Virus à l'origine d'épidémies de fièvre hémorragique ou de pneumonie. Ils se transmettraient aux humains par le contact avec des excréments de rats infectés.

INONDATION
Submersion des terres par des eaux douces ou marines. Les inondations par eaux douces sont dues à la chute ponctuelle d'une pluie torrentielle ou à une période de précipitations inhabituellement longue. Les inondations par eaux de mer peuvent être déclenchées sous l'effet d'une marée de tempête : les eaux submergent alors les côtes pour une courte durée. En revanche, l'élévation du niveau de la mer due au jeu des plaques tectoniques ou à la fonte des calottes glaciaires peut provoquer une inondation permanente des régions côtières.

LAHAR
Mot javanais qui désigne une coulée de boue. Le lahar résulte souvent de l'éruption d'un volcan de subduction. Les cendres volcaniques mêlées à l'eau forment une boue poisseuse s'écoulant rapidement sur les flancs du volcan.

LAVE
Roche en fusion jaillissant sur les pentes d'un volcan en éruption.

LIQUÉFACTION
Amollissement du sol causé par une remontée d'eau durant un séisme. La liquéfaction amplifie les effets dévastateurs du séisme sur les fondations et les superstructures.

MAGMA
Roches en fusion et gaz volcaniques dissous qui forment le manteau sous-jacent de la croûte terrestre. En cas d'éruption volcanique, la composition chimique du magma influence le type de l'éruption : plus il y a de gaz dans le magma, plus l'éruption est explosive.

MAGNITUDE D'UN SÉISME
Grandeur proposée par Richter pour définir l'énergie libérée au foyer d'une secousse. La magnitude est le logarithme de l'amplitude maximale d'une onde sismique enregistrée à une distance épicentrale de 100 km. Depuis 1945, la notion s'est étendue à des ondes beaucoup plus éloignées.

MANTEAU
Couche de roches en fusion qui s'étend sous la croûte terrestre jusqu'à 2 900 km de profondeur, là où commence la couche liquide du noyau externe de la Terre et où règne une température de 2 400 °C. L'énorme pression qui y règne rend le manteau visqueux, et le magma y circule extrêmement lentement.

MARÉES DE TEMPÊTE
Élévation ponctuelle du niveau de la mer provoquée par une dépression atmo-sphérique accompagnant une tempête ou un ouragan. Lorsqu'elle coïncide avec une marée de vive-eau, elle peut provoquer de graves inondations.

MARGE CONVERGENTE
Frontière de deux plaques tectoniques qui se repoussent l'une l'autre. Lorsque les plaques sont de densités différentes, la plus lourde glisse sous la plus légère et se fond dans le manteau. Ce phénomène de subduction est généralement observé à la frontière entre une plaque continentale et une plaque océanique, la seconde étant plus dense que la première.

MARGE DIVERGENTE
Frontière de deux plaques tectoniques qui s'éloignent progressivement l'une de l'autre, mettant au jour le manteau sur lequel se reforme une nouvelle croûte. De la lave peut jaillir en surface lorsque les roches en fusion traversent la partie supérieure du manteau. La plupart des marges divergentes, les rifts, sont situées sous les océans, à l'exception de certaines, dont la plus connue est la Rift Valley, en Afrique.

MÉTÉORE
Phénomène lumineux, visible dans le ciel, qui se produit lorsqu'un corps minéral ou métallique pénètre dans l'atmosphère sous l'effet de l'attraction terrestre. Le corps brille en raison de la chaleur provoquée par son passage dans l'atmosphère.

MÉTÉORITE
Corps arraché par collision à des asté-roïdes gravitant dans l'espace interplané-taire. Lorsqu'ils pénètrent dans l'atmo-sphère, les météorites donnent lieu à des météores, et la plupart se désintègrent avant de toucher la surface terrestre.

MISTRAL
Vent froid et sec soufflant des Alpes en direction du sud de la France. Pouvant atteindre des vitesses de 135 km/h, il est plus fort sur le littoral et plus fréquent en hiver et au printemps.

MOUSSON
Phénomène de pluies saisonnières dû à un changement de direction des vents, qui touche la majeure partie de l'Asie du Sud-Est, le nord de l'Australie, l'Afrique et l'Amérique centrale.

NOYAU
Cœur de la Terre formant une sphère de 3 420 km de rayon constituée essentielle-ment de fer. Le noyau externe, de 2 200 km d'épaisseur, est liquide alors que le noyau interne, de la taille de la Lune, subit une pression si grande que le fer y est solide malgré la chaleur (7 500 °C entre les noyaux interne et externe).

ONDES SISMIQUES
Ondes de choc rayonnant à partir du foyer d'un séisme. Les ondes de compression P se propagent, telles des ondes sonores, plus rapidement que les ondes de cisaille-ment S. C'est pourquoi le grondement des premières précède l'arrivée des secondes, responsables du tremblement de terre.

OURAGAN
Forme francisée du mot caraïbe *hurri-cane* qui désigne en Amérique un cyclone tropical. Dans l'échelle anémo-métrique de Beaufort, l'ouragan désigne un vent soufflant à plus de 118 km/h.

PANDÉMIE
Rapide propagation d'une maladie sur plusieurs continents.

PERMIEN
Dernière période de l'ère paléozoïque (de 290 à 250 millions d'années avant notre ère). Durant le permien, les masses continentales dérivèrent en direction de l'équateur, formant un unique continent, la Pangée. Ce phéno-mène provoqua la disparition de la plu-part des mers peu profondes et une forte hausse de température. Les érup-tions volcaniques massives qui se produisirent à la fin de cette période pourraient avoir déclenché un boule-versement climatique responsable de la plus grande extinction de masse de l'histoire de la Terre, puisque 90 % des espèces disparurent.

PIERRE PONCE
Roche de faible densité – elle flotte – se formant lors d'une éruption volcanique, quand la lave se solidifie en piégeant des bulles de gaz.

PLAQUES TECTONIQUES
La croûte terrestre est morcelée en sept grandes plaques tectoniques et quelques microplaques, qui se déplacent, sous l'action de la circulation magmatique dans le manteau, de quelques centimè-tres par an. La plupart des volcans et des séismes surviennent à proximité des frontières entre plaques, qui forment les fameuses « ceintures de feu ».

PRESSION ATMOSPHÉRIQUE
Force exercée par l'air dans l'atmosphère. La pression atmosphérique dépend prin-cipalement du poids de l'air et varie donc en fonction de l'altitude. Elle est égale-ment liée aux mouvements de l'air : elle diminue dans les régions où l'air est ascendant et augmente dans celles où l'air est descendant.

PRION
Protéine anormale découverte dans le cerveau d'animaux atteints de certaines maladies cérébrales fatales, comme la maladie de Creutzfeldt-Jakob chez les humains, la tremblante du mouton ou l'encéphalopathie spongiforme bovine (ESB).

RADAR DOPPLER
Instrument qui enregistre les formes et les reliefs grâce à la réflexion des ondes radio. Le radar Doppler est utilisé notam-ment pour détecter les nuages orageux susceptibles de générer des tornades.

RÉSONANCE
Augmentation de l'amplitude d'une vibration, observée lorsque sa fréquence est voisine de celle de la matière à tra-vers laquelle elle se propage. La compo-sition de certains sols peut ainsi amplifier des ondes sismiques par résonance.

SOLEIL
Étoile âgée de 4,5 milliards d'années, située à 30 000 années-lumière du centre de notre Galaxie et occupant le centre de notre système solaire. Avec un dia-mètre de 1,4 million de km, le Soleil est composé d'un noyau qui agit comme un réacteur thermonucléaire dont la tempé-rature atteint 15 millions de degrés, et de diverses couches dont la dernière, la couronne, atteint 1 à 2 millions de degrés Celsius.

STRATOSPHÈRE
Couche supérieure de l'atmosphère où l'air est très sec et où l'on n'observe presque aucune activité météorologique.

SYSTÈME SOLAIRE
Ensemble formé par le Soleil – qui repré-sente 99,9 % de la masse totale –, 9 pla-nètes, plus de 60 lunes et une infinité d'astéroïdes et de comètes. Le système solaire occupe dans l'espace un volume en forme de disque de 12 milliards de kilomètres de diamètre.

TERRE
Troisième planète du système solaire par ordre croissant des distances au Soleil dont elle est éloignée de quelque 150 millions de kilomètres. D'une densité moyenne de 5,5, elle tourne sur elle-même en 23 h 56 min et autour du Soleil en un an.

TORNADE
Colonne d'air tourbillonnant qui s'étire depuis les gros nuages orageux jusqu'au sol. Elle abrite un vortex qui peut atteindre jusqu'à 800 m de diamètre et dans lequel les vents peuvent souffler à plus de 500 km/h.

TSUNAMI
Mot japonais formé par *tsu,* port, et *nami,* vague, qui qualifie un raz de marée engendré au fond des océans par un séisme, un glissement de terrain ou une éruption volcanique.

TYPHON
Mot chinois formé par *tai,* grand, et *feng,* vent, qui qualifie un cyclone tropical dans la majeure partie de l'Asie.

VECTEUR
Animal propageant les micro-organismes pathogènes.

VIRUS
Microbe pathogène constitué d'un petit nombre de gènes protégés par une enve-loppe. Un virus n'est pas une cellule, mais existe en tant que parasite des cel-lules. Il ne se reproduit pas ni ne croît indépendamment, mais utilise la machi-nerie biochimique de la cellule hôte qu'il pénètre, pour intégrer ses gènes aux gènes de celle-ci, ou pour les répliquer.

VOLCAN DE POINT CHAUD
Volcan se formant au milieu d'une plaque tectonique plutôt que sur une marge. Il apparaît lorsqu'une poche de magma jaillit des profondeurs du manteau et crève la croûte terrestre. Ce phénomène est observé plus couramment sur les fonds océaniques et crée des îles comme l'archipel d'Hawaii et les Canaries.

VOLCAN DE RIFT
Volcan se formant à la lisière de deux plaques tectoniques divergentes.

VOLCAN DE SUBDUCTION
Volcan se formant à la lisière de deux pla-ques convergentes dont l'une glisse sous l'autre et se transforme en un mélange de roches en fusion et gaz dissous, qui remonte lentement et s'amasse sous la croûte. Lorsque la pression est trop forte, le magma explose en surface. Type de volcan le plus explosif et le plus meurtrier.

INDEX

REMERCIEMENTS

Je voudrais remercier pour leur aide et leurs conseils David Booth, Paul Henni et Roger Musson, du British Geological Service ; l'International Tsunami Information Center, NOAA ; Dr R Scott Steedman, directeur du bureau d'études, GIBB Ltd, Reading ; l'Institute of Hydrology ; le Fire Service College ; le Meteorological Office ; Dr Bill McGuire du Center for Volcanic Research and UCL ; Simon Day ; Juan Carracedo ; Colin Tudge ; Dr P.B. Wignall, de l'université de Leeds ; EQE International. Je voudrais également remercier mon agent, Lavinia Trevor, ainsi que les éditeurs et les maquettistes de Dorling Kindersley, en particulier Peter Adams, Teresa Pritlove et Philip Ormerod.

Dorling Kindersley voudrait remercier :
Pr Michael Benton, université de Bristol ; Peter Burkill, Plymouth Marine Laboratory ; Paul Henni, Pr Antony Hallam, université de Birmingham ; Dr Benny Peiser, université John Moores de Liverpool ; Dr Michael Blackford, de l'International Tsunami Information Center.

Cartes de situation
Sallie Alane Reason

Illustrations numériques
Jason Little ; Philip Ormerod

Édition, avec l'aide de
Vicky Wilks ; Heather Jones

Maquette, avec l'aide de
Jo Earl ; Pete Byrne

Index
Hilary Bird

Recherches cartographiques
David Perry

Dorling Kindersley voudrait également remercier, pour leur aimable autorisation, les photographes et les agences :

d =dessus, c =centre, b =bas, g =gauche, dr =droite, h =haut

Première de couverture : Getty Images/ Photodisc vert/InterNetwork Media ; Quatrième de couverture : Getty Images/ Photodisc vert/Stock Trek ; AKG : 96bg ; Arquivo Nacional de Fotografia/Instituto Portugues de Museus : 45cg ; Tony Arruza : 45cg ; Associated Press Service : 41, 62cb ; Associated Press : Topham Picture Source : 62bg, 71g & dr, 74bg ; Australian Picture Library : 53bdr ; Australian Picture Library : Evan Collis 84b ; Benelux Press : 92cgb & bg ; Bishop Museum : 40bdr ; Bonnier-Alba : Lennart Nilsson 115 ; Bridgeman Art Library : 26cg, Giraudon 45bg ;

Camera Press : 88 cgd & cgb, Hoflinger 61 ; J Allan Cash : 92cd, 97, 99hg ; China Features : 88cdr ; Liu Dong 42-3b, Di Yun 77hdr, 88cdr ; Bruce Coleman : 44b, 108cd, Alain Compost 13cb, Christopher Fredriksson 80cg ; Colorific ! : 38, Alon Reininger 35bg, 38, 121bdr, , Michael Yamashita 47c ; Colorific !/Black Star : Cindy Karp 33cg, Boccon Gibod 83bdr, Herman Kokojan 7 & 33bdr, Malcolm Linton 104bg & 116, Marshall Lockman 32b ; Corbis : 36cg, 36cgb, 36-7b, 37hdr, 40bg, Yukiro Nakao/Reuters 49b, Jennifer Rivera/U.S. Navy/Reuters 51cg ; Corbis/Bettman/UPI : 40g, 44cg, 59dr, 76hdr, 81bdr ; Keith Cox, département des sciences de la Terre, Oxford : 100hg ; Culver Pictures Inc : 118c, 105hg ; Dallas Morning News : David Leeson 89hc ; Digital Globe : 49 hg & hdr ; Environmental Images : 9cdr, John Arnould 97hdr, Doug Perrine 52cdr ; E T Archive : 14bg, 96cdr, 112bg, 114bg ; Mary Evans Picture Library : 24hdr, 25b, 23bdr, 104hc, 114hg, 117cb & b ; Xue Fengchun : The Tangshan City Reborn : 42bg, 43hdr, c & cb ; Werner Forman : 105cg, Musée royal de l'Afrique centrale Tervuren 52cgb ; Getty Images : 59g, 76bg, 81bg, 118h& bdr, 92bg, 109cb, AFP 48, 50, 51 hdr & bdr, Paul Chesley 16hc, Mike Vines 99b, Ted Wood 85 ; Robert Harding Picture Library : 16cd, Robert Francis 18bc ; Michael Holford : 12cg ; Mats Wibe Lund/Icelandic Photo & Press Service : 6h, 16hg, 17bdr, Kristinn Ben p17bg, Kristjon Haralds 12hdr ; Illustrated London News Picture Library : 109bdr ; Image Bank : Eric Meold 60-1, A T Willett 54hc, 74h ; Images : 18cgb ; Images of Africa : Friedrich von Horsten 80b ; Imperial War Museum : 95hc ; International Stock Photo : Bill Stanton 73bc, Warren Faidley 6cgb, 64cdr, 64cg ; JMA : 63cg & c, cb, cbg ; Frank Lane Picture Agency : Australian Information Service 68cg & 68b, Bob Stone 58h ; Lunar and Planetary Institute : V L Sharpton 98hdr ; Magnum : P Jones Griffiths 90, & 91hdr, Steve McCurry 89b, F Scianna 82cg & 83hc ; Tim Marshall : 59h ; Alan Moller : 58 ; Montreal Gazette : 72b ; Names Project Foundation : Paul Margolies 121cg ; NASA : Jet Propulsion Laboratory 78c ; NASA : 4-5, 54c, 63b, 103bdr ; National Geographic : 120, Chris Johns 102-3b, O L Mazzatenta 26bg ;

National Medical Slide Bank : 107hdr ; National Meteorological Library : JMA 63cgd & cd ; Natural History Museum : 98bg ; Natural History Photographic Agency : 107, 109h ; Network : Barry Lewis 27hdr ; Peter Newark's Western Americana : 114bc ; Lennart Nilsson : 115 ; Novosti : 35bdr ; Orion Press : Nishiinoue p10-11 ; Oxford Scientific Films : Mike Hill 69b ; Palm Beach Post : Jeff Gere 93, Loren Hosack 65b, John L Lopinot 65h, C J Walker 65c ; Panos Pictures : J Hartley 80hdr ; Pictor International : 24b, 79, 119hdr ; Planet Earth : 25cg, 108b, P Bourseiller 15, 27bdr, 30-1, 31b, Krafft 19hdr ; Rex Features : 8hc, 20bc, 29hdr, 77hg & bdr, 84cg, 86b, 86-7, 87bc (cartouche), 87 cdrb (cartouche), 95bg, 102ca, Carlos/Angel 20cg, Nina Bermann 73bdr, Laurent Chamussy 53cdr, Dearrmas 103, Richard Jones 123b, Akihiro Nishiaura 49, Nunez 67bg, Sipa Press 75hdr ; Rosenberg Library, Galvaston 70cg & b ; Saba : Alberto Garcia 28-9b, 29bdr (cartouche), Shawn Henry 13bdr, 28cg, Tom Wagner 47hdr ; Science Photo Library : 12hdr, 24cdr, 52-3, 57hc, CVL/Eurolios 123cdr, Gregory Dimijian 16b, Barry Dowsett 111bdr, Earth Satellite Corporation 91cdrb, Eye of Science 106cd, Keith Kent 57hc, Krafft/Explorer 100, Dr Kari Louriatmaa 123hg, Pr Stewart Lowther 18-19, Peter Menzel 12bg, 32hc, 56hg, 70cdr, 119b, NIBSC 104bdr, NOAA 64b, NOAASS 124-125 & 140-153, David Parker 15hdr & 43hdr, David Scharf 112cdr, Fred K Smith 55, Sinclair Stammers 115hdr, Soames Summerhays 2, US Geological Survey 16cg, Tom van Sant/Geosphere Project, Santa Monica 12-13 ; Asahi Shimbun Photo Service : 22 ; Frank Spooner : 5hg, 31hdr, 32cdrd, 44h, 73hg, 76cdr, 79hdr, 82-3, 102bg, 105bg, Gamma 12cdrb, 20cg, 34bg, Giboux/Liaison 44hdr ; State Journal Register : 52bg, 62bc ; Stockmarket : 66b & cgd, W Bacon 32hdr, A & J Verkair 4cdr ; Sygma : 3c, 5b, 29hg, 34bdr, 54-5 b, 57b, 62cdr, 67hdr, 69cdr, Michael Owen Baker 8b, Balder 122bg, Alan & Sandy Carey 85hdr, Friday 46h, Julien Frydman 21cdr, L Gilbert 110-1, Jon Jones 84hc, B Kraft 9hc, 91bg, V Miladinovic 86hdr, P P Poulin 72cdr, J Reed 62cdr, P Robert 46bg & 46bc, 122c, A Tannenbaum 21g, Randy Taylor 21bdr, Lannis Waters/Palm Beach Post 74-5b, Haruyoshi Yamaguchi 13hdr ; Topham Picture Source : 62bg, 72 ; US Geological Survey : 39dr, 52hdr, 56cga & bdr ; C J N Wilson : 23bc ; Woodfin Camp & Associates Inc : 29hg, 35bdr, 77bg, Alexandra Avakian 13cg, Jonathan Blair 99cdr, David Burnett 77bg, Chuck Nacke 35bdr, 91cg ; Woodfall Wild Images : Tom Murphy 94.